19,90

Doodskruid

Anna Jansson

DOODSKRUID

UIT HET ZWEEDS VERTAALD DOOR
TINE P.G. JORISSEN-WEDZINGA

DE GEUS

Oorspronkelijke titel *Alla de stillsamma döda*, verschenen bij Prisma
Oorspronkelijke tekst © Anna Jansson, 2001
Nederlandse vertaling © Tine P.G. Jorissen-Wedzinga en De Geus BV,
Breda 2005
Published by agreement with Bengt Nordin Agency, Stockholm, Sweden
Omslagontwerp Mijke Wondergem
Omslagillustratie © Nonstock/Hollandse Hoogte
Foto auteur © Sören Jansson
Druk Koninklijke Wöhrmann BV, Zutphen
ISBN 90 445 0625 0
NUR 331

Als je je afvraagt, broeder...

Als je je afvraagt, broeder, of van hen die zijn overleden,
en van wier aardse woning nog slechts muren staan,
rond het gloeiend eiland hierbeneden
golven van verkoeling gaan.

Buiten de verziekte ruimte van deez' gevangenis
stralen sterren helder in hun baan.
— Dan zie ik ze reizen in een schitterende watermist
allen die zijn heengegaan...

Vraag je daarna waarheen de reis toch gaat,
dan is mijn antwoord te vinden in de zin:
'Waar nooit een vraag ontstaat,
daar dommelen de deinende golven in.'

Uit Nils Ferlins dichtbundel *Med många kulörta lyktor,*
uit het Zweeds vertaald door drs. J.W. Hellendoorn

Haar eerste waarnemingen zijn de donder en een bedwelmende stank van menselijke uitwerpselen. De pijn is met de toestand van bewusteloosheid mee komen drijven naar de oppervlakte. Doordringend en zwaar heeft hij haar gedwongen tot helderheid. De duisternis is bijna compact. Een mistgrijze streep licht danst boven haar hoofd. Als dat erboven is. Ze weet het niet zeker. Het doet pijn om haar blik te fixeren. Inspecteur Maria Wern doet een poging om op te staan van de harde cementvloer en moet overgeven. De hoestaanval tijdens het overgeven voelt als een klap met een bijl tegen haar achterhoofd. Alles draait, valt en stijgt op in een regen van lichtflitsen. Ze probeert voorzichtiger over te geven, zonder aanzet. Haar mond brandt al spoedig van de bittere gal. Voorzichtig tilt Maria haar arm op en voelt aan haar kloppende hoofd. Haar hand wordt nat. Ze houdt haar vingers onder haar neus. Ze ruikt de geur van bloed. Haar maag vertrekt zich in een nieuwe kramp. Haar hoofd explodeert en ze valt opnieuw in de beschermende duisternis.

Hoe lang ze buiten bewustzijn is geweest, weet ze niet. Een paar minuten? Een paar uur? De regen zwiept neer, maar er komen slechts een paar spatjes op haar gezicht. Een rauwe, vochtige kou trekt haar lichaam binnen. De duisternis is nu totaal. Maria wrijft in haar ogen. Ze probeert nuances te ontdekken in de zwartheid die haar omgeeft. De stank is ondraaglijk. Ze probeert het zich te herinneren. Haar innerlijke chaos op orde te brengen. Maria weet niet waar ze zich bevindt. Angst bekruipt haar en slingert zich als een gladde slang langs haar ruggengraat. Beelden van Krister en de kinderen komen voorbij, maar laten zich niet vangen in enig verband. Ze worden verdrongen door de dreiging. Een verscheurend gevoel van een naderende catastrofe. Iets wat ze kan begrijpen, wellicht voorkomen, maar wat tot nu toe ongrijpbaar is.

Maria laat haar hand over de vloer glijden. Die voelt koud en ruw aan, als beton. Krister en de kinderen, waar zijn ze? En waar bevindt zíj zich?

'Hallo! Help, is daar iemand?' Maria probeert zo hard mogelijk te roepen. Het geluid, een dunne, krassende klank, wordt geabsorbeerd door de ondoordringbare muren. Hoe is ze in deze stinkende gevangenis terechtgekomen?

'Hallo!' Voorzichtig strekt Maria haar rechterhand uit in het donker en komt tegen een stenen of betonnen muur aan. Ze voelt een sterke behoefte om haar blaas te legen, maar kan niet overeind komen. Haar handen glijden over haar lichaam in een poging te voelen of er iets gebroken is. De wond op haar achterhoofd is plakkerig. Haar haar voelt stug aan tussen haar vingers. Ze heeft het koud.

'Help. Help me dan!' Buiten valt de regen met bakken uit de hemel. Golven spoelen aan land. Worden als houtblokken versplinterd tegen de stenen of tegen een steiger. Onvermoeibaar. Haar stem gaat verloren in het doffe gerommel van het onweer. Krister en de kinderen, zijn zij in veiligheid? Maria kan niet reconstrueren wat er gebeurd is. Een donderslag doet de lucht vibreren. Een bliksemflits licht op door een driedelige grijze spleet boven haar. In een paar seconden ziet Maria haar gevangenis. Ze krijgt het gevoel dat ze zich in een bunker bevindt. Op de vloer links van haar ligt een grote zwarte bundel. Een mens? Maria wacht met ingehouden adem op de volgende bliksemflits. De knallen van de donder komen van steeds verder weg. Na een eeuwigheid komt er een nieuwe lichtflits, veel te zwak om de donkere ruimte te verlichten. Krister? Is dat Krister? Maria steekt haar linkerhand uit. Ze voelt het lichaam door de stof heen, tast naar een arm.

'Krister!' Ze vindt zijn hand. Pakt hem stevig vast. 'Krister, waar zijn de kinderen? Waar zijn Emil en Linda?' De hand is ijskoud. 'Word wakker, Krister!' Maria doet een poging dichterbij te komen. Ze probeert op te staan en met haar hand over zijn gezicht te strelen, hem te wekken. Hij moet wakker worden! Wakker worden en vertellen wat er gebeurd is. De hoofdpijn is ondraaglijk, ontneemt haar de adem. Dwingt haar weer te gaan liggen met haar wang tegen de ijskoude vloer. Braakneigingen golven op en neer in haar keel. Er kruipt iets over haar hoofd, door haar haar. Er zit iets tussen haar vingers. Het kraakt als ze haar wijsvinger tegen haar duim drukt, er blijft iets over haar hoofd en in haar nek lopen. Een bepaald soort insecten, pissebedden misschien, of oorwurmen? Ze heeft jeuk op haar rug. Met een rilling van onbehagen merkt Maria dat ze niet in staat is haar arm weer op te tillen.

'Krister, je moet wakker worden! Ik hou van je.' Zijn hand ligt slap in de hare. Maria doet een laatste poging overeind te komen en verliest weer het bewustzijn.

Een zwak licht heeft zich door de dichtgespijkerde openingen van de bunker naar binnen gewurmd. Het regent nog steeds hard en het water vult de kuilen in de vloer. De storm vergrijpt zich aan grasklokjes, margrieten en knolspirea in de knop, die platgeslagen op het weiland bij het strand liggen, vóór de betonnen bunker, een overblijfsel uit de oorlog. Het riet beweegt heen en weer, onbeschermd, het heeft geen mogelijkheid om te ontkomen, wordt gedwongen met de vertoornde wind mee te waaien. De jeneverbesstruiken buigen hun door de wind getergde ruggen, die onafgebroken door de regen omlaag worden gezwiept. Het strand ligt verlaten voor het dichte, donkergroene naaldbos.

Maria wordt jammerend wakker. Haar blaas staat op springen. Haar hoofd bonkt. Kristers hand is zo koud en stijf. Voorzichtig opent ze haar ogen tegen het licht. Staart naar de hand in de hare en naar de dode man aan haar zijde. Ze slaakt een gil van angst, maar moet nu toch echt plassen. Instinctief zoekt ze naar het laagste punt om te gaan zitten, om de weg van het water over de vloer niet te hoeven zien. Helemaal bij de deur is een verlaging. Die is eerder gebruikt. Vol menselijke uitwerpselen en kots verspreidt hij zijn gore stank. Nog steeds op haar hurken probeert Maria de stalen deur open te duwen. Daar is geen beweging in te krijgen. Ze zit opgesloten met de dode. De muren komen op haar af en persen zich van alle kanten naar binnen. De lucht blijft in haar longen steken. De man is dood, geen twijfel mogelijk. Wasbleek en ontspannen rust zijn hoofd op de vloer. De kleurloze lippen zitten over zijn tanden gespannen. De mond staat wijd open. De ogen zijn niet helemaal gesloten. De blik staart troebel in het onbekende. Op het witte overhemd ligt een groen takje. Maria wrijft voorzichtig de smalle blaadjes tussen haar vingers. Rozemarijn. Dat is rozemarijn, dat is goed voor het geheugen, zegt Ophelia tegen Hamlet. De vrouw van de kwekerij duikt op uit de mist, anoniem. Dat was toch wat ze zei? 'Dat is rozemarijn, dat is goed voor het geheugen.'

Rozemarijn ter herinnering aan de doden, zo was het. Maria dwingt zichzelf de dode aan te kijken. Een huilerig lachje borrelt op in haar keel. Van angst en van opluchting dat het niet Krister is die daar ligt. Hoe lang heeft ze de hand van de dode vastgehouden? Maria kijkt naar haar hand, alsof dat een vreemd voorwerp is. In haar angst grijpt ze zich vast aan de details om het geheel niet te hoeven zien. Het dunner wordende haar van de man. Het heeft wel iets van dat van Krister. De bruine sandalen. De zijden das, slordig geknoopt. De stoffige, zwarte broek. Ze staat op en probeert met al haar kracht tegen de planken te trappen die voor de drie openingen gespijkerd zitten. Helemaal onderaan is een spleet van bijna tien centimeter. Als ze die planken maar weg kon krijgen, dan kon ze zich door een van de openingen wurmen. Ze roept nogmaals om hulp. Haar hoofd barst bij iedere poging. De duizeligheid neemt toe. Haar stem wordt zwakker. Het is zinloos om tegen de storm te schreeuwen. Haar mond voelt stroef en droog aan, hoewel de lucht verzadigd is van vocht. Hoe lang is het geleden dat ze iets gedronken heeft? Maria heeft het koud ondanks het fleecejack. Ze probeert de deur weer open te duwen, maar zonder resultaat. De ruimte die ze moet delen met de dode bedraagt hoogstens vier vierkante meter. Ze dwingt zichzelf weer naar het gezicht van de man te kijken en meent hem te herkennen. Ze weet vaag dat ze hem eerder gezien heeft. Maar ze heeft geen idee hoe hij heet.

Langzaam valt de schemering in, vaagt de details in de bunker en de gelaatstrekken van de dode uit. Rondt de hoeken af met zijn donkergrijze schaduwen. Inspecteur Maria Wern zoekt koortsachtig in haar geheugen om haar benarde situatie te begrijpen: opgesloten in een bunker met een dode man. Wie heeft haar op haar achterhoofd geslagen? Waarom is de deur op slot? Waarom leeft zij wel en de man niet? Misschien hoeft de moordenaar haar niet daadwerkelijk te doden. Hoe lang kan een mens zonder water? Drie dagen? Nauwelijks meer. Minder in de warmte. Minder ook als je overgegeven hebt. Ze gaat op de grond zitten. Probeert haar krachten te bundelen. 'Dat is rozemarijn, dat is goed voor het geheugen.' De vrouw van het tuincentrum. Maria spant haar geheugen tot het uiterste in, zoekt associaties en beelden. Er doemt een donderdag op uit de vergetelheid. De donderdag dat ze Rosmarie Haag leerde kennen.

Ze woonden nu een paar maanden in het huis in Kronviken. Ze had nooit gedacht dat er zoveel opgeknapt moest worden. In het eerste betoverende ogenblik, toen ze alleen zagen van wat er allemaal mogelijk zou zijn, was er geen ruimte voor realistische inschattingen.

De badkamer had geen douchecabine, alleen een charmante blauwe badkuip op vier poten, met een rubberen slang die je met veel moeite kon aansluiten op de kraan als je wilde douchen. De waterkranen boden gloeiend heet en ijskoud water, dat naar believen gemengd kon worden. Levensgevaarlijk met kleine kinderen. Alle kranen hadden een nieuwe pakking nodig. Alle acht-tien ramen, inclusief die van de veranda, hadden voorzetramen met wattenrollen ertussen als isolatie. Bij het ramen zemen moest het raam eruit worden getild en op de vloer worden gezet om daarna weer teruggeplaatst en ingepast te worden met behulp van pennen en schroeven. Ten slotte moest het dan nog worden dichtgetapet met lange stroken papier die eerst nat gemaakt moesten worden met water. Maria kon zich niet herinneren ooit eerder zoiets gezien te hebben. Ze had er in elk geval nooit over nagedacht hoe het zemen van zulke ramen eigenlijk in zijn werk ging.

In haar fantasie had ze onbeperkt tijd en geld gehad om in het droomhuis te steken. Nieuw behang, nieuwe vloeren en een nieuwe badkamer. Een ruimte voor de wasmachine. Er was niet eens een aansluiting voor een wasmachine! Er waren alleen twee wastobbes achter een gordijn en een waslijn in de tuin. Op het moment van de koop had ze zich nooit voor kunnen stellen hoe het zou worden. Nee, ze was straalverliefd geworden op het huis, helemaal verblind door de tegelkachel en de glazen veranda, het op hout gestookte fornuis in de keuken met de gemetselde schouw en het broeikasje precies bij de ingang van de keuken. Krister had lang verzwegen dat hij vochtplekken had gevonden in de kelder. Hij wilde zijn echtgenote niet belasten met zulke pietluttigheden nu ze eindelijk gelukkig was, zei hij. En hij had er ook niet over gepeinsd er ophef over te maken toen ze het huis zo voordelig konden kopen. Wat er uiteindelijk in geresulteerd had dat ze de afvoer hadden moeten opgraven en omleggen, en toen was het geld op. Helemaal op. Bovendien stookte de verwarmingsketel uit 1800 niet warm genoeg en kon hij er elk moment mee ophouden.

Vlak voor midzomer was haar schoonmoeder langsgekomen met een servies dat ze voor hun nieuwe huis gekocht had. Ze benadrukte telkens weer dat het maar liefst zestienduizend kronen gekost had. Het was absoluut onbruikbaar in een gezin met kinderen, maar kon niet worden geruild. 'Niet zonder dat we het de rest van ons leven moeten horen', stelde Krister vast. En zo was het. 'Jullie komen toch wel met midzomer?' had haar schoonmoeder gevraagd toen Maria het pakket openmaakte. Het geschenk was duidelijk aan voorwaarden gebonden, omkoperij. 'Nee, we hebben afgesproken om naar Uppsala te gaan.' En dat hadden ze ook gedaan. De maandag na midzomer had haar schoonmoeder gebeld, de instorting nabij. 'Ik ben met al het eten blijven zitten, omeletten, soufflés, taarten en koekjes. Jullie kwamen maar niet. Jullie laten ons oudjes gewoon stikken.' Maria had haar toen verteld dat ze heel duidelijk gezegd hadden dat ze niet zouden komen. 'Jullie zeggen zoveel! Ik had nooit gedacht dat jullie zo gemeen en egoïstisch konden zijn dat jullie ons met midzomer aan ons lot over zouden laten.' Emotionele afpersing was het juiste woord! Maria had iets dergelijks wel verwacht, maar kreeg toch een slecht geweten.

De hele woensdagavond, tot in de kleine uurtjes, hadden ze geprobeerd de bloembedden rond het huis te herstellen na de drainagewerkzaamheden. Inspecteur Maria Wern staarde kritisch naar haar nagels. Het was lastig om ze helemaal schoon te krijgen als je de avond ervoor als een mol in de aarde had zitten wroeten. Ze nam een flinke slok koffie en las een schrijven van de leidinggevenden over probleemgeoriënteerd werk en inroostering vluchtig door. De wekker was om zes uur afgelopen, na minder dan vier uur slaap. Om zeven uur was ze vertrokken om de kinderen naar de crèche te brengen. Linda was wagenziek geworden en had overgegeven op de achterbank.

Maria draaide haar blonde vlecht om haar hand en maakte er een knot van. Haar ogen brandden toen ze probeerde de tekst op het papier te fixeren, de letters vast te houden en ze een zinvolle gedachtegang af te dwingen.

'Je hebt bezoek', kraste de stem door de intercom. 'Rosmarie Haag. Ze heeft blijkbaar eerder contact gehad met Örjan Himberg, maar wil deze keer graag met iemand anders spreken.' Maria was totaal niet verbaasd. Dat wilde iedereen die met Örjan Himberg gesproken had. Binnen het recherchedistrict was hij net zo welkom als een naheffing van de belasting. Maar nu Jesper Ek langdurig ziek was nadat hij in zijn buik was gestoken, hadden ze wel iemand van de gewone politie moeten lenen. En wie werd er uitgeleend? Örjan natuurlijk! Örjan was helemaal niet blij dat hij zijn favoriete bezigheid had moeten opgeven: automobilisten aanhouden en hun auto's inspecteren. Als een schoolmeester voer hij uit tegen zijn medemensen; hij bestrafte ze voor vuile nummerborden, mogelijk rijden onder invloed, vermoed hardrijden, troebele koplampen en verboden accessoires. Jongens van achttien konden nooit zo doorrijden. Die benaderde hij met een elan dat het hele verdere rechtswezen deed verbleken. De zoon van Kristers broer was een keer slachtoffer van hem geworden en hij deed graag na hoe Örjan zijn rijbewijs wantrouwig en uitvoerig bekeken had, als bij een paspoortcontrole in oorlogstijd. Bij de jongelui had Örjan Himberg de bijnaam Himmler.

Maria werd gestoord in haar gedachten door een voorzichtige klop op de deur, waarna Arvidsson zichtbaar werd met Maria's bezoek. De vrouw die de kamer binnenkwam, stelde zich voor als Rosmarie Haag. Ze had een kaarsrechte houding. Haar dikke, golvende rode haar zat met een leren speld in een losse knot. Ze had grote, ronde grijze ogen. De goedzittende jurk van naturelkleurig linnen benadrukte op een discrete manier haar goede figuur. Maar de jurk was waarschijnlijk te warm met zijn lange mouwen en alle knoopjes dicht. Het zorgvuldig opgemaakte gezicht vertoonde de nuances van het bruinrode kleurenpalet. Örjan Himberg zou vast inschikkelijker geweest zijn als hij oog in oog had gestaan met deze verschijning, dacht Maria cynisch.

'Mijn man is sinds gisternacht verdwenen. Politie-inspecteur Örjan Himberg wil mij doen geloven dat Clarence is wezen feesten en in het verkeerde bed is beland. Maar dat geloof ik niet. Toen ik hem voor de derde keer belde, raakte inspecteur Himberg geïrriteerd. Ik belde hem thuis, omdat zijn dienst om één uur vannacht eindigde. Ik weet dat dat niet gebruikelijk is, maar ik wil helderheid over wat er gebeurd is. Himberg zei dat hij mij zou opnemen in iets wat hij de stralingsmap noemde.' Maria kneep haar ogen dicht en haalde diep adem. Als ze maar niet aan deze vrouw zou hoeven uitleggen dat degenen die in de strálingsmap kwamen niet direct behoefte hadden aan ingrijpen door de politie, maar eerder andersoortige hulp nodig hadden: verdwaalde zielen die meenden dat de radiatoren thuis giftige straling afgaven, mensen die werden aangerand door wezens van andere planeten of burgers die regelmatig belden en de politie tipten dat de aan een rolstoel gekluisterde negentigjarige overbuurvrouw er een bordeel op na hield. Moge Örjan Himberg door de bliksem getroffen worden voor zijn ongevoeligheid!

'Neemt u plaats. We gaan dit zorgvuldig uitzoeken. Hoe heet uw man verder, behalve Clarence?'

'Clarence Haag. Hij zou gisteravond naar een zakendiner gaan. Om tien over halfzeven vertrok hij met de auto naar de stad. Sindsdien heb ik niets meer van hem vernomen.' Rosmarie wendde haar blik af en beet op haar onderlip.

Het verbaasde Maria dat de vrouw zo'n diepe stem had. Rijp en goed articulerend, zoals de stem van een tv-verslaggever die door een panel luisteraars is getest, vulde haar stem alle hoeken van de kamer zonder de normale gesprekstoon in luidheid te overschrijden. Met zo'n stem kun je alles betrouwbaar laten klinken, dacht Maria met een zweem van jaloezie. Als de vrouw niet zo'n vochtige handdruk gegeven had en zo'n haastig, bijna nerveus lachje had gehad, had ze op het eerste gezicht zó onaangedaan geleken door de verdwijning van haar man, dat het ook om een weggevlogen kanariepiet kon gaan. Toch had ze Himberg drie keer gebeld! Vreemd. De woorden en de lichaamstaal van de vrouw kwamen niet overeen met haar optreden. Onder het rustige oppervlak werd een grote onzekerheid zichtbaar.

'Wat doet hij voor werk?'

'Clarence is makelaar. Onroerend goed. Hij heeft een eigen bedrijf, Haags Makelaardij, als dat u wat zegt? Hij zou een klant ontmoeten bij De Vergulde Druif. Het betrof een belangrijke investering, zei hij. Ik heb een foto meegenomen.' Rosmarie groef in de bij haar garderobe passende handtas. Haar hand trilde licht toen ze inspecteur Wern de foto liet zien. Het viel Maria op dat de vrouw aarde onder haar nagels had en ze vond dat een sympathiek barstje in de perfecte façade. Welkom bij de mollen. De roodharige man op de foto lachte hen toe. In zijn mond glinsterde een gouden tand. Dat gaf een wat brutaal uiterlijk, zo'n halve tand van goud. Een prettig contrast met het stijve, bruingestreepte kostuum en de bril met het gouden montuur. 'Hij had dat kostuum gisteren aan', constateerde Rosmarie.

'Zei hij wanneer hij verwachtte weer thuis te zijn?'

'Nee, maar tegen middernacht werd ik ongerust en heb ik een taxi genomen naar De Vergulde Druif. Ze waren daar al twee uur dicht. De deur was op slot en er brandde geen licht meer. Ik probeerde telefonisch te controleren of een van de andere gelegenheden langer open bleef op zondag. Maar restaurant Het Park ging om elf uur dicht en daar was hij niet geweest. Misschien was hij met de klant naar huis gegaan? Hij had een afspraak met een mán! Dat zei hij tenminste', benadrukte Rosmarie. 'Ik heb het natuurlijk gecheckt met zijn agenda. Maar daar staat geen naam. Alleen "Vergulde Druif 19.00 uur". Dat is alles. Zijn compagnon en zijn secretaresse weten geen van beiden met wie hij afgesproken had. De Vergulde Druif gaat vandaag pas om elf uur open en ik kan de eigenaar op zijn privé-nummer niet te pakken krijgen. Het lijkt alsof hij de stekker er uitgetrokken heeft. U moet mij helpen.' De ronde ogen werden nog ronder en stroomden over. Met de tranen werd het beeld van de vrouw duidelijker.

'We proberen hem nog een keer te bellen. Als we geen gehoor krijgen, stel ik voor dat we naar zijn huis rijden. Dan kunnen we in de auto verder praten.' Er verscheen een glimlach op Rosmaries gezicht. En opeens had ze een gedaanteverwisseling ondergaan. Met de kuiltjes in haar wangen en met haar sproeten zag ze eruit als een schoolmeisje.

De eigenaar van De Vergulde Druif woonde in een van de pompeuze huizen van rond de eeuwwisseling langs de rivier, niet ver van Het Park. Toen ze de brug over reden, konden ze het enorme terras zien, met een eigen steiger en een zeilboot. De grote, keurig verzorgde grasmat schitterde in het zonlicht. De pergola was omlijst met een overdaad aan bloempotten en klimrozen, en ging over in een wit hek dat het zwembad omzoomde.

'Heeft uw man nog andere kenmerken; een levervlek, een moedervlek of iets anders?'

'Nee, hij heeft geen moedervlekken. Het eerste wat je opvalt, is die gouden tand.'

'Hoe is hij daaraan gekomen?'

'Bij een vechtpartij, maar dat is lang geleden. Hij koos voor een gouden tand, dat vond hij mooi.'

'Wat denkt u zelf dat er gebeurd kan zijn? Waar kan hij gebleven zijn? Hebt u enig idee?'

'Als ik dat wist, zat ik hier niet', zei Rosmarie met een rustige, zakelijke stem.

'Nee, dat is waar. Is uw man wel eerder een nacht weggeweest zonder het te laten weten?'

'Nee, nou ja, één keer toen een vliegtuig vertraging had. Maar toen kon het vliegveld bevestigen dat het om een vertraging ging. En van het najaar, maar dat was een dom misverstand. Ik had me vergist in de dag. Maar verder is dat nooit gebeurd in de vijf jaar dat we getrouwd zijn. Ik heb ook naar de eerstehulppost van het ziekenhuis gebeld, maar ze hadden geen man van rond de vijf-enveertig binnen gekregen. We moeten hem vinden. Het is ver-schrikkelijk om niet te weten waar hij is!'

'Ja, inderdaad', zei Maria en ze voelde dat ze moeilijker adem kon halen. Het was net een halfjaar geleden dat haar dochter Linda verdwenen was. Inspecteur Maria Wern wist maar al te goed wat onzekerheid was.

De eigenaar van De Vergulde Druif, tevens eerste kelner, opende zijn buitendeur gekleed in een zilvergrijze zijden pyjama. Als je je er een paar antennes bij voorstelde, zou het beeld van een com-mandant van een buitenaards ruimteschip compleet zijn: *Wel-come on board, Mrs. Wern. This world is a bit different from yours, but you'll get used to it.* De behaarde borst van de eerste kelner, die in de halsronding van zijn pyjama zichtbaar was, was versierd met een dikke gouden ketting. Het krullende bruine haar met de licht zilverkleurige slapen lag achterovergekamd. De geur van Old Spice kwam ze tegemoet. En dat was niet het enige. Voordat Maria er erg in had, had hij haar hand gekust. Ze was van schrik bijna achterwaarts de deur weer uitgelopen. Voor Rosmarie was het duidelijk dagelijkse kost. Ze stak beleefd haar hand uit en die werd naar behoren behandeld.

Met een dienstbaar lachje troonde de eerste kelner de dames mee naar zijn showkeuken. Maria moest denken aan een oude James Bond-film die ze samen met Krister gezien had, toen duidelijk geworden was dat hij romantische films zat was. De keuken van Mr. Bond hing van onder tot boven vol koperen pannen, keurig gepoetste, glimmende rijen braadpannen, steelpannen, flambeerpannen, juskommen en serveerschalen. Toen ze de bioscoop verlieten, kon Maria maar aan een ding denken: wie poetst al die pannen voor Bond? Het idee van James met een gestreepte schort voor, Brasso-koperpoets en een zacht, lichtblauw katoenen doekje dat afkomstig was van een versleten pyjama, zou elke Bond-liefhebber spijsverteringsproblemen hebben opgeleverd. In deze oogverblindende keukentempel van de eerste kelner hing dezelfde vraag in de lucht. Wie moet dat allemaal poetsen?

'Wat kan ik de dames aanbieden? Koffie, espresso, cappuccino? Toast of misschien wel eieren?' De eerste kelner sliep duidelijk met het opschrijfboekje voor de bestellingen in zijn hand.

'Koffie, graag.' Rosmarie Haag antwoordde voor hen beiden.

Van horen zeggen wist Maria dat de eigenaar van De Vergulde Druif een man was met een groot zwak voor mooie vrouwen, hoe weelderiger hoe beter. Voorzover bekend was hij altijd vrijgezel geweest. Maria bedacht, toen ze alledrie zaten te ontbijten, dat hij zijn vrouwen vermoedelijk nooit weg liet gaan zonder een degelijk ontbijt. Dat zou immers afbreuk doen aan zijn goede naam. Hij leek zich ook geheel niet ongemakkelijk te voelen met het feit dat hij nog in pyjama liep, wat moest duiden op een bepaalde gewoonte.

'Kent u deze man?' Maria overhandigde de foto van Clarence Haag. De eerste kelner pakte zijn bril uit de zak van zijn met een monogram versierde pyjama en bestudeerde de man met de gouden tand korte tijd.

'Uiteraard! Een van mijn stamgasten. Hij neemt vaak zakenrelaties mee naar mijn restaurant. Ik kan me bijna indenken waarom u hier bent. Maar ik moet eerlijk zeggen: mannen zijn mannen en een ongeluk zit in een klein hoekje. Het gebeurt in de beste families. Dus het lijkt me verstandiger om u niet al te druk te maken. Geen zorgen voor de dag van morgen.'

'Wat bedoelt u?' vroeg Rosmarie nerveus. 'Is er een ongeluk gebeurd?'

'Een ongeluk komt zelden alleen en u zit immers hier', schertste de man in een ijdele poging de matte stemming te verbeteren. 'Hij bestelde gewoon wat te veel van het goede, die brave Clarence, dat gebeurt nou eenmaal. Absoluut niet iets om ophef over te maken. Er zijn er meer dan broeder Clarence die met dergelijke combinaties verzadigd zijn.'

'Bestelde gewoon wat te veel? Wat bedoelt u, dronk Clarence zoveel alcohol dat hij dronken werd?'

'Tja, het was geen kraanwater', antwoordde de eerste kelner met gefronste wenkbrauwen.

'Dat geloof ik niet. Hij moet er beroerd van zijn geweest, heel beroerd. Clarence is nagenoeg geheelonthouder. Hij neemt hoogstens één glas wijn, waar hij dan een beetje aan zit te nippen, als we gasten hebben.'

'De arme man', verzuchtte de eerste kelner. Het was onduidelijk of hij vond dat Clarence onder de plak zat bij zijn vrouw, of dat hij doelde op de miserabele toestand waarin de man de dag ervoor had verkeerd.

'Kunt u ons exact vertellen wat er gebeurd is?' vroeg Maria. De eerste kelner kwam overeind, nu hij inzag dat het informele gedeelte van het gesprek ten einde was, en dat hij nu verslag van zijn waarnemingen aan de verlengde arm van de wet uit moest brengen.

'Clarence had een tafel besproken om zeven uur, zijn gebruikelijke tafel. Zijn gezelschap, een kunstenaarstype met een pet, een donkere bril en leren handschoenen, kwam ongeveer om kwart over zeven.' De eerste kelner kon het woord 'pet' amper uit zijn mond krijgen, dus het kon niemand ontgaan wat hij van een dergelijk hoofddeksel aan tafel vond. 'Vooraf bestelden ze allebei haring met een borrel. En meer borrels dan haringen, wil ik maar zeggen. Vervolgens lieten ze mij biefstuk De Vergulde Druif aanbevelen, uiteraard Zweeds vlees, met gorgonzola en in figuurtjes gesneden champignons in rodewijnsaus. Daarbij bestelden ze twee flessen rode wijn: Château Olivier 1989, een mooi jaar.

Na afloop zag ik dat ze nauwelijks van het eten hadden gegeten. Ik kan u eerlijk zeggen dat dat me teleurstelde. Dat gerecht is altijd een topper. Bij de koffie dronken de heren cognac. Daarna werd de arme Clarence onpasselijk. De man met de pet ging met hem mee naar buiten. Hij hield zijn zakdoek tegen Clarence' mond gedrukt, ik neem aan om te voorkomen dat hij op het tapijt zou braken. Met tegenwoordigheid van geest, moet ik zeggen. Ik zou die pet daardoor bijna door de vingers kunnen zien. De rekening werd contant betaald. Het geld lag op tafel. Op de öre nauwkeurig – helemaal geen fooi. Clarence geeft altijd een royale fooi, dus die ander zal wel betaald hebben, geen kroon te veel. Ik liep met ze mee naar de deur om te zien of ik ze nog ergens mee van dienst kon zijn. Maar ze zaten al in de auto. Een blauwe BMW. Ze reden richting ringweg. Ik kon niet zien wie er achter het stuur zat. Alhoewel dat amper Clarence geweest kan zijn, als je het mij vraagt.'

'De auto van Clarence is nog steeds niet terecht. Dat is een blauwe BMW', verkondigde Rosmarie met beheerste stem. Maria noteerde het kenteken, pakte haar telefoon, toetste het nummer van inspecteur Hartman in en gaf uitleg over de situatie.

'Er gaat onmiddellijk een opsporingsbevel voor de auto uit', zei ze toen ze het gesprek beëindigd had.

'Als de man die reed niet nuchter was, kunnen ze in iedere willekeurige sloot liggen. Clarence kan niet gereden hebben. Hij was zo beroerd. Hoe snel word je ziek als je iets verkeerds gegeten hebt?' vroeg Rosmarie en ze greep naar haar keel.

'Ho, nu moet ik protesteren! In mijn restaurant worden alleen eersteklas producten gebruikt, iets anders is ondenkbaar. Beweren dat een van mijn gasten iets verkeerds gegeten zou hebben, is een grove belediging.' De man in de pyjama kreeg een hoogrode kleur.

'Het spijt me, zo bedoelde ik het helemaal niet. Maar ik kan gewoon niet geloven dat Clarence gedronken had. Dat wil er bij mij niet in.' Rosmarie kamde met haar vingers door haar haar zodat de knot in haar nek losraakte en er een golf van rode krullen over haar schouders viel. 'We hebben thuis een bar waaruit hij zakenrelaties en vrienden iets kan aanbieden. Maar zelf drinkt hij er vrijwel geen druppel van. En als ik een glas wijn neem als we geen gasten hebben, kan hij daar de hele avond over zitten zeuren. Clarence heeft een grondige hekel aan vrouwen die drinken.'

'Een van hen moet nuchter genoeg zijn geweest om de rekening op te kunnen tellen en te betalen', dacht Maria hardop en ze zei 'ja, graag' toen de eerste kelner haar de koperen koffieketel voorhield.

Rosmarie Haag werd naar huis gebracht om van daaruit familie en vrienden te bellen. Haar man had volgens zijn agenda om 09.30 uur een vergadering en om 11.00 uur een bezichtiging. 's Middags zou hij met de trein naar Stockholm reizen. Dat was ruim een week geleden al afgesproken. Toen ze op de parkeerplaats voor het huis van Rosmarie stopten, ontdekte Maria dat ze bij Rosmaries Tuincentrum waren, een kwekerij met een tuin en een restaurant halverwege de camping van Kronviken en de stad. Maria kwam er dagelijks langs sinds ze in het gele huis woonde en was al diverse keren van plan geweest om er eens iets te kopen, maar had dat telkens uitgesteld omdat ze eerst wilde kijken wat er begon te groeien als de sneeuw eenmaal gesmolten was. En daarna waren ze, zoals gezegd, aan het graven geweest voor de afwatering.

'Ik wist niet dat u díe Rosmarie was', zei Maria met een glimlach. 'Ik kom na mijn werk wel even langs als we dan nog geen opheldering hebben over wat er gebeurd is.' Ze gaf Rosmarie een kaartje met haar rechtstreekse nummer.

'Bel me als u iets hoort. Is er iemand die u kunt vragen te komen, iemand die u om hulp kunt vragen?'

'Mijn vader, die woont in dat rode huisje op de heuvel. Maar ik geloof niet dat hij zo'n grote steun zou zijn. Clarence en hij kunnen het niet zo goed met elkaar vinden. Mijn vader zou het een geschenk uit de hemel vinden als Clarence voorgoed wegbleef. Ik zeg het zoals het is, hoewel het mijn eigen vader is.'

'Wat heeft hij op Clarence tegen?'

'Samenvattend: alles. Maar nee, ik ben niet alleen. Het personeel begint hier om negen uur. Het lukt wel. Tot horens.' Rosmarie slaakte een diepe zucht en haastte zich naar binnen. Opgelucht nu haar taak was volbracht? Maria kreeg, nogmaals, het gevoel dat ze tegenstrijdige signalen kreeg.

3

'Dus je hebt de hele ochtend culinair zitten ontbijten en daarna de tuin van Rosmarie Haag bewonderd? Zeker om later bloemen voor je eigen tuin te gaan kopen, hè? Had je niet méér kunnen doen in werktijd? Misschien had je ook nog een afspraak bij de kapper of bij de schoonheidsspecialiste kunnen maken.' Commissaris Ragnarsson-Storms vlak bij elkaar staande ogen namen Maria op. De niet-brandende sigarettenpeuk onder zijn bovenlip wipte op en neer in het tempo waarin hij sprak. Als een soort minidirigeerstokje, dacht Maria en ze glimlachte wat minder breed. 'Er wordt overal geklaagd dat we te weinig mensen hebben, te weinig middelen krijgen, dat we onderbemand zijn en op ons tandvlees lopen, en dan heeft die vrouw daar', Storm wees woest naar Maria, 'het lef om de hele ochtend te lopen freewheelen. Liep je niet achter met je administratie, zaken die morgen voorkomen? Had je dat niet gezegd?'

'Dat komt wel goed. Maar we weten nog steeds niet wat er met Clarence Haag gebeurd is', zei Maria zonder haar blik ook maar een millimeter te verplaatsen.

'Nee, en het zou mooi zijn als dat zo bleef. Vermoedelijk zit hij ergens dronken in het bos, en dan mogen we blij zijn dat hij geen verkeersongeval veroorzaakt heeft. Of, wat waarschijnlijker is, hij is in een dronken bui met een dame in het verkeerde bed beland en ook dat is onze zaak niet. Begrepen?! Een getrouwd man heeft recht op een privé-leven! Kan Wern dat begrijpen?'

'Eerlijk gezegd, nee. Niet als hij aanspraak maakt op middelen van de politie om de weg naar huis weer te vinden. Ik vraag me af wie die man met de pet geweest kan zijn. Een van hen was nuchter genoeg om de rekening op te tellen en die tot op de öre nauwkeurig te betalen.'

'Een van hen was nuchter! Bedoel je dat één van hen nuchter

was?! Moet ik lachen of huilen? Is het zo langzamerhand niet tijd voor het grote toerekeningsvatbaarheidsonderzoek? Kijk eens naar Himberg hier, dan kun je wat leren over prioriteiten stellen. De vrouw belt hem en zegt dat haar man verdwenen is. Himberg is een ervâren politieman. Hij wéét dat verdwenen echtgenoten in negenennegentig van de honderd gevallen als krolse katers weer opduiken in de schemering om uit te slapen na hun nachtelijke inspanningen.' Örjan Himbergs glimlach breidde zich uit in al zijn zelfgenoegzaamheid. Begeerlijk koesterde hij zich in de complimenten die hij kreeg.

'Ik kan de kleine meid nog wel wat leren', zei hij met lijzige stem en hij liet zijn blik ondubbelzinnig over Maria's lichaam glijden.

'Dan wil ik graag weten met welk doel een politieman moet dreigen met de stralingsmap? Of heb je daarin misschien een eigen pagina die je Rosmarie Haag wilde laten zien? "Örjans romantische homepage"?'

Inspecteur Arvidsson, die zich al een tijdje probeerde te concentreren op de krant, kwam in zijn volle lengte overeind. Hij keek met een veelzeggende blik om zich heen en verliet de koffiekamer. 'Gekkenhuis!' hoorden ze hem mompelen voordat hij de deur van zijn kamer achter zich dichtdeed.

Waarom was het leven toch zo verdomde gecompliceerd? Arvidsson zeeg neer achter zijn bureau en leunde met zijn hoofd in zijn handen. Hij zuchtte diep. Hij had iets moeten zeggen om Maria te verdedigen, maar dat kon hij niet zonder te gaan blozen. Jezus, wat haatte hij zijn nietsverhullende lichaam. Zijn overhemd was onder zijn armen nat van het zweet. Hoe zou hij overdag op een natuurlijke manier met Maria kunnen samenwerken als ze 's nachts de vrouw van zijn slapeloze dromen was? Alleen al de gedachte aan haar hoge wreven was opwindend, net als aan haar lange blonde haar, soms opgestoken en een onweerstaanbare nek blootleggend. Haar fantastische mimiek dreigde zijn hele verdediging lam te leggen. Hoe kon je naast zo'n verschijning leven zonder haar te mogen aanraken?

Ze had twee kleine kinderen: Emil van vijf en Linda van twee. Dat maakte hem kansloos in vergelijking met datademagoog Krister Wern. Als er geen kinderen in het spel waren geweest, was hij misschien wel een keer in de aanval gegaan. Nu was het zaak af te remmen, ook al maakte dat hem stijf en saai. Arvidsson beet op de binnenkant van zijn wang. Als het erger werd, kon hij niet blijven. Dan moest hij overplaatsing aanvragen.

Tot aan de lunch hield Maria zich bezig met de stapels papier op haar bureau, oftewel een veertigtal onderzoeken waarvan statistisch gezien slechts een tiental naar de officier zou gaan. Ongeveer driekwart van de aangiften die binnenkwamen, werd geseponeerd wegens gebrek aan bewijs. Demotiverend en vaak gênant. Als onderzoeker heb je, wanneer er geen lichamelijk letsel is, zelden de mogelijkheid om binnen een maand contact op te nemen met degene die aangifte heeft gedaan. De sporen zijn verdwenen. Getuigen herinneren zich niets meer. Het zou veel tijd besparen als er meteen na de aangifte een gedegen onderzoek op de plaats van het misdrijf kon worden gedaan. Ongerust wachten en veel ongeduldige gesprekken zouden vermeden kunnen worden. Een tijdsbesparing voor zowel de burgers als de politie. Maar om dat te kunnen, moest je geen achterstand hebben. Bovendien was de wens om preventief te werken als je niet eens de lopende zaken af kon handelen totaal onrealistisch. Maria tilde de bovenste zaken van de stapel: een inbraak in een zomerhuisje, dronkenschap en mishandeling op Videvägen, een nieuwe inbraak bij juwelier Bredström en als klap op de vuurpijl een poging om Boheemse woestijnratjes te verkopen via internet. Je zou kunnen denken dat bij de koper een lichtje zou zijn gaan branden bij het woord 'woestijn' in verband met Bohemen, maar dat was niet het geval. De goedgelovige koper had zijn ratten geleverd gekregen, was gebeten en ernstig ziek geworden van een hantavirus, een hemorragische koorts, oftewel *nephropathia epidemica*, zoals de verklaring van de arts van de infectiekliniek luidde. Alwaar men ook had geconstateerd dat het ging om beten van gewone veldmuizen. De ziekte hantavirose moest aan de andere kant niet gebagatelliseerd worden en kwam weinig voor. Behalve koorts kon je er ook stollingsproblemen en nierinsufficiëntie van krijgen, en dat vereiste intensieve verpleging. De zieke eiste een schadevergoeding. Op dat moment had de moeder van de gebetene de ondieren meegenomen naar het politiebureau van Kronköping als bewijsmateriaal. Storm had Maria met veel plezier de vrouw en de pelsdiertjes in de schoenen geschoven. Hij hoopte natuurlijk dat ze bang was voor muizen. Maria was gefascineerd geraakt door de lange gele tanden van de beestjes. Ze zagen er allemaal uit als kettingrokers. Rillend dacht ze aan de gaten die thuis in de muur van de schuur zaten. Ze had zich daar nog niet eerder druk om gemaakt, maar nu bedacht ze dat het wel muizengaten konden zijn. Stel je voor dat Emil en Linda gebeten werden!

Af en toe dwaalden haar gedachten af naar Clarence Haag. Maar de telefoon zweeg en er kwamen geen mededelingen via de intercom. Hoewel ze zich nog steeds ergerde aan Örjan Himberg, moest ze toch toegeven dat Storm misschien wel een beetje gelijk had. Ze had gehandeld vanuit haar gevoel. De basis hiervoor werd gevormd door de ondraaglijke uren toen haar dochter Linda verdwenen was. Uren van onzekerheid. De normale werkwijze als een man verdwenen was na een cafébezoek, was natuurlijk om een dag af te wachten. Toch was Maria ervan overtuigd dat er meer aan de hand was dan een misstap in een dronken bui. Het probleem was om dat standpunt voor Storm te motiveren.

'Dat zeggen ze altijd: ja, Clarence is zeer matig met drank. En als de echtgenoot dan opduikt, blijkt dat hij alles heeft gedaan wat God verboden heeft', meende de commissaris. Nee, op dat punt vertrouwde ze meer op Rosmarie Haag dan op haar chef. Rosmarie leek op de een of andere manier meer ontzet over het beweerde alcoholgebruik van haar man dan over de verdwijning op zich.

Toen het tijd was om te lunchen, bevond Maria Wern zich daarom in het deftigste restaurant van de stad: De Vergulde Druif. Ze had het dagmenu besteld, het goedkoopste, *pyttipanna* voor vijfentachtig kronen, en dat was een behoorlijke aderlating uit de dunne portemonnee. De eerste kelner zelf was aanwezig en verwees haar naar de tafel waar Clarence Haag en de man met de pet de vorige avond gezeten hadden. Clarence met zijn rug naar de ingang en de man met de pet tegenover hem. Naast de tafel stonden, om een beetje groen en wat privacy te bieden, een grote ficus benjamin in een pot en twee kleinere palmen, waarvan Maria de naam niet wist. De potten stonden op enorme terracottaschotels vlak achter de stoel van de man met de pet. Het water op de schotel van de ficus zag er meer rood dan aardkleurig uit. Maria stak haar vinger erin en rook eraan. Ze werd wat in verwarring gebracht en proefde van de vloeistof. Rode wijn, geen twijfel mogelijk! En het kan ook niet zo weinig geweest zijn als het helemaal door de aarde heen is gesijpeld en op de schotel is terechtgekomen. Waarom hadden de heren een dure wijn besteld en hem vervolgens in de planten gegoten? Dat was iets om over na te denken voor een arme inspecteur. Waarom had de man met de pet een zakdoek voor Clarence' mond gehouden als die helemaal niet moest overgeven? Waarom accepteerde makelaar Clarence Haag zo'n behandeling? Het leek wel een vrijgezellenparty. Wat kun je verbergen in een zakdoek? Een pistool? Een kleine Browning kun je best in je hand verstoppen onder een zakdoek. Met zo'n theorie aankloppen bij commissaris Storm zou een doodvonnis betekenen. Je zou je immers ook voor kunnen stellen dat de heren de kwaliteitswijn van de eerste kelner niet lekker vonden en stiekem in de planten goten om hem niet te kwetsen. Maria legde met haar dessertlepeltje wat van de aarde op haar saladebordje en verdeelde deze in kleine bergjes. Ze hakte de bergjes kapot en plette ze. De man aan de tafel naast haar volgde haar werkzaamheden met belangstelling.

'Ze zijn hier niet zo snel met de bestellingen, maar ik kan

garanderen dat het het wachten waard is', glimlachte de man bemoedigend. Maria glimlachte terug.

'Die dingen gebeuren als je zwanger bent, je krijgt zin in metselspecie en nog veel meer.' Eigenlijk wist ze niet waar ze het vandaan haalde. Alhoewel ze niet gelogen had. Ze had niet gezegd dat ze zwanger was, alleen maar dat zulke dingen dan gebeurden.

'Ja, ik weet er alles van. Ik moest midden in de nacht zoute drop gaan kopen toen mijn vriendin zwanger was.'

De pyttipanna arriveerde, geserveerd op een warm bord. Voor vijfentachtig kronen hadden de bietjes toch wel in figuurtjes gesneden kunnen zijn of toch in elk geval geflambeerd, dacht Maria terwijl ze het linnen servet op haar schoot legde.

Op de deur van de koelkast in de koffiekamer, het officieuze publicatiebord, zat een uitnodiging ter gelegenheid van inspecteur Jesper Eks veertigste verjaardag. Barbecue in het groen, stond er. Maria meldde zich onmiddellijk aan. Ze had Ek al meer dan een maand niet gezien. De laatste keer dat ze hem hadden opgezocht in zijn tweekamerwoning aan Grönsångargatan had hij haar in vertrouwen gezegd dat hij overwoog om zijn ontslag in te dienen. Hij had het nog niet definitief besloten, maar neigde er wel naar. 'Als twintigjarige ben je onkwetsbaar. Daarna word je ingehaald door het leven. Ik wil een normaal leven leiden, niet voortijdig doodgaan of als een plant in het verpleeghuis wegvegeteren omdat iemand zo nodig een mes in mij moet steken. Niet voor achttienduizend kronen per maand.'

'Maar je bent toch niet bij de politie gegaan voor het salaris?' had Hartman gevraagd. 'Je moet ooit gedacht hebben dat het een zinnig beroep was om je leven aan te wijden, dat het zinvol was.' Toen had Ek gelachen zoals alleen Jesper Ek dat kan, met zijn hele lichaam. 'Ik zal je de waarheid zeggen, de hele waarheid en niets dan de waarheid. Ik ben bij de politie gegaan omdat ik een vrouw op het oog had die zich net wilde aanmelden voor de politieacademie. Wat een moordwijf! Ze was weliswaar verloofd, maar dat zag ik niet als een probleem. Het probleem was dat ik wel werd aangenomen, maar zij niet. Zo zit het. Het zinnige kwam later, tijdens het werk. Maar op dit moment ben ik een bange agent en een bange agent is geen goede agent en ook geen goed mens om mee samen te leven.'

'Ik ben ook wel eens bang. Dat heeft iedereen. Zoals je zegt, het komt met de jaren, wanneer de onsterfelijkheid gaat wankelen en de werkelijkheid onderkend wordt. Maar ik wil dat je weet dat je een goede agent bent, Ek.' Dat had hij gezegd, die oude, trouwe Hartman, en Ek had toegezegd er nog eens goed over na te zullen denken voordat hij iets indiende. Maria duimde: laat Ek terug-komen en Örjan Himberg weer naar de gewone politie worden uitgewezen.

De zon scheen fel bij Maria naar binnen. Haar kamer was 's mid-dags om twee uur al snikheet. Een kamer die vanwege een gebrekkige isolatie met de seizoenen meeleefde. In de winter was het er ijskoud en tochtig, in de herfst kon je niet naar buiten kijken vanwege alle wijnrode bladeren van de Japanse esdoorn die tegen het raam gewaaid waren, en in de zomer waande je je in een broeikas. Maria zette haar computer aan en deed de luxaflex omlaag om überhaupt iets op het beeldscherm te kunnen zien. Clarence Haag was door de jaren heen betrokken geweest bij diverse civiele zaken, maar hij was nog nooit ergens voor ver-oordeeld. Bij de dienst voor het wegverkeer viel niets te halen. Hij bezat een BMW en alles was in orde. Hij kwam niet voor in het algemene opsporingsregister. Rosmarie Haag had des te meer verkeersovertredingen begaan, maar verder was er niets. Maria stond op en deed het raam open. De lucht stond stil. Na nog een tijdje zoeken vond ze een aangifte van Rosmarie Haag van ruim twee maanden daarvoor. Het betrof diefstal en vernieling. Ie-mand had planten opgegraven in de tuin. Dader onbekend, zo luidde Örjan Himbergs summiere verslag.

Maria belde naar de crèche en liet weten dat ze laat zou zijn. Eigenlijk was ze van plan geweest om wat overuren op te nemen, om drie uur te stoppen, en de middag met de kinderen op het strand door te brengen. Maar ze liep achter met haar papierwinkel en Krister had haar gebeld en gevraagd pakkingen voor de kranen te kopen, zelf zou hij onmogelijk voor sluitingstijd bij een sanitairzaak kunnen zijn. En bovendien was de melk op, en de kaas, en ze waren bezig aan de laatste rol wc-papier, en verder wilde de schade-expert van de verzekeringsmaatschappij zo spoedig mogelijk gebeld worden. En Emil moest naar de kapper, want morgen zou de fotograaf op de crèche komen. Dus het zwemmen moest wachten. Twee leden van de familie Wern zouden daar zeker ontstemd over zijn. Hopelijk waren ze om te kopen met ijs.

Clarence Haags compagnon, Odd Molin, belde op verzoek van Örjan Himberg vanuit Stockholm. Hij klonk ontzettend agressief en geforceerd. Maria moest de hoorn een behoorlijk stuk van haar oor houden. Clarence was op geen van de afspraken van die dag verschenen.

'Rosmarie heeft hem vast om zeep geholpen', constateerde Odd geprikkeld.

'Wat bedoelt u?'

'Hij is ongetwijfeld gestorven aan een overdosis werk. Er is niets wat hij zijn kleine Rosmarie kan weigeren. Als zij hem wenkt, vergeet hij alles om zich heen. Moet Rosmarie ergens heen, dan brengt hij haar, hoewel ze zelf een rijbewijs heeft, en als ze naar een feest is, zit hij rustig tot ver na middernacht in de auto te wachten.'

'Rosmarie weet ook niet waar Clarence is. Ze is vreselijk ongerust.'

'Ongerust, zij? Die geeft alleen maar om haar kruiden', gnuifde Odd in de hoorn.

4

De Volvo stond vanbinnen helemaal te dampen. Eerst alle ramen open. Linda's in allerijl weggeveegde braaksel had in de warmte zijn volledige stank ontwikkeld. Het stuur brandde in Maria's handen. Ze probeerde te sturen met haar vingertoppen. Boodschappen doen in de stad en de melk in de auto laten bederven als ze bij Rosmarie langsging, en daarna pas de kinderen van de crèche halen, was onmogelijk, hoewel het veel praktischer was om zonder kinderen boodschappen te doen. De lucht stokte in haar borst vanwege de hitte. Haar kleren plakten aan haar lijf. Hoezo een dagje naar het strand?

De Volvo veroorzaakte een grote stofwolk toen Maria bij de tuin van Rosmarie tot stilstand kwam en daar parkeerde. De aarde stoomde en de lucht vibreerde in de felle zon. Toen ze uitstapte, leek het alsof ze uit de sauna kwam. Het zachte aflandige windje streek als een aanhalige kat langs haar blote benen. Maria trok haar gekreukte katoenen rok recht en veegde de haren uit haar gezicht.

Zowel het restaurant als de houten gebouwen van het woonhuis waren roze geschilderd met een inslag van heldergroen. Geïnspireerd op Monet, gokte Maria. Ze was nog nooit in de tuin van Monet geweest, behalve in haar fantasie, maar de gelijkenis met de plaatjes die ze gezien had, was opvallend. Om het restaurant en de tuin liep een lage stenen muur en daaroverheen hingen wilde rozen in grote trossen, lichtroze en zwakgeurend. Aan de voet van de muur groeide lavendel, blauw als de avondhemel zelf. Verderop waren de rest van de kwekerij, het prieeltje, de vijver met waterlelies en een hangbrug, en het woonhuis met een mooie groene veranda zichtbaar. Maria liep naar het restaurant en de zaadhandel en werd ontvangen door Rosmarie, deze keer gekleed in een kakikleurige korte broek en een witte coltrui met lange mouwen. Haar rode haar zat samengebonden in een paardenstaart. Kleine krulletjes hadden zich eruit losgemaakt en streken langs haar gezicht. Maria zag de vraag in haar grote, grijze ogen.

'Niets, helemaal niets.'

'En de auto?'

'Die is niet gevonden.'

'Kom, dan gaan we in het prieeltje zitten, als u tijd hebt. Daar worden we niet gestoord. Ik zit daar meestal als ik alleen wil zijn. Wilt u iets drinken?' Maria knikte dankbaar toen ze de mand aan Rosmaries arm opmerkte. Een grijze angorakat sloop op hen af in de rozenstruiken, kreeg een vlinder in het vizier en verliet haar schuilplek.

Het prieel was achthoekig, groengeschilderd en lag op een klein heuveltje, in de schaduw van een grote eik. De ramen waren hoog en puntig, zoals van een kerk. Op de helling klommen wintergroen, gentianen en klimop omhoog tussen ronde, witte stenen. De kat liep mee naar binnen en sprong spinnend op Rosmaries schoot.

'Ik zag dat u een tijdje geleden aangifte hebt gedaan van schade.'

'Ik heb niet zozeer gebeld omdat die planten verdwenen waren, ik nam contact op met de politie omdat ik bang was. Ik heb toen ook gesproken met die Himberg. Ik vertelde dat ik me al een paar maanden bekeken voelde. Ik had sterk het gevoel dat er iemand buiten voor het raam van de woonkamer stond en naar me keek als ik tv zat te kijken. Soms deed ik de terrasdeur open en probeerde ik in het donker te kijken. Op een keer ritselde het en zag ik dat de jasmijnstruik bewoog, alhoewel het windstil was. Een andere keer meende ik dat iemand "Rosmarie" fluisterde, als een gedempte schreeuw, heel zachtjes. Amper hoorbaar.'

'Hebt u ook iemand gezien? Was het een man of een vrouw?'

'Nee, ik kan niet zeggen dat ik echt iemand gezien heb. Maar

33

het is gewoon erg onbehaaglijk. Het lijkt wel of iemand mij kwaad wil doen. Clarence werd boos omdat ik de politie gebeld had. Hij vond het belachelijk. Politie-inspecteur Himberg leek ook niet erg geïnteresseerd in wat ik te zeggen had. Hij raakte ontzettend geïrriteerd, ook toen ik hem, omdat hij iets concreters wilde horen, vertelde over de planten die in de tuin waren opgegraven. Monnikskap en gevlekte scheerling zijn toch wel concreet, zou ik zeggen. Beide zijn dodelijk giftig. Er was niets anders verdwenen. Alleen monnikskap en gevlekte scheerling! Ze groeiden niet eens naast elkaar. Dat geeft mij het zeer onbehaaglijke gevoel dat degene die de planten opgroef, heel goed wist wat dat voor planten waren. Ik heb dat meerdere keren benadrukt, maar Himberg luisterde al niet meer.'

'Ze kunnen niet verplaatst zijn door iemand anders van de kwekerij?'

'Nee, waarom zou iemand dat doen? Nee, dat geloof ik niet. In de klassieke oudheid kreeg je de doodstraf als je monnikskap in je tuin had. Wist u dat? Monnikskap veroorzaakt een langzame, pijnlijke dood. En gevlekte scheerling werd door het toenmalige rechtswezen gebruikt om de doodstraf te voltrekken. Er wordt verteld dat Socrates een gifbeker moest leegdrinken die gevlekte scheerling bevatte. Het schijnt verschrikkelijk smerig te zijn, dus dat krijg je niet per ongeluk binnen. Het legen van een gifbeker werd beschouwd als een waardige en humane manier om terechtgesteld te worden. Bijna net zo eervol als de manier van terechtstellen van de Romeinen waarbij je in een heet bad ging liggen en je aderen opensneed in het bijzijn van familie en vrienden. Het is opmerkelijk hoe de normen op dat gebied veranderen. Vandaag de dag wordt ons hier in Zweden haast het recht ontnomen op onze eigen dood.' Maria hoorde de ondertoon en wachtte op een vervolg, dat niet kwam.

Rosmarie schonk meer vlierbloesemsap in Maria's glas. Even schoot de gedachte door Maria heen dat zij ook net een gifbeker geleegd kon hebben. Maar de karwijbeschuitjes op het schoteltje zagen er zo prachtig en ongecompliceerd uit, dat ze die gedachte meteen liet varen.

'Hoe is de relatie met uw man? Had u ruzie gehad?' Maria leunde achterover. Misschien was de vraag wat brutaal, maar hij was wel relevant in dit verband. Er viel een schaduw over Rosmaries roomwitte huid, het leek of ze zich aan het gesprek wilde onttrekken.

'We hadden geen ruzie gehad. We hebben nooit onenigheid. Ieder doet het zijne. We zijn echt een eenheid.'

'Houdt u van hem?' Maria zag dat Rosmarie moeite had met die vraag. Ze wilde iets zeggen, maar bedacht zich. Afwezig schonk ze meer vlierbloesemsap in. Haar hand trilde licht, maar haar stem was standvastig.

'Is liefde iets anders dan een hormonenstorm? De eigen manier van de natuur om te zorgen dat de soort blijft voortbestaan? We leven samen. Ik geloof niet dat we het beter of slechter hebben dan anderen. Clarence verzorgt de financiën. Ik hoef me daar nooit druk om te maken. Het huishouden en de tuin zijn mijn terreinen. Er is niet veel om over te ruziën. Ieder heeft zijn eigen besognes.'

'Hebt u kinderen?'

'Nee', het antwoord kwam snel en fel, alsof ze die vraag verwacht had. Hij deed pijn. Maria wachtte even zonder iets te zeggen, ze gaf Rosmarie de ruimte om een antwoord te formuleren, als ze dat wilde.

'Ik heb eenmaal in mijn leven de grote passie meegemaakt, een paar maanden op roze wolkjes geleefd. Maar dat is me slecht bekomen. Ik raakte zwanger. Hij smeerde hem en is nooit meer teruggekomen. Ik kreeg in de zesde maand een miskraam. Clarence kwam pas jaren later in beeld. Hij heeft de tuin en de kwekerij van een faillissement gered. Waar had ik voor moeten leven als ik de tuin niet meer had gehad?'

Maria verzonk even in haar eigen gedachten. Ze liet haar blik over de vijver glijden; de grote witte waterlelies, de wilgen en de hangbrug. Hier zat ze met Rosmarie Haag te praten alsof ze elkaar hun hele leven al gekend hadden. Mooie, ongelukkige Rosmarie Haag. Maria verbaasde zich over de openheid van de vrouw. Misschien duidde Rosmaries openhartigheid op een grote eenzaamheid. Of misschien dreef de ongerustheid de bekentenissen naar de oppervlakte. Soms kan het zelfs gemakkelijker zijn om een volslagen vreemde in vertrouwen te nemen. Maria kon het niet laten een vergelijking te trekken met haar eigen relatie met Krister, waarbij ruzie en geluk elkaar afwisselden als eb en vloed. Echte ruzies vereisen een gevoelsmatige betrokkenheid en ze hield van Krister. Hij was dan wel te zwaar, had nog maar weinig haar, deed niets aan zijn conditie en was hopeloos eigenzinnig, maar hij was begerenswaardig. Absoluut begerenswaardig. Je kon je afvragen waarom. Vermoedelijk niet omdat hij de meest schitterende haan was om nageslacht mee te krijgen, als je de biologische gedachtegang zou blijven volgen. Nee. Het ging om heel andere kwaliteiten, om nabijheid en welwillendheid. Misschien ook om humor. Om gezien te worden, om te zien met open ogen, en toch lief te hebben. Niet zonder problemen. Niet zonder woede. Je kunt vermoedelijk niet méér gegriefd worden dan als degene die je liefhebt iets onaardigs zegt, omdat het je immers kan schelen wat hij of zij vindt. Zelfs Örjan Himberg of commissaris Ragnarsson-Storm konden die gevoelens van onmacht en woede bij haar niet zo oproepen als Krister. Verre van dat, en toch moest je toegeven dat ze hun best deden.

'U wilt dus een kruidentuin aanleggen?' Rosmaries stem, die van de zakenvrouw, doorbrak de stilte. Maria antwoordde bevestigend en kreeg goede adviezen over grond, water geven en een zonnige standplaats. Voordat ze er goed over na had kunnen denken, had ze haar armen al vol tijm, citroenmelisse en basilicum.

'Oregano is gemakkelijk te kweken. Dat vermenigvuldigt zich

als onkruid, basilicum is wat lastiger. Dat kan niet tegen vorst.'
Maria wreef de blaadjes van een plantje met lange, dennennaald-
achtige bladen tussen haar vingers en snoof het kamferachtige
aroma op.

'Wat is dat?'

'Dat is rozemarijn, dat is goed voor het geheugen, zoals Ophelia zei tegen Hamlet. Het kan wat lastig te kweken zijn. Kan
ook niet tegen vorst. Volgens een oud gezegde overleeft rozemarijn daar waar de vrouw dominant is.'

'Dat is dan misschien niet zo'n goed idee.'

'Dat moet u niet zeggen. Rozemarijn werd ook gebruikt in het
oude Egypte. Het was gebruikelijk om de overledene een takje
rozemarijn mee te geven in het graf. Voor de herinnering, zei
men. Het is een plezierig kruid. De naam betekent dauw van de
zee, *ros marinus*. Het is ontzettend lekker bij lamsvlees en wild. Ik
adviseer rozemarijn voor uw kruidentuin. U krijgt het plantje er
gratis bij, als u de andere kruiden neemt.'

Rosmarie liep met haar mee naar de auto en hield de achterklep omhoog, zodat Maria de planten kon neerleggen zonder dat
ze de klep op haar vingers kreeg. Krister had al weken beloofd de
klep te repareren. Zijn tijdelijke oplossing voor het probleem was
een afgebroken hengel, die eerder had gefungeerd als haring voor
de tent. Waar die haring gebleven was, wist ze niet. Misschien was
het het stokje dat aan de onderkant van het tijdelijke rolgordijn
zat?

Er zat een aarzeling in Rosmaries bewegingen.

'Kunt u verder niets vertellen?' vroeg Maria.

'Nee', zei Rosmarie vlug en ze keerde zich om.

5

Een verstandige moeder laat haar kinderen hun ijsje buiten de auto opeten. Maar Maria had haast en moest daar de consequenties van ondervinden. Linda vond het interessanter om haar ijsje vanaf de onderkant op te eten, maar ze was niet snel genoeg toen het in de warme auto begon te smelten, en smeerde de zijruit en de armleuning vol met het restant. Melk halen stond boven aan het lijstje. Met een steek in haar hart had Maria de biologische wortelen weggelegd, zodat er voldoende geld over zou blijven voor ijs. Ze had een slecht geweten vanwege die dure pyttipanna. Naar de kapper met Emil, die helemaal niet geknipt wilde worden, maar die zich liet overhalen toen bleek dat hij ondertussen naar een tekenfilm kon kijken. De verzekeringsmaatschappij bellen en ten slotte naar de sanitairzaak. De kinderen, die eindelijk uit de warme auto mochten, knapten op in de koelte van de winkel met airconditioning. Ze renden als bezetenen rond tussen de wc-brillen en douchegordijnen. Maria keek verlangend naar de prachtige showmodellen in kersenhout, teak en walnoot. De messing details glommen. De rij voor de balie was lang. Maar één medewerker tijdens de spits. Maar ja, winkelpersoneel had ook recht op vakantie. Zelf had Maria vier weken in augustus, tegelijk met Krister.

'Jullie mogen niet naar buiten gaan, beloven jullie dat?' De kinderen knikten gehoorzaam en verdwenen weer lachend tussen de douchegordijnen. Het leek alsof de hele stad zich hier verzameld had om juist vandaag een nieuwe inrichting voor de badkamer te kopen. Maria speurde naar de kinderen, maar zag ze nergens.

'Helaas, zulke kranen hebben we al jaren niet meer. U hebt niet overwogen om ze te vervangen door een eengreepsmengkraan?' Hoezo overwogen? Dit was de harde werkelijkheid: de eerste levensbehoeften aan de ene kant en eengreepsmengkranen aan de andere. 'Ik zal even in het magazijn kijken', zei de vriendelijke verkoper toen hij Maria's ontmoedigde gezicht zag.

En waar waren de kinderen? Maria stopte de antieke pakkingen in haar tas en keek om zich heen. Emil zat een meisje van zijn leeftijd achterna in het gangpad, maar Linda was nergens te bekennen. Maria voelde de ongerustheid in haar maag opkomen. Ze haastte zich naar de uitgang en bleef in het gangpad staan en riep met half verstikte stem: 'Néé! Laat het niet waar zijn!' Daar, in de etalage, op een toilet van lichtblauw porselein, zat Linda met haar broek omlaag uitgebreid te persen. Maria tilde haar kind op en bekeek het resultaat in de toiletpot. Een ouder paar dat langsliep, wees naar moeder en kind en barstte in lachen uit. Maria voelde spanningshoofdpijn opkomen.

Na kind en toilet gereinigd te hebben, konden ze hun tocht naar huis weer voortzetten. Een scherp signaal van haar mobiele telefoon deed Maria opspringen uit haar gestreste toestand. Krister was een hele avond bezig geweest om het melodietje van de ijscoman te programmeren, dat nu als ringtone werd gebruikt. Een moment van irritatie voordat je doorhad waar het geluid vandaan kwam.

'Hallo, met Rosmarie Haag. Sorry dat ik uw privé-nummer gebruik. Ik weet niet wat ik moet doen. Ik durf niet hier in huis te zijn als Clarence niet thuis is. Waar kan hij toch zijn?' snikte Rosmarie. 'Het is bijna avond. Ik ben bang om alleen te zijn in huis, bang dat er iemand naar me staat te gluren, verstopt in de tuin.'

'Maar u hebt nooit iemand gezien?'

'Nee, het is alleen een gevoel. Een onbehaaglijke aanwezigheid. Hetzelfde gevoel zegt me dat Clarence dood is. Er lag een takje rozemarijn op zijn kussen toen ik binnenkwam. En alleen mijn vader, Clarence en ik hebben een sleutel van het huis. De deur was afgesloten, precies zoals ik hem had achtergelaten toen we naar het prieeltje gingen. Iemand moet dat takje daar hebben neergelegd toen we daar zaten. Papa heeft het niet gedaan. Ik heb het hem gevraagd. Het meest logisch zou zijn dat Clarence het gedaan heeft. Maar dat geloof ik niet. Waarom zou hij een takje rozemarijn op zijn eigen hoofdkussen leggen? Bovendien kent hij nog niet eens het verschil tussen een roos en een tulp, zelfs niet bij daglicht. Stel dat Clarence dood is, dat iemand zijn sleutel meegenomen heeft en een takje rozemarijn op zijn bed gelegd heeft. Ik kan hier niet alleen blijven. Kunt u niet hierheen komen? Je hebt toch recht op politiebescherming als je bedreigd wordt?' snikte Rosmarie.

'Ik ben bang dat de bedreiging dan wat tastbaarder moet zijn.' Maria voelde haar gespletenheid. Rosmarie klonk zo overtuigend, hoewel de dingen die ze zei logisch gezien als losse speculaties beschouwd konden worden. 'Vrouwen die mishandeld worden door een bekende dader met een bezoekverbod, kunnen een alarm krijgen dat rechtstreeks naar de politie gaat. Maar ik ben bang dat we in deze situatie te weinig hebben om op af te gaan. Ik begrijp dat u het moeilijk hebt, dat de verdwijning van Clarence uw leven op zijn kop heeft gezet. We zullen er alles aan doen om erachter te komen wat er met hem gebeurd is. U kunt niet bij uw vader gaan slapen of een vriendin vragen te komen?' Maria probeerde haar zo veel mogelijk gerust te stellen en verwees naar haar collega's die dienst hadden, terwijl ze tegelijkertijd de kinderen, die elkaar op de achterbank te lijf gingen, tot stilte maande om te horen wat Rosmarie zei. Hartman had avonddienst, daar was ze in goede handen.

Maria nam de laatste bocht naar het gele huis in Kronviken en keek met leedwezen naar haar tuin, waar Kristers boezemvriend Mayonaise zijn sloopauto's had gedropt, precies op de plek waar ze haar kruidentuin had gedacht. Toen Maria woensdagavond thuisgekomen was, had daar een stapel schroot gestaan die op een autokerkhof niet had misstaan. Vijf roestige Volvo's 240 en een

Saab. Dat 'boezemvriend' was iets wat Mayonaise zelf bedacht had. Krister zelf herinnerde zich vaag dat de man op school in de tussenbouw eens in een parallelklas gezeten had. Later, in hun tienertijd, hadden ze met een stel jongens een garage gehuurd. Krister meende dat Mayonaise daar ook zijdelings bij betrokken was geweest. Het was een slooppand en nu was de garage helaas afgebroken ten gunste van een magazijn. Een van de auto's was volgens zeggen van Krister, iets wat hij niet had kunnen ontkennen. Mayonaise was ervan overtuigd dat de auto's op termijn veel zouden opbrengen als *collector's item*, als ze niet wegroestten. Krister was wat terughoudender. De reden dat de auto's niet in Mayonaises eigen tuin gekieperd konden worden, was nog onduidelijk. Maria had half en half gehoord dat het te maken had met Jonna en echtscheiding, en dat leek plausibel. De laatste tijd was Maria aan Mayonaise gaan denken als de zondagsrustverstoorder. Elke zondag stond hij voor de deur, weer of geen weer. Hij kwam telkens met een andere smoes. Op dat gebied had hij veel fantasie. Een snel 'Hé, Krister, je kunt niet de hele dag in je nest blijven liggen' gebruikte hij als een soort 'Sesam open u!' En vervolgens was het haast onmogelijk om van hem af te komen. Vaak had hij zijn zoon bij zich, Bieflap. Een ventje dat leek op Karlsson-van-het-dak. Egoïstisch en dominant, net als zijn verwekker. Echt een ettertje, als je dat mag denken van een kind. Emil was een beetje bang voor hem en bleef bij Krister in de buurt als Bieflap verscheen. En alsof die sloopauto's niet genoeg waren, stonden er vandaag nóg twee auto's op de parkeerplaats. Schoonmoeder Gudruns witte Saab en een onbekende rode Renault. Even verlangde Maria terug naar haar werk. Haar schoonmoeder speurde de weg af, maar ze was niet alleen. Naast haar zat een vriendin. Ze zaten op de trap als grote gebloemde massa, en wachtten begerig binnengelaten te worden en te worden voorzien van koffie met iets erbij.

'Nu gaan we het huis bekijken', hoorde ze Gudrun Werns gebarsten sopraan in de hal zeggen. 'We wisten niet wat we vandaag zouden gaan doen en toen leek het Astrid heerlijk om een beetje de natuur in te gaan. Ik heb een kardemomcake meegenomen, dus jij hoeft alleen maar te zorgen voor wat kaneelbroodjes en wat koekjes.' Maria dacht aan het fonteintje in het toilet dat nog vol aarde lag, waarvoor ze geen puf meer gehad hadden om het schoon te boenen na de nachtelijke opgravingen in de bloemperken, en aan de stapels afwas op het aanrecht. Snel trok ze de deur naar de slaapkamer dicht, waar Kristers onderbroek nog lag zoals hij hem had laten vallen.

'Het komt vandaag niet zo goed uit. Ik zou het fijn vinden als je in het vervolg eerst even zou be...' Ze sprak voor dovemansoren. Gudrun Wern was al begonnen met haar rondleiding en liet zich niet zo gemakkelijk afschepen.

'En hier is de woonkamer. Als je die vreselijke kachel eruit zou slopen, zou er plaats zijn voor een eettafel, zodat je niet op die tochtige veranda hoeft te zitten. Zo'n oud barrel stuift en geeft een hoop rotzooi, neem dat maar van mij aan. En hier is de keuken.' Maria bromde een paar krachttermen in de hibiscus die ze van haar schoonmoeder gekregen had, en liep vervolgens naar de keuken om koffie te zetten, terwijl ze tegelijkertijd worstjes opwarmde voor de kinderen.

'Ja, tegenwoordig nemen ze het niet zo nauw met eten koken. Een snelle hap en dat is het. Toen mijn jongens klein waren, was dat wel anders. Toen kregen ze varkensvlees met uiensaus, worteltjes in witte saus en aardappelen in de schil.' Gudruns gebloemde boezem wipte instemmend op en neer.

'Ja, dat is maar al te waar', stemde Astrid in, het magere vrouwtje met het spitse gezicht.

'Krister is laat vandaag, dus we moeten het nemen zoals het is. Ik weet niet wat hij gepland had voor het eten.'

'Ja, hij is opgegroeid met echte maaltijden. Degelijke Zweedse pot! Dat is het enige wat goed genoeg is voor een man!'

'Krister kan ontzettend lekker koken. Dat heeft hij vast van jou, Gudrun', verzuchtte Maria om een einde te maken aan het gekissebis en haar schoonmoeder hapte ogenblikkelijk. Plotseling verdween de ontevreden uitdrukking van haar gezicht en fleurde ze op. Ze nestelde zich behaaglijk in een stoel.

'Nou, dat geloof ik toch niet', lachte ze gevleid. De gebloemde vriendin lachte instemmend: 'Natuurlijk wel, Gudrun. Jouw kardemomcake is onovertroffen.' Dat herinnerde Gudrun eraan dat ze bepaalde plichten had als gastvrouw en ze liep naar de koelkast om koffieroom te halen.

'Waar heb je de koffieroom, Maria?'

'Sorry, maar niemand van ons gebruikt room in de koffie, dus dat hebben we niet in huis. Ik wist niet dat we bezoek kregen.'

'Wat is dit?' Gudrun stond met een bakje in haar hand en deed het deksel open.

'Het lijkt wel behangersplaksel.' Maria kreeg een hoogrode kleur en pakte het bakje uit haar schoonmoeders hand.

'Het ís ook behangersplaksel.'

'Maar waarom staat Kristers naam dan op het bakje?'

'Hij zal het bakje wel mee gehad hebben in zijn lunchtrommel, voor mosterd of ketchup of zo', loog Maria.

'Ja, hij is zo spaarzaam en ordelijk, Krister. Alles wordt hergebruikt', zei Gudrun glimlachend tegen haar vriendin.

Maria verdween uit de keuken en sloot zich op in het toilet. Ze beet in de handdoek om het niet uit te schreeuwen. Hoezo huisvredebreuk? Hoezo het in ere houden van het privé-leven? Het leek alsof de rioolratten de wereld overgenomen hadden! Ze kropen in alle hoeken en gaten, welden op uit de wc-pot en knaagden je aan tot op het bot. Toch was ze blij dat Krister niet thuis was en aan zijn moeder met aanhang had moeten uitleggen waarom hij een spermamonster in de koelkast had staan. Hij was op de een of andere manier toch al zo terneergeslagen en verdrietig. Hoewel het zijn idee was geweest om zich te laten steriliseren als Maria niet meer tegen de pil kon. Hij had niet eens het verband willen losmaken, dat over zijn hele buik liep, om de hechtingen van de operatie te laten zien. De laatste veertien dagen had hij aan zijn eigen kant van het bed geslapen met zijn gezicht naar de muur. Totaal niet ontvankelijk voor alle invitaties. Maria dacht er serieus over om haar beste vriendin Karin in Uppsala te bellen, die op urologie werkte, om te vragen of dit normaal was na een sterilisatie. Een soort depressie. Stel dat ze uitgeschoten waren en andere vitale functies geraakt hadden?! Co-assistenten moesten toch op iémand oefenen voordat ze klaar waren met hun opleiding.

'Hallo, Maria, ben je daar?' Kristers vrolijke stem drong door het sleutelgat. 'Dag meisjes, hebben jullie je voor mij mooi gemaakt en jullie zomerjurken aangetrokken, of wie is de gelukkige?' schertste hij en er brak een algemene monterheid uit onder de dames. Een goedkope sfeerverhoger, maar wel effectief.

'Wat een charmeur, die zoon van jou', gniffelde Astrid.

Er had zich een vluchtroute aangediend weg van de rioolratten. Krister had namelijk een koper gevonden voor zijn sloopauto. En daarna hoefden alleen Mayonaises vijf auto's nog maar verwijderd te worden. Maria zou in hun eigen Volvo 740 achter Krister aan rijden om hem mee te nemen als hij de 240 afgeleverd had. Haar schoonmoeder beloofde ondertussen een oogje in het zeil te houden. Geven en nemen dus. Als je onverwacht langskomt, loop je het risico dat je tot oppas wordt gebombardeerd.

6

'Mijn moeder is een engel en mijn vader loodgieter. Hij weet niet hoe hij zich zonder mij zou moeten redden. Ik heb een duif in deze kooi. Hij heet Arrak. Ik vroeg hem: "Hoe heet je?" En toen zei hij "arrrrak". Daarom heet hij Arrak.'

'En hoe heet jij zelf?' vroeg Maria aan de man in de overall, die het hek voor hen opendeed zodat ze het erf op konden rijden. Ze kon zijn leeftijd niet inschatten, maar hij was ongetwijfeld verstandelijk gehandicapt, Downsyndroom.

'Gustav Arne Herbert Hägg. Ik woon hier en help mijn vader de boel netjes te houden. Ik ben vierendertig en ik kan mondharmonica spelen. Wil je het horen?' vroeg Gustav en hij zette zijn bril rechter op zijn neus.

'Straks misschien. Is je vader binnen?'

'Yes. Hij is in de slaapkamer, hij is duiven aan het uithalen. Er is morgen een wedstrijd bij Trollets bro. Ivan is er ook. We gaan pannenkoeken eten en koffie-met-een-neut drinken. Ivan kan "Drie kleine kleutertjes" boeren en Donald Duck nadoen. Hij heeft geen nagels. Vroeger had hij klauwen, maar die zijn uitgerukt met een nijptang. Een snavel heeft hij nooit gehad.' Maria vroeg zich af of Ivan een mens of een vogel was, maar liet dat maar even in het midden. Het was überhaupt niet eenvoudig voor een leek om te verstaan wat Gustav zei, het leek alsof zijn tong de woorden in de weg zat.

Ze liepen over het pas aangeharkte grindpad, langs het ronde perk met de vlaggenmast, naar het grijze huisje dat bekleed was met platen van eterniet.

'Je vader zou een auto van mij kopen', zei Krister.

'Hij is boven in de slaapkamer. We hebben de duiven in de slaapkamer. Dat is zo harmonieus.'

'Is dat harmoniéús?' glimlachte Maria naar Gustav, met zijn scheve ogen en zijn stekeltjeshaar.

'Ja, je kunt naar de duiven kijken als je gaat slapen, en ook als je wakker wordt. En als het 's nachts pikkedonker is, hoor je ze koeren.'

En inderdaad. Toen ze zich over de trap, die vol vieze kleren, duivenkooien en andere, ondefinieerbare dingen lag, omhoog gewurmd hadden, konden ze de glazen wand zien die de slaapzolder in tweeën deelde: een slaapgedeelte met twee bedden van donker eiken met hoge bedeinden, en een duiventil met een glazen deur naar de slaapkamer. Beide bedden waren zo neergezet dat je volledig zicht had op de bezigheden van de duiven als je in bed lag. Vanachter de glazen wand was een enorm gefladder en gekoer hoorbaar als de duiven opvlogen uit hun nesten. Twee duiven waren aan het vechten: veren en duivendrek vlogen in het rond. Meer vogels verlieten hun zitstokjes en zweefden door het raam naar buiten, in de richting van de grijs wordende hemel. De heren aan het grote bureau, dat midden in de kamer stond, stelden zich voor als Egil Hägg en Ivan Sirén, de buurman. De ene vechtersbaas begon zijn vijand in zijn kop te pikken. Egil bonsde op de ruit, waarop ze hun strijd even onderbraken.

'Het is lachwekkend dat men de duif als vredessymbool gekozen heeft', grinnikte hij. 'Ik kan geen dier bedenken dat meer agressie en arrogantie vertoont dan die vogel. Maar de duif is wel een mooi symbool voor trouw. Duiven leven in paren en zorgen hun hele leven goed voor elkaar.' Ivan en Egil bekeken de slagpennen van de duiven zorgvuldig om te kijken welke duiven ze mee zouden nemen naar de wedstrijd van morgen. Er waren nog twee kooien leeg. Mannetjes, doffers, waarvan de vrouwtjes op eieren zaten, waren de meest gemotiveerde vliegers, wist Egil te vertellen. Gustav haalde zijn Arrak uit de kooi, een slanke bruine duif met witte slagpennen en een wit kopje. Hij imiteerde Egils onderzoekende bewegingen. Ze leken op elkaar als twee druppels water, vader en zoon, zoals ze daar in hun blauwe overalls stonden. Ze hadden dezelfde intens blauwe ogen, dezelfde wipneus en dezelfde omvang. Ivan Sirén was precies het tegenovergestelde. Met zijn lange witte haar en zijn grijzende baard zag hij eruit als een profeet die na veertig dagen vasten en andere beproevingen uit de woestijn gekomen was. Hij had wat weg van de kerstman, maar het was dan wel een slap aftreksel. Van een afstandje gaf hij de indruk dat hij al een behoorlijk stuk boven de pensioengerechtigde leeftijd was, maar toen Maria dichterbij kwam, zag ze dat hij een heel jong gezicht had. Misschien was hij wel van dezelfde leeftijd als Krister. Dat was moeilijk in te schatten.

'Hoe gaat dat, zo'n wedstrijd met postduiven?' vroeg Krister, die van nature zeer nieuwsgierig was. Maria wierp een blik op haar horloge en dacht aan haar schoonmoeder die op zat te passen.

'Morgenvroeg rijden we ze naar Sandåstrand. Gustav noemt die plek meestal Trollets bro, de brug van de trol. Er is daar namelijk een mooie, oude stenen brug. Om zeven uur morgenochtend worden de duiven losgelaten. Alle duivenhouders die meedoen aan de wedstrijd hebben een duivenklok. Om te zorgen dat alle klokken gelijklopen, ontmoeten ze elkaar voor de wedstrijd en synchroniseren ze alle klokken. Ivan laat de postduiven los en Gustav en ik zijn thuis om ze te verwelkomen als ze aan komen vliegen. Gemiddeld vliegen ze met een snelheid van zeventig kilometer per uur. Maar het snelheidsrecord ligt tegen de honderdtwintig kilometer. En als Arrak aan komt vliegen...' Egil trok een brede glimlach naar Gustav, die trots zijn duif op zijn rug klopte. 'En als Arrak aan komt vliegen, landt hij op het dak onder het open raam dat leidt naar de duiventil. Hij wandelt heen en weer terwijl de duivenklok doortikt. En eindelijk bedenkt hij dan dat hij wel heel erg naar zijn duivin verlangt en dan komt hij binnen zodat we de rubberen voetring kunnen verwijderen die hij om zijn poot heeft. De ring stoppen we vervolgens in de duivenklok, die een tijd geeft. En als we dan samen de klok openmaken na afloop van de wedstrijd, wordt de vliegsnelheid van de afzonderlijke duiven en hun gemiddelde uitgerekend.'

'Hoe vinden ze de weg naar huis terug?' Maria zag het enthousiasme in het gezicht van haar echtgenoot en kreeg het gevoel dat hij in gedachten al een eigen duiventil bezat. Het enige wat ze kon hopen, was dat hij die niet in de slaapkamer zou stationeren. Maar zelfs daar kon ze niet zeker van zijn. Zelf had ze moeite om het harmonische te zien van een dergelijke opstelling. Die glazen wand moest toch af en toe gezeemd worden, of niet?

'Een postduif keert altijd terug naar de plaats waar hij geboren is. Duiven navigeren met behulp van magneetvelden. Als ze in de buurt van de duiventil zijn, maken ze ook gebruik van hun reukzin. Oudere, ervaren duiven maken ook gebruik van landmerken. Ik weet dat ze experimenten uitgevoerd hebben waarbij een klein stukje ijzer aan de kop van de duif bevestigd werd. Dan raken ze de richting kwijt. In de buurt van Uppsala zijn sterke magneetvelden. Daar kunnen postduiven moeilijk de weg naar huis terugvinden.' Egil Hägg inspecteerde de laatste duif en stopte hem in de kooi.

'O ja, jullie hadden een auto in de verkoop. Zullen we er eerst even naar gaan kijken, of drinken we eerst koffie? Gustav wil pannenkoeken bakken. Daar is hij expert in. Ik weet niet hoe ik het zonder hem zou moeten redden.' Gustav glimlachte en zijn blije, glimmende ogen rustten een hele tijd in de lachende blauwe ogen van zijn vader. Ivan, die geen woord gezegd had en bijna verdwenen was in het wit uitgeslagen raam, schraapte zijn keel: 'Tweeduizend jaar geleden gebruikten de Egyptenaren al postduiven. Julius Caesar, de Romeinse heerser, maakte tijdens de strijd gebruik van postduiven om te kijken hoe het in de slag tegen de Galliërs en andere vijanden ging. Dus het is een sport met een lange geschiedenis.'

Krister liet de woorden op zich inwerken. Een sport met een lange geschiedenis, een sport waarbij je niet bezweet raakte of je hoefde in te spannen – maar toch een sport. Niet slecht, helemaal niet slecht. Krister voelde vanuit zijn naaste omgeving zo nu en dan de morele dwang om iets aan sport te doen. Hij had wel eens een poging gedaan om aan de verwachtingen te voldoen, maar het was zo waanzinnig vermoeiend en warm. Soms zelfs pijnlijk, als je steken kreeg.

'We hebben ze in de Tweede Wereldoorlog ook gebruikt, heb ik gehoord. Ik heb ergens gelezen dat ze in dozen verpakt aan parachutes werden gedropt bij het verzet, zodat ze de Britten konden informeren over wat er in de bezette gebieden gebeurde.' Ivan knikte verrast. Maria kreeg bange voorgevoelens: 'Wé hebben ze in de Tweede Wereldoorlog ook gebruikt!' Krister had helemaal niet meegedaan aan de Tweede Wereldoorlog, dus dat 'we' moest wel staan voor 'wij postduivenhouders' en dat was buitengewoon verontrustend.

Terwijl ze in de slaap- en duivenkamer van de familie Hägg waren, werd het buiten donker. Grijze, norse wolken klonterden zich als staalwol aan de hemel samen en ontnamen hun het zicht op het blozende afscheid van de avondzon. De hitte zinderde onder de dakpannen in afwachting van een ontlading. Maar de warmte overheerste nog. Maria voelde zich wat beter, haast een beetje gelukkig. Hägg had tweeduizend kronen geboden voor dat stuk schroot. Tweeduizend kronen zou genoeg zijn voor een wasmachine, als ze er tweedehands eentje kochten op een advertentie. Ze dacht toch weer aan het servies dat ze van haar schoonmoeder had gekregen, het servies van zestienduizend kronen, die vreselijke gouden kopjes, en waar ze dat geld in plaats daarvan voor hadden kunnen gebruiken.

De koffieketel kwam op het vuur nadat de borden, kranten en reclamefolders van gisteren, en een paar gestopte sokken van tafel waren geveegd. Gustav klopte het pannenkoekenbeslag bij Beethovens symfonie in c-groot, die krakend uit een slechte cassetterecorder kwam. Met de garde dirigeerde hij een onzichtbaar orkest. De muziek leefde in zijn lijf, van zijn tenen tot zijn pony, die opwipte in hetzelfde tempo als dat van de strijkers.

'Allegretto', lachte hij en hij knikte plagerig naar Egil.

'Ja, Jezus! Die kerel was vast doof, zegt Ivan. Dat denk ik ook allang. Iemand met een normaal gehoor zou zoiets niet verzinnen. Maar Gustav vindt die muziek mooi, Beethoven.'

Maria dacht aan haar schoonmoeder en Astrid, die gebloemde beproevingen. Misschien liepen ze nog steeds rond op zoek naar stofnesten in de hoeken en spinnenwebben aan het plafond, of waren ze inmiddels voldaan op dat front en was Astrid al naar huis vertrokken? Krister had het uitermate naar zijn zin in de keuken van de Häggs en deed geen pogingen Maria te begrijpen toen ze discreet op haar horloge wees. Als er pannenkoeken en koffie met een borrel geserveerd zouden worden, dan was hij niet van plan voortijdig op te stappen. Dat koffie-met-een-neut drinken ging zoals de traditie voorschreef: een suikerklontje op de bodem van het kopje werd afgedekt met koffie, zó dat je het niet zag. Vervolgens werden de spirituosa erop geschonken – uit een jerrycan waarvan Maria de herkomst niet wilde weten. Zó in het kopje, tot het suikerklontje weer zichtbaar werd.

'We hadden hier problemen met een havik', vertelde Egil. 'Die heeft in het voorjaar vier jonge duiven gepakt en in mei een van mijn beste fokduiven. En toen was hij opeens verdwenen. Het arme beestje. Haviken verdwijnen zo gemakkelijk', zei hij met een schalks lachje.

'Je bedoelt dat hij bij jou thuis verdwenen is?' vroeg Krister. 'Ik dacht dat ze beschermd waren, dat je die niet mocht afschieten.'

'Dat hebben we ook niet gedaan.' Egil begon luidkeels te lachen. Hij proestte met zijn hele mond vol pannenkoek, zodat iedereen kon meegenieten. Een oud litteken op zijn linkerwang werd steeds roder. 'We weten in elk geval dat de uitlaat van Ivans Audi uitstekend werkt', bulderde hij. Ivan maakte een afwerend gebaar met zijn hand. Maar Egil weigerde het te zien. Hij wilde vertellen.

'Ik heb dat verduivelde beest met een schepnet gevangen toen hij in het duivenverblijf de plunderaar uithing. Daarna heb ik hem in een plastic zak gestopt en die aan de uitlaatpijp van de auto van Ivan vastgemaakt. Maar hij ging niet dood. Het reinigingssysteem was veel te effectief. Dat was met mijn oude Saab wel anders...'

'Nu is het wel genoeg', vond Ivan en hij pakte Egil bij de arm. Maar Egil liet zich niet tegenhouden.

'Hij stierf toen ik hem een hartmassage gaf. Ze hebben een wat broos borstbeen, haviken.'

Zoals altijd als mensen in hun argeloosheid de ene na de andere misdaad opbiechtten, vond Maria het niet zo eenvoudig om bij de politie te zijn. Dat het goedje uit de jerrycan nooit in de buurt van de staatsdrankwinkel geweest was, daar kon ze vergif op innemen, en nu werd hun dat verhaal over die havik ook nog door de strot geduwd. Aan de andere kant, als je alle misdaden die je in je vrije tijd in je omgeving tegenkwam, zou melden, zou je binnen korte tijd sociaal dood en volledig opgebrand zijn.

'Gustav vertelde dat je loodgieter bent, Egil.'

'Ja, ik heb twee beroepen. Eigenlijk ben ik visser. We hebben een kleine kotter in de baai, de Marion 11. Ivan en Gustav gaan meestal mee. Maar van uitsluitend visvangst kun je niet meer leven. Niet als de kabeljauw het halve land over getransporteerd moet worden om vervolgens in vierkante blokken hier weer terug te keren voor de klanten. De laatste jaren is het hier slecht gesteld met de vis. Toen Gustav klein was, was hier zalm in overvloed. Maar ik heb de laatste vijftien jaar geen zalm meer gezien in Kronviken. Er is ook haast geen kabeljauw meer en iets verder naar het zuiden hebben ze problemen met algenvorming, een paars-roze smurrie die aan de kust langs het strand ligt. Het is alsof de Oostzee moet overgeven. Wij zijn degenen die haar ziek hebben gemaakt. Nee, gelukkig heb ik dat loodgieterswerk ernaast, anders zouden we niet rond kunnen komen.'

'En jij, Ivan, wat doe jij?' vroeg Krister, die als een kameleon wijdbeens was gaan staan zoals de gastheer en hetzelfde slurpende geluid maakte.

'Ik ben onvrijwillig nertsfokker. Toen mijn opa de pijp uit ging, erfde ik de fokkerij. Ik heb geprobeerd te verkopen, maar het is moeilijk om een koper te vinden. Vooral na die bomaanslag bij de slachterij met oud en nieuw. Ik heb niet gehoord dat ze daar al iemand voor gepakt hebben. Maar ik verdenk dierenrechtenactivisten.' Maria gaf haar man een schop onder tafel zodat hij niet meteen zijn naar drank walmende mond open zou doen om te vertellen dat zijn vrouw bij de politie zat. 'Het huis op zich, het huis van de ouders van mijn vader, kan ik moeilijk van de hand doen. Maar die nertsfarm is er pas de laatste tijd bij gekomen, dus dat kan me niet zoveel schelen. Er zitten zoveel herinneringen in dat huis.'

Maria keek Ivan verbaasd aan. Hij was echt losgekomen, terwijl hij in het begin nauwelijks antwoordde als hij werd aangesproken.

'De ruitjes in de voordeur hebben verschillende kleuren: blauw, rood, geel, paars, groen en doorzichtig. Toen ik klein was en de zon door dat raam scheen, vielen de kleuren op de vloer. Het leek net een groot palet. Als je in het licht ging staan, kon je kiezen of je een rode hand wilde of een groen gezicht of, waarom niet, een blauwe voet. Je kon ook naar buiten kijken, de tuin in. De werkelijkheid beïnvloeden door van zienswijze te veranderen. We hadden een witte kip. Die kip dacht vast dat ze wit was. Maar dat kon ze zich ook inbeelden. Ik was degene die besliste hoe ik haar wilde zien. Blauw of paars, eventueel rood, maar nooit wit. Later word je volwassen en wordt niets zoals je het je voorgesteld had. De meeste keuzemogelijkheden verschrompelen als krenten. Naderhand, als het tijd is voor de samenvatting, kun je je afvragen of je überhaupt een keuze hebt gemaakt.'

Krister was tot tranen toe geroerd. Hij schoot altijd vol als iemand een gedicht voorlas of iets moois zei, met name als hij onder invloed was.

'Zeg, Ivan, ik geloof dat er iemand bij de nertsen is.' Egil schoof met zijn grote knuist het blauwgestreepte nylongordijn opzij en speurde door de regen. 'Ja, er is inderdaad iemand daarbuiten.'

7

Dat Ivan in een vossenklem was getrapt, leek alleen maar logisch als je zijn helse geschreeuw vanaf de andere kant van de rivier hoorde. De rivier die tussen het huis van Hägg en dat van Sirén stroomde. Krister schoot hem als eerste te hulp. Met een stevige schop trapte hij de val open en bevrijdde Ivan uit zijn benarde positie. De tanden waren recht in Ivans enkel gegaan. Het bloed kleurde de enkel van zijn sok rood. Het werd vermengd met regenwater. Een haast lauw zomers buitje, dat steeds hardnekkiger werd. Een bliksemschicht zocht zijn weg langs de hemel en openbaarde een verse tekst op de rode nertsfarm. Met grote, hoekige witte letters was erop gespoten: MOORDENAAR, DIERENBEUL!

'De klootzakken', hijgde Egil buiten adem na zijn looppas. 'Hoe gaat het, Ivan?' Gustav staarde naar het bloed dat langzaam omhoog liep in de sok, wankelde en viel languit flauw in het natte gras. Achter de houtschuur ging een auto er als een speer vandoor. Ze konden vaag de lichten zien, die bij de eerste bocht in de landweg snel verdwenen. Maria wilde met de Audi van Ivan de achtervolging inzetten. Maar de auto zat op slot. De sleutel was ergens binnen, maar wáár kon Ivan in zijn geschokte toestand niet uitleggen. En toen was het te laat. Zeker omdat ze niet eens hadden gezien hoe de auto eruitzag. Ondersteund door Krister en Maria hinkte Ivan, de onvrijwillige nertsfokker, naar zijn huis. Egil had Gustav weer bij bewustzijn weten te brengen, en hij was snikkend onder de brede vleugels van zijn vader gekropen. Zijn brillenglazen waren helemaal beslagen.

Ze namen plaats in Ivans blinkend schone keuken, waar een aparte plank was voor de kranten en het aanrecht erbij lag als een windstil meer in het maanlicht. Geen vlekje, geen krasje. Ivan zelf was zeer bleek en aangedaan. Tranen, of misschien waren het wel regendruppels, gaven zijn baard een grijzere nuance. Zijn schouders schokten licht. Maria hielp hem voorzichtig zijn sok uit te trekken en zag de wonden van de tanden van de vossenklem, centimeterdiepe flarden huid. Ivan wist hakkelend uit te brengen dat hij beslist niet naar het ziekenhuis wilde of de politie erbij wilde halen.

'Eén woord op die politieradio en we hebben de pers hier. Ik ga me absoluut niet op die manier voor schut zetten. De huidige situatie is al vervelend genoeg. Het is al moeilijk te verkopen. Maar na een halve pagina in de krant zou het helemaal onmogelijk zijn om de zaak tegen een redelijke prijs van de hand te doen.' Maria moest kleur bekennen en vroeg een discreet onderzoek te mogen doen. Morgen zou ze een technicus mee kunnen nemen, zonder dat er veel ophef over gemaakt werd. Ivan stond in dubio, maar Maria vond het belangrijk om de gebeurtenissen een vervolg te geven.

'De binnenlandse veiligheidsdienst is erbij betrokken sinds de brand bij de slachterij. Het hele kantoorgedeelte is toen in vlammen opgegaan. Zij willen heel graag alle denkbare informatie hebben over daarmee samenhangende gebeurtenissen. We zullen het discreet afhandelen. Dat beloof ik. Wat doen we met je been? Die wond moet op de een of andere manier wel verzorgd worden.'

'Daar hoef jij je geen zorgen om te maken. Dat regelt Ivan zelf. Sinds zijn geboorte is hij niet meer in een ziekenhuis geweest. Dát is nu thuiszorg. Dat kan hij. Hij is wat wij noemen een wijze man. Van zijn soort zijn er nog maar weinig over. Bloed stelpen en infecties genezen, hij kan het allemaal. Dat heeft hij van zijn opa geleerd. Gustav en ik gaan niet nodeloos naar de dokter. Niet zolang we Ivan hebben.' Gustav knikte en keek op van Ivans telefoonblok, waar hij een tijdje op had zitten schrijven. Trots liet hij Maria de tekens zien. Geen letters, maar een soort symbolen.

'Gustav heeft ze zelf verzonnen om brieven aan mij te kunnen schrijven. Ik zeg wel eens dat het zo saai is om alleen maar rekeningen te krijgen en dan schrijft Gustav een brief die hij dan in de bus stopt, ter afwisseling van de groene enveloppen. Hij is zo slim', lachte Egil trots. 'Dit ronde hoofd met twee puntige oren betekent Trollets bro, de plaats waar we de duiven morgenochtend loslaten. Een ronde bol met een snavel betekent Arrak en tekent hij alleen een ronde bol, dan bedoelt hij mij.' Gustav zat een hele tijd naar Maria te gluren en tekende toen een hartje, daarna vloog hij op en rende naar de hal, en hij kwam terug met een grijs fleecejack.

'Je hebt het koud. Het is niet goed om het koud te hebben, dan kun je verkouden worden, getverderrie.'

'Je bent een echte gentleman, Gustav.'

'Ja, neem maar mee', viel Ivan hem in de rede. 'Krister kan hem morgen mee terug nemen als hij met de kinderen naar de postduivenwedstrijd komt.'

'Wat zei Ivan nou?' Maria probeerde oogcontact te krijgen met haar echtgenoot.

'Ik neem morgenochtend vrij. De kinderen zullen het vast hartstikke spannend vinden om bij zo'n wedvlucht te zijn. De laatste voor de zomer. Dan begint het pas weer in september.'

'De kinderen? Volgens mij vindt hun vader het ook hoogst interessant.'

'Dus jij zit bij de politie.' Egil wreef nadenkend met zijn hand over zijn bolle wang. 'Die makelaar die in de krant stond. Hebben jullie die al gevonden? Dat is een echte schoft!'

'Hoe bedoel je?'

'Hij heeft de boerderij van mijn zus afgetroggeld. Hij heeft hem voor nop gekocht. Hij deed zich heel aardig en vriendelijk voor. Hing aan haar rokken tot de zaak rond was. En vervolgens heeft ze nooit meer iets van hem vernomen. Ze had mij om advies moeten vragen voordat ze ging verkopen. Hij heeft nu vast zijn slag geslagen en is er met de poet vandoor. Dat was het eerste wat ik dacht, toen ik over hem in de krant las. Dat soort rotte eieren hoort achter de tralies.'

'Nu hebben we alleen die auto's van Mayonaise nog. Wanneer komt hij die halen, denk je?' vroeg Maria toen ze weer op de provinciale weg kwamen.

'Geen idee. Jonna heeft bepaalde ultimatums gesteld.'

'En wij dan? Waarom moeten wij met die rotzooi betalen voor hun onenigheid? We moeten dit aanpakken, Krister. Ik wil een kruidentuin aanleggen en die schroothoop staat in de weg. Hij verpest de hele tuin. Als jij het niet tegen hem zegt, doe ik het.'

Krister keek alsof hij dat een geweldige oplossing voor het probleem vond en Maria had het gevoel dat hij er te gemakkelijk van af was gekomen. Zoals gebruikelijk.

'Waarom noemt iedereen hem eigenlijk Mayonaise? Hij heeft toch ook een gewone naam?' Krister dacht even na. Toen begon hij te lachen.

'Volgens mij was het in de zesde klas, toen hadden we dat beroemde gemaskerde bal. Mayonaise was erheen gekomen zonder zich te verkleden. Hij had alleen zijn bolle wangen rood gemaakt. "Wat ben jij, Manfred? Wat moet jij voorstellen?" vroegen wij. Maar Maffe zweeg alleen maar en tuitte zijn lippen. "Zeg het nou maar, je bent gewoon vergeten om je te verkleden, beken maar!" Maar Manfred antwoordde niet en al snel stond iedereen in een kringetje om hem heen. "Als wat ben je dan verkleed? Zeg op dan!" Toen drukte hij met beide handen op zijn roodgeverfde wangen, zodat alle mayonaise die hij in zijn mond opgeslagen had er in een mooie straal uitspoot: "Puistje", zei hij. En daarna zei hij niets meer. Smerig, maar imponerend! Na dat gemaskerde bal heette hij Mayonaise. De meesten zijn vermoedelijk vergeten dat hij Manfred Magnusson heet.'

Thuis in het gele huis zag het er niet beter uit dan Maria had verwacht, nu haar schoonmoeder vier uur zonder bewaking was geweest. Alle spullen waren verplaatst. Kristers onderbroeken waren gestreken en in de la gelegd, de post was gesorteerd en van commentaar voorzien. En toen had Maria spijt dat ze geen dagboek bijhield. Dat was een prachtige manier om je stem kenbaar te maken. Gudrun zou het lezen van een dagboek nooit kunnen weerstaan. Dat zou dan bij voorkeur half verstopt tussen het ondergoed of in de badkamerkast onder de handdoeken moeten liggen. De eerste pagina zou als volgt kunnen beginnen:' Lief dagboek, lieve schoonmoeder. Nu je de vrijheid hebt genomen om mijn dagboek te lezen, vind ik dat we een goed uitgangspunt hebben voor een gesprek over waar de grens voor mijn privé-leven ligt. Je bent nu te ver gegaan! Veel te ver! Hierna wil ik je nieuwsgierige neus niet meer zien voordat je wordt uitgenodigd. Denk maar eens na over de woorden UITGENODIGD en PRIVÉ-LEVEN.'

Krister was onmiddellijk in bed gekropen en deed alsof hij sliep toen Maria drie minuten later tussen de lakens kroop. Gebruikmakend van al haar ervaring met zijn wellust probeerde ze hem te verleiden, maar hij kreunde alleen maar zwaarmoedig en keerde zich naar de muur.

'Wat is er Krister?'

'Ik ben bekaf', snauwde hij korzelig en hij boorde zich nog dieper in de matras. Zijn lichaam had een andere mening, daar was Maria van overtuigd.

'Zég dan wat er is. We moeten erover praten.'

'Ik wil slapen', siste hij en hij wentelde zich als een dolfijn op zijn buik. Verdrietig en ongerust stond Maria op en kleedde zich weer aan. Wat was er aan de hand? Nog geen kwartier geleden had hij vol overgave over de postduiven zitten praten en een moment later was hij in bed geploft als een marathonloper na de finish.

De wolken waren overgedreven. Er waaide een frisse wind in de toppen van de bomen. In het licht van de maan droeg Maria de twee wastobbes naar de tuintafel en werkte successievelijk de baal was weg die zich achter het gordijn opgestapeld had, in de hoop dat er morgen iets droog en bruikbaar zou zijn, want de kasten waren vrijwel leeg. Het had erger kunnen zijn. Ze hadden warm water en hoefden geen water te warmen op het fornuis. Het zou natuurlijk ook béter kunnen zijn. Maria moest denken aan Clarence Haag, die nu een etmaal verdwenen was. En aan Rosmarie, die nu alleen in haar grote huis zat. Ze was vast wakker en zat na te denken. Misschien liep ze rusteloos van de ene kamer naar de andere en tuurde ze naar buiten. Ze was vast tussen Clarence' spullen aan het zoeken om een verklaring te vinden voor wat er gebeurd was. Op dat moment dacht Maria aan de kruidenplantjes in de auto. Ze opende de achterklep en scheen naar binnen met de zaklamp. Daar in het donker lagen tijm, citroenmelisse, basilicum en rozemarijn weg te kwijnen. Rozemarijn voor de herinnering, zo was het.

Ze hadden langs de rivier gewandeld. Hij had Rosmaries kleine hand in zijn grote kolenschop gehouden, hem omsloten. De kou had in de huid van zijn hand gebeten, maar hij had geen handschoenen aan willen trekken. Haar huid was zo warm en zacht tegen zijn ruwe handpalm. Dat was de tijd voordat het kwaad kwam. Een afgemeten tijd van geluk. In een ander leven. Misschien dat het nooit het zijne was. Dat hij het alleen maar te leen had. Het was onwerkelijk om aan die tijd te denken, als een flikkerende zwart-witte amateurfilm. De tijd vóór het kwaad, toen hij nog heel was en iets anders kon voelen dan verbittering. De tijd voordat de warme gevoelens in hun stromen verstijfd waren van de kou.

Het water was bevroren. De rijp glinsterde op de kale takken van de bomen en beet hen in hun wangen. Hij had zich voorovergebogen en de witte, doorzichtige huid op haar voorhoofd gekust. Hij had haar warmte gevoeld tegen zijn verstijfde lippen. Zijn gezicht in haar haar geboord. Toen zagen ze de reebok. Eerst op afstand. Onbeweeglijk met zijn voorpoten op het ijs. De kop met de statige kroon achterovergebogen als klaar voor de strijd. Hij rende niet verschrikt weg toen ze dichterbij kwamen. Luisterde niet naar hun voetstappen, hoewel ze over de harde ijslaag op de sneeuw liepen. Er

glinsterden kleine zilveren vlokjes in zijn wintervacht. Rosmarie zag
het als eerste: hij was dood, hij was met zijn poten door het ijs gezakt.
En hij was zo vastgevroren tot een standbeeld. Zo trots, met zijn hoog
opgeheven kroon. Alleen de gebroken blik onthulde dat het leven op
de vlucht was geslagen. Daar had hij veel later aan moeten denken.
Dat hij jaloers was op die begerenswaardige toestand zonder pijn,
zonder verlies. Trots en onschendbaar tot de laatste zucht en in die
laatste zucht: niets meer te verliezen.

8

Inspecteur Tomas Hartman plofte na een vermoeiende dag in zijn versleten fauteuil voor de tv om het late plaatselijke nieuws te zien. Zijn echtgenote Marianne had een groentedip en een glas sinaasappelsap klaargezet in een dappere poging het gewicht van haar man aan banden te leggen. Een van de hoofditems van vanavond was de verdwenen makelaar Clarence Haag, wiens auto men die avond op een verlaten bosweg, dertig kilometer buiten de stad gevonden had. Leeg. Tomas Hartman zag zijn eigen gezicht langsfladderen op het scherm in een rap commentaar over de stand van zaken van het onderzoek. Brutaal van de cameraman om een groothoeklens te gebruiken. Want hij was toch niet zó duidelijk zichtbaar dikker geworden? Het interview was sterk ingekort en deed geen recht aan het materiaal dat Hartman de tv-verslaggever verschaft had. Een blauw, knetterend schijnsel verlichtte de vloer van de woonkamer. Het beeld op het televisiescherm verdween.

'Die vervloekte cavia!' Het was Peggy dus wéér gelukt. Het tv-snoer was doorgeknaagd. Het diertje met KEMA-keur bezweek alleen nooit aan de schokken die ze zichzelf toebracht. Ze leek er juist door te worden opgepept. Als een levende kanonskogel schoot ze onder de bank om aan de meubeldoppen te gaan peuzelen. Inspecteur Tomas Hartman had het diertje al vaker dood gewenst dan hij zich kon herinneren. Peggy domineerde tegenwoordig het hele gezinsleven. Sinds zijn dochter uit huis was gegaan en zij haar geliefde cavia geërfd hadden, was niets meer bij het oude. De uitgevlogen dochter meende dat Peggy één recht had: vrij rondlopen in huis. De vrijheid van haar scharrel-cavia mocht niet worden ontnomen door roosters of kooien. En op de een of andere onverklaarbare wijze had de rest van de familie dat geaccepteerd. Met Peggy konden ze niet eens een nieuwe stoel kopen. Dat zou alleen maar weggegooid geld zijn zolang het dat rotbeest behaagde de meubels kapot te knagen.

Die dag hadden Hartman en Arvidsson pogingen ondernomen om de herkomst te achterhalen van de witte, opgerolde zakdoek met de lichte geur van ether die ze op de parkeerplaats van De Vergulde Druif gevonden hadden in het vak waar de BMW gestaan had. In Kronköping waren twee apotheken: De Lelie, bij de haven, waar Hartmans echtgenote Marianne als apotheker werkte, en De Anemoon, die aan de hoofdstraat lag, naast de kiosk. Marianne wist zeker dat ze die week een keer ether verkocht had aan een jonge man met zijn zoontje. Ze wilden brandstof maken van ricinusolie en ether voor een modelbouwmotor. Het jongetje was zo enthousiast geweest, hij had het zakje zelf willen dragen. Een collega van Marianne had die week ook ether verkocht aan een man met een stoppelbaard, verkreukelde kleding en haar in vettige slierten. De man had tegelijkertijd een recept ingeleverd. Hij had een hele ongebruikelijke achternaam. Een oude soldatennaam, dacht Marianne. Ze hadden erover zitten praten in de koffiekamer. Hij heette Trägen. Per Trägen. Het was niet moeilijk geweest die naam in de telefoongids te vinden. Het adres van de man was Videvägen 4, in een weinig bekende woonwijk ten oosten van het centrum. Hartman en inspecteur Arvidsson waren er onmiddellijk naartoe gegaan. Arvidsson, die vier keer per week aan krachttraining deed, was in uitstekende lichamelijke conditie, wat maakte dat Hartman zich ouder en ongetrainder voelde dan anders. Tot bepaalde inzichten komen, is niet altijd leuk. Eén keer trainen in de week zou te overzien zijn, maar de late dineetjes met zijn echtgenote zou hij nooit vrijwillig opofferen. Ze vierden elke avond dat hun dochters na een turbulente tijd het ouderlijk huis verlaten hadden. Misschien zou dit het begin zijn van een meer volwassen relatie tussen de gezinsleden. Dat wilde Hartman best geloven. Maar op dit moment genoot hij vooral van de rust.

Videvägen was ooit een schitterende nieuwbouwwijk geweest, maar de huurprijzen waren niet bij de bevolking in de smaak gevallen. Toen de gemeente problemen kreeg met de verhuur, werden de huizen sociale huurwoningen, gingen de eisen met betrekking tot de huurders omlaag en werd de hele onderkant van de samenleving, met alle uitgezette, lastige en storende elementen, naar die wijk weggesluisd. De ordelijken, die de volledige huur betaalden, vertrokken en daarmee was de segregatie een feit. Zelfs de gemeente was niet in staat de schijn nog langer op te houden. De gele verf van de gepleisterde façades lag onder lagen stof, de wasruimte was grotendeels buiten werking en de speelplaats was danig versleten. In het trappenhuis struikelde Arvidsson bijna over een witte muis, die de vrijheid tegemoet rende. Even overwoog Hartman de lift te nemen naar de derde verdieping waar Per Trägen volgens het blauwe bord in de hal woonde, maar hij bedacht zich toen hij de liftdeur open deed en de penetrante pislucht rook die door de warmte in de kleine ruimte goed tot ontwikkeling was gekomen. Alle liftknoppen waren zwart en onleesbaar gemaakt met een aansteker. Arvidsson nam de trap in een paar snelle sprongen. Hartman kwam er met zware stappen vlak achteraan.

Per Trägen gluurde voorzichtig naar buiten, toen ze een tijdje op de deur hadden staan bonzen omdat ze vermoedden dat de bel het niet deed. Zijn onverzorgde uiterlijk, de stank van aangebrand voedsel en vuilnis kwam helaas overeen met eerdere ervaringen in hetzelfde trappenhuis. Ja zeker, hij had ether gekocht. Was dat illegaal, of zo? Ze werden door een rommelige, rokerige flat geloodst, stapten over stapels bierblikjes en vieze was in een kale kamer met een vlekkerige schuimrubberen matras op de grond, naar het balkon.

'Mijn zus had muizen.' Per Trägen trok bedachtzaam aan zijn centimeterlange baard en staarde naar zijn blote, vrij schone voeten. Zijn ene oog en een mondhoek hingen omlaag. Hij sprak wat onduidelijk.

'Die muizen vermenigvuldigden zich in razend tempo en namen steeds meer ruimte in beslag. Ze had overal muizen, honderden. Je kon het niet bijhouden. Als iemand de buitendeur opendeed, renden er muizen het trappenhuis in en gingen andere flats binnen. De buren gingen klagen. De flat van mijn zus zou worden ontruimd. Eerst had ze alleen twee muisjes uit hetzelfde nest. Toen was het leuk. Toen ik zei dat het vrouwtjesmuisje zwanger was, wilde ze me eerst niet geloven. Ze waren immers broer en zus. Dat doen ze niet, zei mijn zus beledigd. En kijk hoe het afliep!' Per Trägen haalde het deksel van een emmer die in een hoek tegen de muur stond. Arvidsson wendde zijn hoofd af en moest kokhalzen toen hij er een blik in geworpen had. De emmer zat propvol dode muizen en stinkend water. Het rottingsproces was behoorlijk versneld door de zomerwarmte.

'Wat moest u met die ether?' vroeg Hartman in een poging om weer aan te sluiten bij het onderwerp waarvoor ze oorspronkelijk gekomen waren.

'Ik ben een dierenvriend. Ik heb ze eerst verdoofd met ether op een zakdoek, die ik in de emmer had gestopt. En toen ze sliepen, heb ik ze verdronken.'

'Die zakdoek, hebt u die nog?'

'Die heb ik teruggelegd waar ik hem gevonden had. Ik heb hem netjes opgevouwen. Ik hoop dat de eigenaar hem weer terugvindt. Ik heb hem niet kapotgemaakt, alleen even geleend.'

'Waar was dat?'

'Op de parkeerplaats van De Vergulde Druif. Ik ben een eerzaam burger, meneer de agent!'

'Mag ik vragen waarom u zoveel moeite deed om de zakdoek terug te brengen?' vroeg Arvidsson onthutst.

'Hij was zo mooi geborduurd. Mijn moedertje zat ook altijd 's avonds voor de open haard te borduren. Ik weet hoe lang het duurt om van dat Engelse borduurwerk te maken', zei Per week en hij wreef met zijn hand over zijn ogen.

Die avond, toen Hartman in zijn bobbelige fauteuil naar zijn dode tv zat te staren, vroeg hij zich af of hij Peggy niet kon onderwerpen aan een etherkuurtje. Zou dat worden gezien als een natuurlijke dood of zou zijn vrouw haar eega op goede gronden verdenken? Dat was de vraag.

9

'Laten we aannemen dat Clarence Haag tegen zijn wil is ontvoerd. Maria's waarnemingen en de getuigenverklaringen van
De Vergulde Druif wijzen daarop. In dat geval heeft de man met
de pet zich in elk geval schuldig gemaakt aan ontvoering of
wederrechtelijke vrijheidsberoving. Aan de andere kant hebben
we daar eigenlijk geen bewijs voor. Zoals Maria zegt, het lijkt op
een vrijgezellenparty, een soort practical joke. Waarom zou een
klant afspreken met Clarence en de bloempotten van De Vergulde Druif volgieten met dure wijn? Waarom zou iemand
Clarence Haag überhaupt ontvoeren? Er is geen losgeld geëist.
Ik heb tenminste niet het idee dat hij zich zo rijk heeft voorgedaan
dat dat de moeite waard zou zijn, bedoel ik.' Hartman leunde
achterover en schommelde in gedachten op zijn stoel, roerde in
zijn koffiekopje en peuterde vervolgens bedachtzaam met het
koffielepeltje in zijn oor.

'De vraag is waarom de man met de pet een zakdoek voor
Clarence' gezicht hield, als die niet geprepareerd was met ether.
Wern kan gelijk hebben in haar vermoeden dat er een wapen
onder zat.' Arvidsson strekte zijn benen onder tafel en raakte per
ongeluk Maria's voet aan. Gegeneerd trok hij zich terug en ging
weer rechtop zitten.

'Misschien is het zo', hernam Hartman het woord, 'dat Clarence het erop wil laten lijken dat hij ontvoerd is. Alhoewel dat
nóg minder logisch lijkt. Waarom zou hij dat willen?'

'Misschien was hij die zeur van een vrouw wel zat', grijnsde
Himberg.

'Heeft die vrouw van zich laten horen?'

'Onafgebroken', zei Himberg met een diepe zucht en hij sloeg
zijn ogen ten hemel.

'Is ze met iets nieuws gekomen? Het is belangrijk dat ze weet dat wij geïnteresseerd zijn in alle details die met de verdwijning te maken hebben.'

'Ja en nee, ze had het erover dat Clarence een tijdje geleden een vreemd telefoontje had gehad. Rosmarie had de hoorn op de bovenverdieping van de haak genomen om te bellen en had toen een deel van het gesprek gehoord.' Örjan Himberg bladerde ijverig in zijn blok. 'Hier. Ze had een vreemde mannenstem horen zeggen: "Ik heb niet veel te verliezen, maar jij wel, Clarence." Toen had Haag geantwoord: "Gore klootzak. Ik krijg je nog wel." Rosmarie had niet het idee dat Clarence een klant aan de lijn had.'

'Nee, dat zal wel niet', zei Hartman en hij liet zijn stoel op vier poten landen.

'Na dat gesprek werd Haag zwijgzaam en verbeten. Precies zo zei ze het: zwijgzaam en verbeten.'

'We moeten uiteraard de financiële situatie van de man bekijken. Zowel privé als van de zaak. Clarence' compagnon, Odd Molin, komt vanochtend hierheen. Ik had gedacht dat Wern die voor haar rekening kon nemen. Vraag met name naar de financiële situatie van het bedrijf, vraag of je de laatste accountantsverklaring mag zien. Misschien kan hij zich de naam herinneren van de klant met wie Clarence Haag heeft gedineerd in De Vergulde Druif. De privé-financiën laat ik aan Arvidsson over. Van belang zijn grote betalingen of stortingen. Vraag aan de vrouw of zij weet wat die eventuele transacties waren. Controleer of het paar gemeenschappelijke financiën had, of er huwelijkse voorwaarden zijn, verzekeringen et cetera. Informeer discreet of Clarence ooit een minnares gehad heeft en of hij eerder bedreigd is.' Hartman stuurde de zak koffiebroodjes rond, die hij op weg naar het werk gekocht had. Na een ontbijt met volkorenbrood en magere melk moest zijn maag wat worden opgepept en zijn bloedsuikerspiegel op peil worden gebracht.

'Wern, je wilde me onder vier ogen spreken. Kom over een kwartiertje naar mijn kamer.' Maria knikte. De aanval op de nertsfarm wilde ze discreet behandelen. Dat wil zeggen zonder dat Himberg zijn grote neus er weer instak. Discretie was niet bepaald zijn sterkste kant.

Clarence' compagnon, Odd Molin, was op-en-top een verkoper, om niet te zeggen een man met een neus voor zaken. Tot in zijn neuswortels aan toe, de wortel van alle kwaad. Onberispelijk gekleed in een Armani-overhemd met zijden das, zijn colbert zo ver open dat het merkje zichtbaar was, nam hij een offensieve houding aan aan de andere kant van het bureau. Hij gaf een betrouwbare handdruk. Hij had een glimlach van oor tot oor. De spleet tussen zijn voortanden gaf hem het uiterlijk van een eekhoorn. Zijn wat dunne haar lag keurig achterovergekamd. Maria kon nog net zien dat hij een Rolex droeg, voordat hij zijn hand in zijn aktetas stak om de meest recente accountantsverklaring op te diepen. In zeer korte tijd had hij Maria bestempeld als toekomstige klant. Ze wist zelf niet hoe dat gegaan was. Odd had dadelijk aangeboden om de gele villa van inspecteur Wern in Kronviken te verkopen om haar van haar grote last te bevrijden. Maria raakte ongewild geïmponeerd. De man was een prof.

'Een huurflat in de stad is nooit weg. Alles vlakbij. Speelkameraadjes voor de kinderen. En ontzettend praktisch. Als er iets kapot gaat, hoef je alleen maar de telefoon te pakken en de huisbaas te bellen, dan wordt het verholpen. Ik zou eens langs kunnen komen om het huis te taxeren. Dat is nooit weg. Gratis, uiteraard. Onder ons. De bank vraagt wel duizend kronen, weet u.'

'U bent van ver gekomen. Wilt u koffie en een broodje voordat we de papieren doornemen?' vroeg Maria om zijn offensief te doorbreken.

'Een kop koffie is nooit weg', antwoordde Odd met een stem die mijlenver verwijderd was van de korzeligheid die hij eerder aan de telefoon tentoongespreid had, toen ze over Rosmarie Haag gesproken hadden. Een kop koffie is nooit weg! Op weg naar de pentry zag ze Odd voor zich als verkoper in de heren-mode: een zwart overhemd is nooit weg. Jawel, meneer Molin, een zwart overhemd is wél 'weg' als je een kind hebt dat veel moet spugen. Of als autoverkoper: een rode auto is nooit weg. Jawel, Odd, als je ongemerkt door een gebied moet waar gevochten wordt, kan een rode auto je dood betekenen. Maria overhan-digde het bekertje koffie met een klein lachje dat overging in een klaterende lach toen Odd Molin gedachteloos verklaarde dat een beetje melk in de koffie nooit weg was.

Odd Molin kon zonder problemen de economische situatie van de firma bestempelen als goed. Clarence deed de financiën en hijzelf handelde het grootste deel van de klanten af. Over die werkverdeling was nagedacht! Hij had geen flauw idee wie Cla-rence bij De Vergulde Druif had ontmoet. Het was ook niet onmogelijk dat het om een zuiver particuliere investering ging, zei hij.

'Wat denkt u dat Clarence overkomen is? Hebt u enig idee?' vroeg Maria.

'Zijn grootste probleem is ongetwijfeld Rosmarie. Ik geloof dat ze geestelijk niet helemaal in orde is.'

'Hoe bedoelt u?'

'Ze is helemaal bezeten van haar planten. Ze praat erover alsof het levende wezens zijn.'

'Maar dat zijn het toch ook?' Maria zag de bloeiende tuin met zijn krachtige, weelderige groen voor zich. 'In hoge mate levend.'

'U begrijpt het niet, ze is veganiste! De laatste keer dat we een officieel dineetje hadden, moest zij alles verpesten door over onwaardige dierentransporten te praten met gestreste dieren, waar je de hormonen vervolgens van op je bord krijgt, badend in het bloed. Ze liet ons in detail weten hoe de slacht in zijn werk gaat en hoe de transporten van levensmiddelen bijdragen aan het broeikaseffect, en ze beëindigde haar verhaal met een lange tirade over gekkekoeienziekte en kadavermeel. Mensen willen plezier hebben als ze naar een restaurant gaan. Ze kweekt zelf al haar eigen eten – gifvrij en zonder kunstmest. Het stinkt er naar kippenstront, je krijgt tranende ogen als je bij hen bent. Ik begrijp best dat Clarence af en toe kwaad wordt. Hij had bij mij kunnen logeren, als hij het maar gezegd had.'

Maria glimlachte bij zichzelf. De volgende keer dat ze groente kocht, deed ze dat bij Rosmarie. Biologische spullen waren duur, maar ze wilde haar kinderen graag gifvrije producten geven. In de huidige situatie was de kwekerij van Rosmarie een goed alternatief. Jammer dat de landbouwpolitiek van de EU er niet naar streefde het gifvrij kweken van groente te bevorderen in plaats van volledig in beslag genomen te worden door pietluttigheden, zoals de vraag of alle komkommers wel recht waren. Omwille van de eerlijkheid moesten alle EU-burgers blijkbaar even vergiftigd voedsel eten en even ronde, even grote aardbeien. Milieueisen mogen geen belemmering voor de handel vormen, was de teneur. En kromme komkommers vormden blijkbaar een bedreiging voor de ruilhandel.

'Dus u weet niet waar hij is?'

'Nee, maar hij komt wel boven water als hij bedacht heeft wat hij met haar wil.'

'Nog iets, kunt u iets zeggen over Clarence' drinkgewoonten?'

'Nee, wat zou dat moeten zijn? Vaak is het representatie, soms een flinke zuippartij, maar hij doet zijn werk. Ik kan niet anders zeggen.'

'Dus hij is geen geheelonthouder?'

'Maakt u een geintje? Maar het is wel erger geweest. De jaren nadat we terugkwamen van Cyprus dacht ik dat hij alcoholist zou worden, maar het kwam allemaal goed toen Rosmarie voor hem ging zorgen.'

'Bent u samen in dienst geweest van de VN?'

'Ja, maar dat is bijna twintig jaar geleden. We waren van plan om naar restaurant Engelen in Stockholm af te reizen, Clarence en ik. Er is daar elke eerste maandag van de maand een bijeenkomst van oud-militairen van de VN-missie. Dat is altijd erg gezellig.'

Odd Molin stond op en pakte zijn papieren bij elkaar.

'Denkt u aan die taxatie. Trouwens, mocht u vanavond niets te doen hebben, dan zou ik u een zeiltochtje aan kunnen bieden, *gravad lax* en aardbeien, wat champagne misschien? Viktoria ligt in de jachthaven. Ze is een schitterend mooie mahoniehouten boot. Een zeiltochtje is nooit weg, weet u.'

'Bedankt, maar ik geloof dat een zeiltochtje wél weg is. Ik moet twee slaperige en door-en-door vieze kinderen van de crèche halen en in bad doen.'

'Dan moet u het zelf weten', zei Odd met een verleidelijke knipoog en hij liep dansend de deur uit.

10

Na de lunch was Erika Lund klaar om mee te gaan naar de onvrijwillige nertsfokker, Ivan Sirén, voor een technisch onderzoek van de plaats van het misdrijf. Erika had het boek *De ontembare vrouw* gelezen. Maria vroeg zich af wanneer zij voor het laatst een boek geopend had. Geopend misschien nog wel, maar gelezen was lang geleden, alhoewel de ene lange wand van de woonkamer van vloer tot plafond bedekt was met boeken. Ze was een soort boekomaan toen ze Krister leerde kennen, maar ze was nu in een ongeconcentreerde toestand gegleden van moeder zijn, waarbij boeken voornamelijk bestonden om op afstand lief te hebben. Als je overdag niet eens een knoop kunt aannaaien zonder drie keer gestoord te worden en nooit rustig op het toilet kunt zitten, spreekt het voor zich dat je geen boeken leest. Maar Erika Lund had zoals gezegd *De ontembare vrouw* gelezen en Maria luisterde aandachtig, hongerend naar intellectuele prikkels.

'Die therapeute die dat boek geschreven heeft, liet vrouwen foto's meenemen van hun oermoeders, vrouwen in hun familie, en over ze vertellen met als onderwerp: "Van deze vrouwen stam ik af".'

Maria vond het een interessant idee. Waar komt je vrouwenrol vandaan? Je bent erfelijk belast. Hoe vaak had ze niet gedacht dat ze nooit zou doen zoals haar moeder als ze zelf kinderen kreeg, en toch deed ze precies hetzelfde: ze hielp ze melk uit volle pakken te schenken, liep ze achterna met mutsen en wanten en drong ze hun eten op. Ze was een echte kloek, en dat was er niet minder op geworden sinds ze een halfjaar geleden Linda bijna kwijt was geweest. Ze stond vaak 's nachts op om te kijken of alles goed was met de kinderen, of ze wel ademden.

'Daarna, als de vrouwen hun oerkudde, hun troep, bestudeerd

hebben, zijn ze klaar om zich aan te sluiten bij de nieuwe troep vrouwen. Vrouwen die ze zelf kiezen. Andere wolvinnen die hen helpen te rijpen en te groeien, die het wilde en het creatieve toestaan. De wolf heeft onverdiend een slechte naam gekregen, meent de schrijfster. Misschien omdat mannen bang worden van dat wilde. De wolvin heeft vele goede eigenschappen, die benadrukt moeten worden: moed, uithoudingsvermogen en loyaliteit. Wolvinnen vragen elkaar niet hoe oud ze zijn. Ze vragen: hoeveel littekens heb jij op je ziel? Een ontzettend interessant boek', juichte Erika en ze sloeg in haar enthousiasme links af zonder richting aan te geven.

'Ik geloof niet dat je al te categorisch moet zijn als het gaat om de houding van mannen ten opzichte van vrouwen. Er zijn veel mannen die positief tegenover creatieve vrouwen staan, net zo goed als er medezusters zijn die afgunstig elke kans benutten om zich te onderscheiden of om af te wijken van het gemiddelde. Ik geloof dat het meer een kwestie is van generositeit en zelfvertrouwen dan van geslacht', vond Maria en ze dacht aan haar vader, die vaak als een schaduwfiguur op haar schouder zat met zijn: 'Dat gaat geweldig. Je kunt het, Maria!'

'Misschien, misschien niet. Je zou dat boek moeten lezen. Het is ontzettend interessant om een studie te maken van de vrouwen waar je van afstamt: Erika, dochter van Emma, dochter van Svea, dochter van Agnes. Om te kijken hoe juist míjn rol door de wensen en dromen, overwinningen en nederlagen van generaties gevormd is.'

'Alleen een wolf begrijpt een wolf.'

'Wat zeg je nou? Dat is een goeie. Waar komt dat vandaan?'

'Uit een kinderprogramma. Over Bamse, de sterkste beer van de wereld', zei Maria wat gegeneerd. 'Het kwaad in die serie wordt gepersonifieerd door een rat en een wolf die stelen en kattenkwaad uithalen. Als de wolf in het nauw wordt gedreven door de sterke beer, zegt hij: "Alleen een wolf begrijpt een wolf."'

'Interessant! Kleine kinderen worden geïndoctrineerd om

slecht te denken over wolven, over het creatieve en het vrouwelijke. Kijk maar naar Roodkapje en de wolf, naar Peter en de wolf en dan nu naar Bamse en de wolf. "Alleen een wolf begrijpt een wolf." Goed gezegd!'

'Ik kan het niet helemaal volgen. Ik heb dat boek van jou immers niet gelezen, alleen die tv-serie gezien', zei Maria in een zwakke poging zich te onttrekken aan het gesprek, dat zo goed begonnen was maar nu dreigde te verzanden. Ze voelde zich ongemakkelijk omdat ze niets interessants gelezen had wat het niveau van het gesprek op kon schroeven. Afgezien van Bamse.

'Wat is jouw idee over die aanval op die nertsfarm? Is het tegen hemzelf gericht of tegen de fokkerij? Waren het één of meer personen? Met oud en nieuw hadden we toch die aanslag op de slachterij? Een molotovcocktail waardoor het hele kantoorgedeelte uitbrandde. De tekst op de muur van die nertsfarm is dezelfde als toen daar. Misschien moeten we de veiligheidsdienst inschakelen als we iets van belang vinden.'

De façades van het woonhuis waren witgepleisterd. Van de muur op het zuiden, het dichtst bij de provinciale weg, was het pleisterwerk afgebladderd, het hing er in grote witte flarden bij. De ramen staarden hen glimmend en leeg aan. De zijkanten van het raam werden alleen gemarkeerd door een dun, blauwgeruit gordijntje, er stonden geen planten of andere dingen om de gezelligheid te bevorderen. Het huis bood een doodse indruk.

Het erf was rommelig. Lege dozen, auto-onderdelen en bouwmaterialen lagen daar waar ze terechtgekomen waren. Het gras zag geel van de paardenbloemen en bij het huis tierden de brandnetels welig. Als je dacht aan Ivans klinisch schone keuken, kreeg je haast een *Dr. Jekyll and Mr. Hyde*-gevoel, dacht Maria. Of misschien was het gewoon jaloezie, omdat Ivan een nettere keuken had dan de familie Wern. Wat op zich niet zo moeilijk was.

Er werd niet opengedaan toen ze aanbelden. Maria klopte, voor het geval de bel kapot was. Ze keek naar binnen door het meerkleurige glas. Rood, blauw en groen. De groene hal was absoluut de mooiste. Als ze een paarse hal wilde, moest ze behoorlijk door de knieën. En om de gele te kunnen zien, moest ze op haar tenen gaan staan. Erika stond ongeduldig te trappelen en streek met haar hand geïrriteerd door haar bruine, krullende haardos. Geen teken van leven. Maria liep resoluut naar de eerste nertsschuur. Erika trok haar aan haar arm.

'Voorzichtig lopen, vermijd het gras. Er kunnen meer klemmen liggen.'

Een beweging voor het raam van de achterste schuur ving hun aandacht. Ze klopten op de grijze, met planken opgelapte deur, die na een eeuwigheid werd opengedaan door een man met wit, piekerig haar en een grijze baard. Hij was gekleed in een lange, blauwe werkjas en een bloederig schort. Maria merkte hoe Erika terugdeinsde en haar hand in een reflex naar de holster bracht die ze niet droeg. Maria had moeite om niet in lachen uit te barsten.

'Hallo, Ivan. Hoe is het met je enkel?'

'Goed', zei Ivan, die blijkbaar weer de man van weinig woorden geworden was.

'We komen even rondkijken. Waar is die vossenklem?' vroeg Erika.

'De hal', zei Ivan en hij wees naar het woonhuis. 'Koffie?'

'Graag, dat zou lekker zijn', antwoordde Maria snel om de stilte die Ivan achterliet als het ware op te vullen.

'Ik wil die klem onderzoeken en de grond eromheen. En daarna zou ik een foto willen maken van uw voet, als dat kan.' Erika bestudeerde geïnteresseerd Ivans oude, versleten klompen.

'Is dat goed, Ivan?' Maria probeerde tevergeefs oogcontact te krijgen. Ivan gromde iets onhoorbaars en ging verder met zijn oorspronkelijke werk: vleesresten vermalen tot nertsenvoer. Het gejank van de bandzaag, als die zich door de botdelen heen werkte, overstemde de nertsen. Het gemalen vlees kronkelde als lange rode slangen uit de gaten van de vleesmolen in een roestvrijstalen emmer.

Tot haar teleurstelling zag Erika dat Ivan de aangebrachte tekst 'MOORDENAAR, DIERENBEUL!' overgeschilderd had. De verf was nog niet droog, maar wel dekkend. In de bessenstruik ernaast deed ze echter een vondst. Een spuitbus met witte verf. Voorzichtig nam ze de eventuele vingerafdrukken op de bus op met een kunststof film. Toen ze met de vossenklem aan de gang wilde, greep Maria in.

'Krister heeft de klem met handen en voeten opengemaakt. Ik zal zorgen dat we zijn vingerafdrukken krijgen, zodat we hem kunnen uitsluiten', zei Maria en ze lachte met haar ogen. 'Ik geloof trouwens dat Egil Hägg de klem naar het huis heeft gedragen. En Gustav heeft er ook even aangezeten toen Egil hem liet zien hoe je zo'n klem zet en hoe hij dichtklapt, zodat hij zou begrijpen wat er gebeurd was. Ik geloof dat ik er ook aangezeten heb toen ik Ivans enkel onderzocht.' Erika kreunde luid.

'Dan moeten we maar hopen dat degene die de spuitbus gehanteerd heeft net zo amateuristisch was als jullie. Dan hebben we vast een hoop vingerafdrukken.'

Een vlucht duiven cirkelde laag over Ivans huis en vloog verder naar de duventil van de Häggs. Maria, die pal naast de waslijn stond, kon zien hoe de duiven hun visitekaartjes achterlieten op Ivans witte lakens.

11

Sommige dingen kun je beter niet zien, dacht Maria toen ze Mayonaises bouwvakkersdecolleté aanschouwde, terwijl hij over de motorkap van een van zijn collector's items gebogen stond. De lege achterkant van zijn broek hing slap omlaag. Het aantal sloopauto's was nog onveranderd, hoewel Maria heel duidelijk had aangegeven dat ze weg moesten. Ze gaf de moed op. Die kerel had geen normaal gevoel voor sociale omgangsvormen. En hier ging het niet om een fingerspitzengefühl, maar om hele carrosserieën.

Linda was spinnijdig omdat ze geen ijs kreeg toen ze thuiskwamen, en Emil viel haar bij: 'Van papa krijgen we altijd ijs.' Linda zong domme-mama-liedjes en kroop onmiddellijk in haar poppenbed met een boek als dak over haar hoofd. Van 'De eekhoorn in de dennenboom' zong ze een lange, eigen versie. Maria, die voelde dat de kinderen elk moment konden gaan jengelen van honger en vermoeidheid, begon snel wat pap te maken. Krister was nergens te bekennen. Als ik mijn dagen hier moet slijten met Mayonaise, verhuis ik naar een flat in de stad, dacht Maria opstandig en tegelijkertijd een beetje bang van de gedachte. De zondagsrustverstoorder had nieuwe grond geclaimd en ook doordeweekse avonden in bezit genomen. Dit was onhoudbaar. Ze hadden geen energie over om vrienden uit te nodigen die ze écht wilden zien. Mayonaise slokte met zijn aanwezigheid alle energie op. Als een bloedzuiger liet hij zijn slachtoffers pas los als hij ze alle kracht ontnomen had. En áls ze dan eens een keer alleen waren, wilden ze ook alléén zijn.

Het leek trouwens of Mayonaise nog meer in zijn element was die enkele keer dat ze gasten hadden. Want dan was het feest! Vanuit zijn keukenraam kon hij eenvoudig zien dat er auto's op weg waren naar Krister en Maria en dan zat hij daar opeens op de bank met een van de gasten te keuvelen. Zijn favoriete onderwerp was Cyprus, toen hij daar als VN-soldaat gelegerd was. Maria wist altijd als het zover was, want dan had hij zijn legerbroek aan. En alles wat over Cyprus ging, kreeg het voorvoegsel 'turken'. In zijn soldatenjargon had hij het over turkengoud en Cyperse kip op turkenborden. Als je het een paar keer gehoord had, ging je zelf in termen van 'turken' denken. Alles wat met Cyprus te maken had, werd bestempeld als 'turken'.

Krister had verteld dat het verblijf van Mayonaise op Cyprus niet lang geduurd had. Na twee maanden was hij naar huis gestuurd.

Verder kwam Maria niet in haar gedachten; de buitendeur sloeg dicht en ze hoorde Kristers vrolijke stem in de hal. Ze had het moment goed voorbereid. Ze moesten met elkaar praten. Er was iets aan de hand. De angst lag op de loer in haar middenrif. Waarom ontweek hij elk lichamelijk contact en waarom was hij zo moe? Stel dat hij ernstig ziek was, dat hij iemand anders ontmoet had of dat de operatie hem op de een of andere manier mentaal impotent had gemaakt? Ze moesten hier samen uit zien te komen. Voor impotentie bestonden behandelingsprogramma's met strelen en massage, had Maria gelezen in een tijdschrift bij de tandarts. Als dat zo was, moesten ze het probleem samen aanpakken. Alles was beter dan die onzekerheid.

Wantrouwig bestudeerde Krister de kaarsen op tafel, de fles wijn en zijn lievelingsgerecht, varkensfilet met rosé-pepersaus. Ze had het gevoel dat ze beet had. Verjaardagen, naamdagen en trouwdagen passeerden de revue zonder op hun plaats te vallen.

'Heb ik iets gemist?' vroeg hij ongelukkig.

'Ik had gedacht dat we er een gezellig avondje van konden maken. De kinderen waren al vroeg in slaap. De crèche is heel vermoeiend voor ze. Emil doet al de hele week of hij een tijger is. Het personeel begint een beetje moe te worden van zijn fantasie. Die nieuwe vrouw, die met die rok en die hoge hakken, vroeg of hij thuis ook zo lastig was. Hij wil blijkbaar niet aan gemeenschappelijke activiteiten meedoen als hij een tijger is. Ze probeert hem nu te laten begrijpen wat fantasie is en wat werkelijkheid.'

'Dan heeft ze vast de basiscursus gemist. Kinderen van vier à vijf leven in de wereld van de fabels. Ze loopt volgens mij alleen stage. De ervaren krachten zouden gezegd hebben: "Kom, tijger, dan gaan we het namenspel doen."' Krister glimlachte opgelucht, jubelde haast vanbinnen. Ze wilde praten over 'de kinderen'. Emils fantasieën. Dit was een gesprek tussen ouders onderling.

Rustig en behoedzaam laveerde Maria het gesprek via de kinderen en hoe vermoeiend kleine kinderen zijn naar de hamvraag: 'Ik heb gemerkt dat je 's avonds doodop bent. Is er iets waar je mee zit?' Krister zoog lucht tussen zijn tanden en begon te blozen, eerst licht, daarna onmiskenbaar. 'Vertel het me. Ik wil het weten', zei Maria en ze pakte de rand van de tafel vast, onzichtbaar onder het kleed.

'Je zult het me nooit vergeven.' Zijn stem stokte in zijn keel.

'Kom maar op, ik kan wel tegen een stootje.'

'Je zult boos worden.'

'Misschien wel. Maar daar ga je niet dood van.'

'Nou ja, ik...'

Verder kwam hij niet voor de voordeur openvloog en Mayonaise de hal binnen kwam denderen. De aardewerken pot met vlas viel met een klap stuk op de vloer. Uit de donkere baard kwam een stem soepel als stroop: 'Ik zag licht branden', begon hij. De kapotte pot leek hij niet op te merken. Hij was er blijkbaar zo aan gewend dingen om zich heen te hebben die geen blijvende waarde hadden, dat hij dergelijke informatie simpelweg afdeed als onbelangrijk. Dat was gewoon onderdeel van het algemene lawaai waarmee hij zich omringde.

'Bij jou thuis brandt ook licht. Ik vind dat je net zo goed onder je eigen keukenlamp kunt zitten als onder de onze', siste Maria.

'Toen ik zag dat jullie wijn en zo op tafel hadden, bedacht ik dat jullie mijn nieuwste kersenwijn nog niet geproefd hadden', vervolgde hij ongehinderd en hij glimlachte goedmoedig naar zijn gastheer en gastvrouw. 'Alsjeblieft, Krister. Het is sterk spul.' Met een indrukwekkend gebaar overhandigde Mayonaise het onbestemde goedje waar hij zijn omgeving altijd op trakteerde als een soort entreebewijs. Wild gefermenteerd, weerzinwekkend en waanzinnig scherp om het uitgebleven alcoholpercentage in het mislukte gistingsproces te compenseren. Linda was door het kabaal wakker geworden en kwam aandribbelen, klaarwakker en met de speen in haar mond.

'Hoe kon jij zien wat wij op tafel hadden? Van hieruit zie je ook geen details in jouw keuken', vroeg Maria, terwijl ze over de tafel leunde naar het raam. 'Zat je met een kijker te kijken? Heb je ons weer zitten bespioneren met een kijker?!'

'Ja, Jezus. Ik zat een beetje met die turkenkijker te spelen. Jonna werd er niet mooier van dat ik naar haar zat te kijken, en vrolijker ook niet. Dus toen keek ik naar buiten en daar zaten jullie feest te vieren. Dus toen dacht ik dat ik wel even langs kon gaan om de stemming wat te verhogen.'

'Verhógen??? Je hebt ons dus zitten begluren met je kijker! Krister, je zorgt dat die vent vertrokken is als ik terugkom. Ik ga nu weg!'

'Waar ga je naartoe?' vroeg Krister voorzichtig. Maria gaf geen antwoord. De deur sloeg met een klap dicht, ongeveer op hetzelfde moment dat Emil uit bed stapte.

De aflandige wind was aangewakkerd tot hard. Het motregende licht. Maria nam het pad naar beneden naar het strand, langs de strandhutjes, die zich grauw en ruig in de wind samenpersten. Ze keek naar binnen bij de oude Jacob, die voorovergebogen op tafel lag te slapen. Zeker moe van het onweer. Anders zat hij meestal 's avonds op het bankje voor het hutje zijn netten te repareren, met de zee voor zijn ogen. Hij was zo verrukkelijk, Jacob. De geborgenheid zelve. De laatste keer dat ze elkaar gesproken hadden, had hij daar lekker buiten gezeten. 'Als je pet naar de horizon wijst, je een schone blauwe kiel aanhebt... pruimtabak onder je bovenlip hebt, dan weet je dat het zondag is', had hij gezegd. Jacob kon nog goed zien en had een uitstekend geheugen. Je kon alleen maar wensen dat je nog zo gezond was als je oud was. Je zou kunnen zeggen dat het hutje van Jacob een soort centraal punt was. De meeste passanten kwamen even binnen, wisselden een paar woorden met Jacob, dronken een kop koffie en kregen nog een advies of een goed verhaal mee. Hij zette weliswaar wel eens koffie van koffiedik, want hij was niet spilziek, maar als je op zondag kwam, dan zaten er verse bonen in de pot, gegarandeerd.

Maria liep met grote stappen in de richting van het strand. Ze zag de schoonheid van de bloemen niet, de tijm en de rozen-kransjes, de vleugeltjesbloemen en de grasklokjes die daar in grote hoeveelheden stonden, de bijna uitgebloeide knolspirea en het zonneroosje dat zich had opgerold voor de nacht. De golven rolden over het zandstrand, spoelden over de stenen pier en trokken zich inhalig terug met hun buit van zongedroogd wier en schelpen. Bij iedere golf werd het zandkasteel met zijn met zeegras gevulde slotgracht, zijn wimpels van witte vogelveren en zijn kleine weggetjes van wier kleiner. Binnenkort was er alleen nog een heuveltje over van het kasteel dat Emil gebouwd had. Maria ging op een vochtige steen zitten. Ze liet haar blik rusten op de zee en ademde de zeelucht met diepe teugen in. Haar haar, dat los in de wind had gedanst, werd zwaarder door de regen die in steeds grotere druppels uit de hemel kwam.

Alleen, tijd om alleen te zijn zonder andere geluiden dan die van de natuur. Waarom gun je jezelf dat zo zelden? Het zou onderdeel moeten zijn van de mensenrechten: het recht om alleen te zijn, om weer een heel mens te worden, om te voelen wie je bent en wat je met je leven wilt. Tijd om gewoon op een steen aan zee te zitten, zonder dat er iets van je verlangd wordt. Misschien moest je met jezelf een afspraak maken: we zien elkaar elke donderdag, we ademen wat zeelucht in, of boslucht, we zien elkaar tegen zonsondergang in het weiland met de eiken, mezelf en ik. Om tot rust te komen. Waarom was de tijd zo ongelijk verdeeld? Maria kwam vaak mensen tegen die te veel tijd voor zichzelf hadden, die ernaar verlangden om iets met iemand anders samen te doen. Maar niemand anders had tijd.

Haar woede ebde langzaam weg en maakte plaats voor de beleving van de schoonheid om haar heen. De avondzon brak door een wolk met een gouden randje. De laatste krachtige stralen vielen rechtstreeks, als een glorieus licht, over Kronholmen. Het donkere water en de zware regenwolken aan de hemel contrasteerden met het licht. Een machtige schoonheid die in haar hele lichaam weerkaatste.

Ver weg voer een mooie zeilboot langzaam in de richting van de jachthaven. Misschien was het Odd Molin, die erin geslaagd was een dame te versieren, wie weet. Getver, gravad lax en zeeziekte, ze moest er niet aan denken. Ze stond op om naar huis te gaan, verstijfd en door en door koud. Nu ze weer in harmonie was met zichzelf, had ze bijna medelijden met Krister, die daar zat met zijn wakkere, zeurderige kinderen en de wild gegiste wijn van Mayonaise. De oude Jacob sliep nog steeds toen Maria langs de strandhutjes liep. Ze klopte zachtjes op het raam, maar de oude man sliep vast en Maria liet hem met rust. Er was immers geen reden om wakker te worden in dat hondenweer.

Toen Maria de lamp in de keuken aandeed, zag ze een papiertje op tafel liggen: een uitslaapbon. De bon garandeerde Krister een ochtend naar keuze uitslapen en kon worden ingelost als hij dat wilde. Het biljet was ondertekend door haarzelf. Ze had met Kristers verjaardag weinig geld gehad. Daarom had ze haar echtgenoot drie uitslaapbonnen gegeven. De eerste twee had hij direct benut. Dit was de derde en laatste. Met het ochtendhumeur dat hij had, had hij het cadeau oprecht op prijs gesteld.

Maria liep naar de slaapkamer en wachtte even tot haar ogen aan het donker gewend waren. Haar hele gezin lag kriskras door elkaar op het bed, als een soort mikado. Zonder ze te storen sloop Maria op haar tenen naar de kinderkamer, om niet op legosteentjes te trappen, en maakte het zich gemakkelijk in Emils onopgemaakte bed.

12

Zelfs helemaal in de koffiekamer waren de driftige stemmen van Arvidsson en Himberg, en Hartmans poging tot bemiddeling hoorbaar. Arvidsson was nooit op zijn best voordat hij koffiegedronken had.

'Hij heeft zo'n verdomd slechte muzieksmaak. Het is nog erger dan het geruft van dienstplichtigen.'

'Ik ga aangifte doen van diefstal van de cd-speler', dreigde Himberg.

'Rustig aan jongens, rustig.'

'Ik ga veel liever met Wern naar Videvägen. Zij wil ten minste luisteren naar wat er op P1 is', zei Arvidsson en hij viste met tegenzin het frontje van Himbergs geliefde autoradio uit de prullenbak.

Gisternacht was een vrouw lastiggevallen op Videvägen. Een groep jongeren had haar Dior-japon bespoten met blauwe, witte en rode verf.

'Zoals de Franse vlag, de tricolore', vertelde Hartman. En hoewel de vrouw enkele briefjes van duizend kronen in haar tas had gehad, was ze niet bestolen. Alleen maar volgespoten.

'Wat doet een vrouw in een Dior-japon met duizendjes in haar tas midden in de nacht op Videvägen? Dat lijkt me niet zo slim.' Maria glimlachte bij de gedachte aan een bespoten vrouw en gaapte uitvoerig. Ze was al sinds vijf uur vanmorgen op omdat ze de kinderen om zeven uur af had moeten leveren. Hopelijk had Krister genoten van zijn uitslaapbon.

'Haar zoon woont daar. Ze had beloofd zijn planten water te geven. Hij is op vakantie, op de motor. De jongelui hadden zich geërgerd aan haar tas van krokodillenleer, en aan de hooggehakte schoenen, ook van krokodillenleer of iets dergelijks.'

'Alleen een bontjas van nerts was nóg provocerender geweest, neem ik aan.' Arvidsson fronste zijn wenkbrauwen.

'Misschien. Maar daar is het nu het seizoen niet voor.'

Ze namen allemaal netjes plaats in de vergaderruimte.

Hartman viste een rol koekjes op uit zijn aktetas en een zak Berliner bollen uit zijn jaszak.

'Rosmarie Haag heeft gebeld, zowel gisteravond als vanochtend. Ze lijkt nogal gesteld op Wern. Zou jij naar haar toe kunnen gaan om te kijken wat haar zorgen baart? Ze had het over een inbraak, maar er was niets gestolen. Het slot is niet geforceerd. Ze denkt ook dat er 's nachts iemand in de tuin rondsluipt, maar als je het haar recht op de vrouw af vraagt, heeft ze nog nooit iemand gezien. Ik heb medelijden met haar. Het is moeilijk als je er plotseling alleen voor staat zonder te weten waarom. Blijkbaar is haar vader, die naast haar woont, tijdelijk in het grote huis getrokken.'

'Hou haar kort, Wern, anders gaat ze jou straks ook thuis bellen.' Himberg glimlachte als een boer met kiespijn en peuterde met zijn wijsvinger de vanilleroom uit zijn Berliner bol.

'Twee maanden geleden heeft ze aangifte gedaan van diefstal van giftige planten uit haar tuin, monnikskap en gevlekte scheerling. Ik vind dat de moeite waard om te noteren. Hoe gaat het met Engelen?' vroeg Maria en ze bedankte voor nog een Berliner bol, om zich op het laatste moment te bedenken. De eerste was kakelvers geweest en onweerstaanbaar zacht en romig. Hartman likte zorgvuldig de suiker van zijn vingers en keek vergenoegd om zich heen.

'Himberg, iets voor jou?'

'Engelen, dat is goed, als ik maar niet naar dat gortdroge geouwehoer hoef te luisteren.' Himberg maakte een beweging met zijn hoofd richting Arvidsson. 'Hij is oersaai. Wie is er nou geïnteresseerd in de EMA, het broeikaseffect en het gat in de ozonlaag?'

'Jij in elk geval niet. Jouw bewustzijn reikt niet verder dan de pluisjes in je eigen navel. Himberg kan wel met Rosmarie Haag naar Stockholm gaan, als zij tenminste interesse heeft, dan zijn we hem een paar uur kwijt.'

'Dat is een goed plan', zei Hartman ondoordacht en hij krabde met zijn koffielepeltje op zijn hoofd.

Onder een grote eik in de tuin van Rosmarie zat een man met een strohoed, een baard en een ronde bril op een groengeverfde bank. De man stelde zich voor als Konrad Hultgren, de vader van Rosmarie. De grijze angorakat streek langs zijn benen en zette haar nagels speels in de pijpen van Konrads broek.

'Rosmarie staat onder de douche. Ze heeft vannacht niet veel geslapen en had het koud. Ze is zo klaar. Neem ondertussen een appeltje', zei de oude man en hij reikte haar een mooie rode appel uit zijn papieren zak.

'Bedankt.' Maria nam plaats op de bank en liet haar blik over de verzorgde bloemperken, de kassen en de prachtige tuin gaan, over de met wilde rozen overwoekerde muur en de pergola met slingerende hop. Verderop in de tuin was nog niet zo lang geleden een terras aangelegd, groot genoeg voor een tafel met vier stoelen. De berg aarde lag er nog.

'Wist u dat appels een penopauze hebben?'

'Nee', zei Maria. De vraag kwam wat onverwacht. Hij was vermoedelijk ontsproten aan een gedachtegang waar zij niet vanaf het begin van op de hoogte was geweest.

'De penopauze van de appel valt wanneer de appel rijp is. Pas dan komen de juiste consistentie en het volle aroma tot ontwikkeling. Deze appels zijn rijp.' Maria ademde de geur in en nam een hapje. Niet zonder aan Sneeuwwitje te moeten denken. Dat is het risico van verhaaltjes voorlezen aan je kinderen.

'Hij is echt lekker. Kunt u mij iets vertellen over Clarence? Wat denkt u van zijn verdwijnen?'

'Clarence is een nietsnut, die erin geslaagd is mijn dochter zand in de ogen te strooien. Ik kan zijn zakelijke methoden niet waarderen. Ze zijn legaal, zegt men. Ik schaam me ervoor dat ik iets met die man te maken heb, dus we ontwijken elkaar zo veel mogelijk', mompelde Konrad vanuit zijn baard. 'Hij heeft de kwekerij van een faillissement gered en dat was belangrijk voor Rosmaries gemoedsrust. De tuin betekent alles voor haar. Maar wat wij hem schuldig zijn, heb ik al vele malen terugbetaald met mijn werk. In de loop der jaren ben ik ook gaan denken dat Clarence degene was die achter onze financiële problemen zat, door geruchten te verspreiden zodat onze klanten zich terugtrokken. Daarmee verdween de basis voor de lening bij de bank die we nodig hadden voor de renovatie van het huis en het restaurant. Nee, ik kan u zeggen dat ik gehoopt had op een andere schoonzoon. Maar dat is een lang en droevig verhaal. Rosmaries eigen verhaal. En dat is nu lang geleden.'

De grijze kat sprong onverwacht op Maria's schoot en draaide even rond om het zich gemakkelijk te maken. De kat had grote, grijze ogen, net als Rosmarie. Misschien dat ze haar daarom gekozen had, dacht Maria. Ze zeggen dat mensen een hond kiezen naar hun eigen uiterlijk, dus waarom zou dat voor katten ook niet gelden?

'Hoe was hij, de man die u als schoonzoon wilde?'

'Hij was nog maar een jongen toen hij bij ons in de kwekerij kwam werken. We deelden elkaars gedachten. Hij was een open boek. Misschien te kwetsbaar in zijn openheid. Altijd vrolijk. Hij hield van mijn Rosmarie. Zo gek als ze op elkaar waren, die twee! Ze waren altijd samen. Toen vertrok hij naar Cyprus. Clarence had hem daartoe aangezet. De jongen wilde bewijzen dat hij een man was die iets aan de wereld kon verbeteren, geloof ik. Rosmarie was zwanger. Dat was niet zo'n probleem, ook in die tijd niet. Ze was er blij mee. Wachtte op hem. Toen volgden de ongelukken elkaar op. Maar dat heeft Rosmarie u al verteld, weet ik.'

'Zou u een reden kunnen bedenken waarom Clarence tegen zijn wil ontvoerd zou kunnen zijn?'

'Ik had het zelf kunnen doen, als dat niet ten koste van

Rosmarie zou zijn', mompelde Konrad en hij groef met zijn klomp in het grind. 'De keren dat hij eerlijke mensen belazerd heeft, oude vrouwtjes, eenzame oude mannen, zijn niet op de vingers van één hand te tellen. Hij weet precies welke snaar hij moet raken om voor een appel en een ei iets van die mensen te kopen of om ze iets tegen woekerprijzen aan te smeren. Hij heeft vast heel wat mensen hun erfenis afhandig gemaakt, onder het mom van wettige handelingen, kan ik u zeggen. Alhoewel hij die ouwe Gideon niet aankon. Die verkocht niet aan de gemeente en ook niet aan Clarence', grinnikte Konrad voldaan.

'Ik zal u vertellen over Gideon. Zijn huis heette Sandåtorp en ligt bij Sandåstrand, aan de rand van het schietterrein, als dat u iets zegt. Het huis staat leeg sinds de eigenaar ergens halverwege de jaren zeventig overleed. Ik was aanwezig op Gideons begrafenis. Dat was een triomfantelijk gebeuren, als je dat mag zeggen. Gideon Persson was hovenier, zo hebben we elkaar leren kennen. Hij had geen kinderen en de gemeente wilde zijn huis en de grond kopen. Gideon zou het zo goed krijgen in het bejaarden-huis in de stad, meenden ze. Maar Gideon weigerde halsstarrig om zijn strandperceel te verkopen. Hij was weliswaar zwaar hart-patiënt, zweefde soms op het randje van de dood, maar verkopen aan de gemeente wilde hij onder geen beding, omdat ze de baai wilden uitbaggeren, een nieuwe haven en een industriegebied wilden aanleggen, en alles kapot zouden maken waar hij zijn hele leven voor geknokt had. De vruchtbare grond zou onder het asfalt verdwijnen. "Wat kun je beter achterlaten aan de volgende generatie dan vette, bruikbare grond", zei Gideon tegen zijn vrienden, die bang waren dat hun rustige zwembaai aangetast zou worden. Gideon weigerde, zoals gezegd, om te verkopen en de gemeente dreigde hem met onteigening. "Over mijn lijk", zei Gideon en hij stierf. In het testament, dat plechtig werd voorge-lezen in aanwezigheid van enkele verre familieleden en de men-sen van de arrondissementsrechtbank, stond dat het hele onroe-rend goed ten deel zou vallen aan de gemeente. Maar alleen op voorwaarde dat ze er een bejaardenhuis zouden bouwen volgens de tekeningen die Gideon had bijgevoegd, dat het woonhuis mocht blijven staan en dat de beplanting verzorgd zou worden volgens gegeven aanwijzingen, alsmede dat er een badhuis met verwarmd water zou komen voor het welbevinden van de oudjes.

Omdat de gemeente het onroerend goed cadeau gekregen had, kon er geen sprake zijn van onteigening. Aan de andere kant zaten er voorwaarden aan het geschenk en de gemeente had geen enkele trek om aan die voorwaarden te voldoen. Dus bleven Gideons eigendommen braak liggen en dat doet mij plezier', zei Konrad en hij zette de kat op de grond, die naar zijn schoot overgelopen was en daar met haar staart omhoog haar nagels aan het scherpen was. 'Nu kun je er een uitstapje naartoe maken en mijmeren over hoe het er vroeger was.'

'Laten ze geen postduiven los bij Sandåstrand?'

'Geen idee. Ik ben daar de laatste jaren niet meer geweest. Ik kan niet meer zulke einden achter elkaar lopen', zuchtte Konrad en hij nam zijn strohoed af en krabde nadenkend met het plantschopje in zijn grijze, verfomfaaide haar.

'Ik wil u ook nog iets anders vragen: hoe is het met Clarence' alcoholgewoonten?'

'Dus dat heeft Rosmarie verteld? Meestal is hij nuchter en plichtsgetrouw, maar als hij eenmaal begint met drinken, weet hij van geen ophouden. Hij wordt als bezeten en weet zich niet meer te gedragen. Rosmarie heeft me verboden me ermee te bemoeien. Maar u moet weten dat mijn handen al heel vaak gejeukt hebben', zei Konrad en hij omklemde het plantschopje stevig. 'De dag erna herinnert hij zich niets meer van wat er gebeurd is. Hij is altijd erg berouwvol en Rosmarie vergeeft hem, en zo gaat het maar door.'

Met een handdoek als een tulband om haar hoofd gewikkeld, een spijkerbroek en een witte coltrui met lange mouwen kwam Rosmarie op hen aflopen. Maria bedacht dat je het wel ontzettend koud moest hebben of je lichaam koste wat het kost wilde bedekken als je op een dag als deze een coltrui met lange mouwen aandeed.

'Misschien was ik wat te overhaast toen ik u gisteren belde', glimlachte ze verontschuldigend. 'Ik heb daar eerst niet aan gedacht, maar misschien heeft de kat met dat takje rozemarijn rondgesjouwd. Het kattenluik is immers naar beide richtingen open. Dat kan een verklaring zijn. Er kan een takje vast zijn blijven zitten in haar vacht. Die heeft zoveel klitten.'

'Als u het goed vindt, zou ik in elk geval even binnen willen kijken. Misschien zie ik iets dat u misschien over het hoofd gezien hebt. Een klein detail dat ons kan helpen te begrijpen wat er met Clarence gebeurd is. Wilt u me vertellen wat u denkt, of u naar brieven gezocht hebt, welke kleren er ontbreken en of er nog een andere agenda is, memobriefjes of een telefoonblok? Twee zien meer dan één.' Rosmarie knikte bezorgd.

'Het is zo'n rommeltje. Ik ben grotendeels buiten en Clarence weet niet eens waar de stofzuiger staat.'

Ze kwamen binnen in de lichtgele hal, die werd gedomineerd door een grijsgelazuurde grenen trap vol boeketten die te drogen hingen; boterbloemen, juffertje-in-'t-groen, vlas, ridderspoor, kruiden. Overal hingen engeltjes; schilderijen waar engelen kindertjes langs afgronden leiden, mollige engeltjes à la Raphaël rustend op wolkjes en plaatjes van engeltjes met bloemenkransen. Op de grenen bank lag een geborduurd kussen met engeltjes en op de plank boven de open haard stonden gouden engeltjes op een fluit te blazen, naast een enorm arrangement met gedroogde rozen. Ook de slaapkamer stond vol grote engelen, serafijnen, cherubijnen en cupidootjes, die hun mannelijkheid verborgen achter lichtblauw zijdeband.

Waarom hang je je huis vol engelen? Ter bescherming? Beschermengelen die voorkomen dat kinderen in de afgrond vallen? Of wraakengelen? Engelbewaarders? Als het interieur ook geïnspireerd was geweest op Monet hadden er evenveel Japanse houtsneden moeten hangen.

'Ik heb al Clarence' kleren hier en in de wasmand bekeken. Voorzover ik kan zien, ontbreken er geen kleren behalve die die hij aanhad toen hij naar De Vergulde Druif vertrok', zei Rosmarie en ze deed de blauwgebeitste kleerkast open, die bedolven was onder rozen en vlas. Op het ene hoofdkussen in het eveneens blauwgebeitste bed, lag nog steeds het groene takje. Maria vroeg dat mee te mogen nemen.

'Hebt u alle zakken van colberts, overhemden en broeken gecontroleerd om te kijken of er iets van waarde in zat?'

'Ik heb in de zak van dit grijze colbert een papiertje gevonden met een mobiel nummer. Maar dat was het nummer van Odd Molin.' Uit de scherpte in Rosmaries stem kon Maria opmaken dat Odd Molin niet tot haar meestgeliefde vrienden behoorde.

'Komt Odd hier vaak?' vroeg Maria voorzichtig.

'Alleen als ik niet thuis ben. We kunnen het niet zo goed met elkaar vinden… Hij heeft bepaalde avances gemaakt, maar ik heb geen interesse', voegde ze er even later aan toe.

'Wat zegt Clarence als Odd aandacht aan u besteedt?' vroeg Maria en ze bestudeerde met gespeelde interesse een engel met een speeldoos onder zijn gewaad.

'Clarence raakt dan een beetje geïrriteerd.'

'Alleen geïrriteerd?'

'Hij wordt boos dat híj niet alle aandacht krijgt.'

'Wordt hij vaak kwaad over zulke dingen of is dat alleen als hij gedronken heeft?'

Maria zag de kleur uit Rosmaries gezicht wegtrekken. Wat overbleef waren twee make-upblosjes op haar wangen. Haar blik werd onvast en gleed opzij. Ze perste de lucht uit haar middenrif en deze bereikte haar lippen in een jammerend geluid.

'Slaat hij u als hij gedronken heeft?'

'Ja', fluisterde Rosmarie.

'Toen Clarence de vorige keer verdween, hebt u toen geen aangifte gedaan?'

'Nee.'

'Waarom niet?'

'Ik was blij, opgelucht dat hij weg was.' Rosmarie sprak zo zacht dat Maria zich moest inspannen om het te kunnen verstaan.

'U was opgelucht', bevestigde Maria. 'Wat gebeurde er toen hij weer thuiskwam?'

'Hij zei dat ik niet genoeg van hem hield. Als ik dat wel gedaan had, had ik de moeite genomen om naar hem te zoeken. Hij bleef daar maar over doorzeuren.'

'Was dat de reden dat u verschillende keren naar de politie gebeld hebt, en dat u Himberg zelfs thuis gebeld hebt? Was dat om aan Clarence te kunnen bewijzen dat u hem miste en dat u echt naar hem gezocht hebt, als hij terugkomt?'

'Ja', haar stem wilde niet echt gehoorzamen. 'Ja.'

'Mist u hem?'

'Nee, ik wil alleen maar dat hij uit mijn leven verdwijnt. Dat ik zeker weet dat hij nooit, echt nooit meer terugkomt. Dat hij nooit meer aan me zit.'

'Ik denk dat u blauwe plekken of andere verwondingen hebt die u onder die grote coltrui verbergt. Is dat zo?'

'Ja.' Rosmarie greep naar haar keel en deed haar ogen dicht.

'Als het kan zou ik graag even naar uw armen en uw hals willen kijken.' Rosmarie knikte.

'Ik wil u niet pushen. Als u het moeilijk vindt, kan het wachten.'

'Het is goed.' Het zweet parelde op Rosmaries voorhoofd. Oneindig voorzichtig hielp Maria de vrouw haar dikke coltrui uit te trekken, die stoomde van de lichaamswarmte. Twee brede, blauwrode plekken op haar hals staken glimmend af tegen de witte huid. Haar armen zaten vol blauwe plekken. Rosmarie kroop ineen en verborg haar hoofd in haar handen, verborg haar hals met haar smalle armen.

'Ú hoeft zich niet te schamen dat u geslagen wordt! Iedereen kan geslagen worden en hoe langer het doorgaat, des te moeilijker is het om de relatie te beëindigen. Degene die u geslagen heeft, moet zich schamen!'

'Hij slaat me alleen als hij gedronken heeft, daarna heeft hij spijt en zegt dat ik het mooiste ben dat hij heeft. Dat het nooit meer zal gebeuren. Hij wilde zelfmoord plegen, dat zei hij de vorige keer toen ik voorstelde om ieder onze eigen weg te gaan. Ik heb u voorgelogen. Hij drinkt in periodes. Hij beloofde om nooit meer...'

'Dat is wel goed. Soms moet je liegen om het leven aan te kunnen. Hebt u enig idee waar Clarence nu zou kunnen zijn?' Rosmaries grote grijze ogen werden zwart van angst.

'Hij zei dat hij zelfmoord zou plegen als ik bij hem wegging.' Rosmarie trok onafgebroken aan haar oorlel, die afwisselend rood en wit werd. 'Maar dat kan ik moeilijk geloven. U mag het niet tegen mijn vader zeggen. Hij weet van niets. Hij zou Clarence doodgeslagen hebben... hij zou helemaal buiten zinnen zijn geraakt.'

'Bent u nu van plan bij hem weg te gaan?'

Rosmarie kon geen woord uitbrengen. Ze trilde over haar hele lichaam. Maria sloeg een arm om haar heen en wiegde haar heen en weer als een klein kind. Streek haar over haar haar. Woordeloze troost voor een woordeloos verdriet. Tot de tranen kwamen, als een bevrijdende regen.

'Ja. Hij heeft me verkracht. De hele nacht. Hij probeerde me te wurgen. Telkens weer. Hij ramde op mijn buik. Schreeuwde dat ik een slet was. Ik kreeg geen lucht meer', hakkelde Rosmarie. 'Het licht moest aanblijven. Hij wilde me zien. Wilde ervan genieten dat hij over mijn lichaam kon beschikken. Mijn angst wond hem op. Zijn blik was waanzinnig, koortsachtig. Ik geloof dat ik flauwgevallen ben. Maar hij ging maar door. De hele nacht. Tot hij dat gezicht voor het raam zag. Toen werd hij bang. Ik slaagde erin buiten te komen en sloot mezelf op in de schuur voor het tuingereedschap. Naakt. Ik had het ijskoud. Vreselijk, wat had ik het koud. Toen hij naar zijn werk vertrokken was, toen ik zeker wist dat hij naar zijn werk was, durfde ik naar binnen te gaan. Later die dag, toen hij thuiskwam, had ik al gepakt. Clarence was erg berouwvol. Hij smeekte me te blijven. Hij huilde. Hij dreigde me te doden en ik deed alsof ik toegaf. Maar ik had mijn besluit genomen. Ik kon niet meer. Even voor zevenen moest hij naar De Vergulde Druif om een belangrijke klant te ontmoeten. Sindsdien is hij verdwenen. Zijn woede was deze keer opgewekt door Odd, die vroeg of ik zin had in een tochtje met de Viktoria, als Clarence in Stockholm was. Odd had eens moeten weten.'

'Hoe is uw relatie met Odd?'

'Het had iets kunnen worden. Ik voelde me zo alleen. Het was er bijna van gekomen, maar dat is nu zo lang geleden. Hij wilde dat ik bij Clarence weg zou gaan, maar dat kon ik niet. De tuin is eigendom van Clarence.'

'Het is goed dat u mij dit vertelt. Ik zou de plekken op uw hals en armen willen fotograferen, en het liefst ook een verhoor willen opnemen op video waarin u herhaalt wat u zojuist aan mij hebt verteld. Ik begrijp dat dat niet prettig is, maar het is belangrijk om bewijzen te hebben voor een komende rechtszaak, willen we hem vast kunnen houden. Ik kan met u meegaan naar een arts, als u dat wilt. Het is goed als u een doktersverklaring krijgt over dit letsel. Ik geloof ook dat we met het gebeuren als uitgangspunt een alarmpakket voor u kunnen regelen en een mobiele telefoon die een rechtstreeks nummer naar de politie heeft, als u geen eigen mobieltje hebt. Het is niet ongebruikelijk dat mannen die hun vrouw slaan een tijdje verdwijnen om die vrouw onzeker te maken. Het is goed dat uw vader bij u ingetrokken is, zodat u niet alleen bent. Probeer met hem te praten. Vertel hem de waarheid. U heeft hulp en steun nodig bij wat u doormaakt. Zodra Clarence boven water komt, zullen wij voor hem zorgen, zodat hij u niet meer lastigvalt. U moet niet denken dat u hem kunt veranderen. U kunt alleen uw eigen leven veranderen.'

Rosmarie rende met een gedempte schreeuw naar de ladekast,

rukte de trouwfoto naar zich toe en smeet hem tegen de muur. De glimlach met de gouden tand brak in tweeën toen het glas barstte. 'Ik wil dat hij dood is! Dood!' haar stem trilde van woede. 'Wat gebeurt er nu? Hoe lang kan hij wegblijven zonder doodverklaard te worden? Ik weet niets van geld. Moet ik zijn rekeningen betalen? Hoe moet dat nou? Ik kan dit niet aan.'

'U zult hulp krijgen bij die dingen. We zullen ook een grondig onderzoek instellen. U moet beschikbaar zijn om ons te helpen met een groot aantal vragen. Ik wil dat u het ons laat weten als u ergens heengaat. Na dertig dagen wordt de verdwijning aan de Rijksrecherche gerapporteerd. Ondertussen doen we er alles aan om uit te zoeken wat er gebeurd is. Het eerstkomende in het onderzoek is een ontmoeting voor oud-VN-soldaten bij restaurant Engelen in Stockholm. Inspecteur van politie Himberg gaat daarnaartoe om te zien of Clarence daar misschien is. Als u wilt, is er voor u ook plaats in de auto.'

'Nee dank u, als het niet per se hoeft...' zei Rosmarie en Maria zag de schaduw van een glimlach in haar grote, kattenjong-ronde ogen.

De kat was uit zichzelf naar hem toe gekomen. Ze streek langs zijn benen, vol vertrouwen en onwetend van de donkere zijden van het leven. Gestuurd door haar instinct, haar vrolijke spel in het heden, was ze achter hem aan gelopen. Hij had haar mee laten lopen. Hij kon niet zeggen waarom. Misschien was het iets in haar ogen. Die grote, ronde, grijze ogen die hem verwachtingsvol aankeken. Hij had haar eerst niet willen aaien. Zijn hand kraste als schuurpapier toen hij hem aarzelend over de vacht liet glijden, daarna werd het een gewoonte. Ze was er gewoon als hij wakker werd. Ontspannen en aanhalig kroop ze spinnend omhoog naar zijn gezicht, met de glimmende grijze ogen voorzichtig rustend op de punt van zijn kin.

Hij noemde haar kleine Rosa. Hij had beter moeten weten. Kleine Rosa ging haar eigen weg, zoals het haar uitkwam. Hij verlangde de hele nacht naar haar zachte, warme lijf, maar ze kwam niet terug

*voor de ochtendschemering. Dan waren zijn handen verhard en de
knokkels wit geworden van verbittering. Hij probeerde haar vacht te
aaien, die vochtig geworden was door de regen, maar zijn greep had
zijn tederheid verloren. Steeds harder klemden de vingers zich om
haar hals. Ze probeerde iets te zeggen, maar het was gevaarlijk om te
luisteren, gevaarlijk om te versoepelen. Met walging voelde hij zijn
eigen wellust van het kwaad. Zijn handen hadden zich gefixeerd in
de greep om haar hals, buiten zijn wil, buiten zijn verstand om.
Uiteindelijk lag ze levenloos in zijn armen. Toen pas merkte hij het
bloed op zijn kapotgekrabde armen op.*

13

Met een gevoel van onbehagen, en verre van uitgeslapen, werd Maria wakker van de felle zon, die op het slaapkamerraam brandde. Ondanks het donkerbruine dekbedovertrek dat tijdelijk als rolgordijn fungeerde, had het licht een weg naar binnen gevonden. Maria lag helemaal te stomen van de warmte. Omdat ze avonddienst had, probeerde ze weer in slaap te komen en uit te slapen. Een opdringerige vlieg vloog zoemend de kamer rond en liep over Maria's blote benen, maakte een korte vlucht en landde midden op haar gezicht. In een laatste poging om weer in te slapen trok ze het dekbed over haar hoofd, maar ze stikte al gauw haast van de warmte. Gekrab aan de slaapkamerdeur die piepend opengleed, maakte definitief een einde aan de rust. Geïrriteerd staarde Maria naar de wekker. Nog niet eens acht uur! Krister en de kinderen waren net weg. Humpe nam een sprong en landde met grote nauwkeurigheid precies op Maria's buik om zich onmiddellijk op haar voeten te storten, die onder het dekbed bewogen.

Het takje rozemarijn, dat op Clarence Haags hoofdkussen gelegen had, lag binnen handbereik op de ladekast. Maria nam het uit het plastic zakje en lokte de kat met zwaaiende bewegingen. Eerst nam Humpe een sprong om het takje te pakken, maar hij deinsde terug voor de lucht. Ze herhaalde het experiment verschillende keren, telkens met hetzelfde resultaat. Maria probeerde het takje in de harige vacht te steken. Maar de kat bevrijdde zichzelf onmiddellijk. Een kat die een takje sterk geurende rozemarijn meesleept, was bijna uitgesloten, dacht Maria bij zichzelf en ze zette haar voeten op de vloer.

De badkamer stonk van de nachtelijke poepluier die Krister niet in de vuilnisemmer gegooid had. Niet bepaald *odour control* daarbinnen. De wasmand puilde uit. Het meest irritant waren

Kristers opgerolde sokken. Alle manieren van uittrekken zijn goed, behalve die. Maria had zelf gezien hoe hij ze van zijn voeten rolde tot een bal, een sok opgooide, serveerde en hem in de wasmand smashte, een V-teken maakte en het gejubel van het denkbeeldige publiek in ontvangst nam, voordat hij de andere sok dezelfde weg liet gaan. Zeven paar tot een condoom opgerolde sokken kunnen het geduld van een engel op de proef stellen. En Maria was geen engel, maar een gewone sterveling.

Ze voelde een steek van ongerustheid. Gisteravond was Krister om halftwaalf thuisgekomen en vervolgens onmiddellijk onder het dekbed gekropen, korzelig mopperend. Maria was tegen haar sikkeneurige echtgenoot aan gekropen en hij had zich kreunend op zijn zij gekeerd. Het doet pijn om afgewezen te worden. Waar was hun gezamenlijke leven gebleven? Maria wilde net onder de douche stappen toen de telefoon ging.

'Hallo, met mij. Met Ninni. Weet je nog wie ik ben?' giechelde een smakkend vrouwenstemmetje aan de andere kant van de lijn. Maria hoopte vurig dat de vrouw een verkeerd nummer gedraaid had.

'Nee, ik weet niet wie je bent.'

'Ninni, je weet wel. Ben jij zijn moeder? Ik wil met Krister praten. Nu, direct', lispelde ze.

Maria kon er honderd kronen om verwedden dat het smakkende achtergrondgeluid veroorzaakt werd door een grote roze bubbelgum.

'Nee, ik ben zijn moeder niet. Ik ben zijn vrouw. Kan ik een boodschap doorgeven?'

'O jee. Nee, dan is er niets.' Het giechelstemmetje en het gesmak verdwenen. Aan de andere kant werd de telefoonhoorn neergelegd. Maria stond met de hoorn in haar hand en een ijzig gevoel in haar buik. Krister had toch niks met zo'n kauwgom-kauwend grietje? Het was eerder gebeurd, en het zou absoluut weer gebeuren, dat jonge meisjes die een beetje verkikkerd werden op Krister opbelden en om hulp vroegen bij hun studieopdrachten. Hij was een uitstekende spreker, leuk en vol invallen. Hij stond graag in de belangstelling en genoot van zijn publiek. Zijn grote charme lag in zijn intensiteit, zijn absolute aanwezigheid in het nu. Hij zag de mensen om zich heen écht. Sommige vrouwen konden die aandacht niet aan zonder stapelverliefd te worden. Daar was zijzelf een voorbeeld van.

Ninni, vast een bakvis, slank en bruinverbrand, schaarsgekleed en met haar hele bewondering op een zilveren presenteerblaadje. Welke kerel kan daar op termijn weerstand aan bieden? Stel dat ze zwanger was? Maria's fantasie stoof weg als een Formule 1-wagen en er waren geen remmen om de verwoesting die werd aangericht een halt toe te roepen. Eigenlijk zonder erover na te denken of het goed of fout was, begon Maria Kristers colbert- en broekzakken te doorzoeken. Paperclips, parkeermuntjes en een servetje van een hamburgertent. In de borstzak van zijn blauwe colbert zat een papiertje. Een doodgewoon papiertje van een geruit blok met een telefoonnummer en 'Tot ziens!' met kleine, plagerige lettertjes en een kusafdruk van rode lippenstift.

'Inlichtingen.' Maria had het nummer gekozen op haar mobieltje en haar vermoeden werd bevestigd. Het nummer was van Ninni Holm. Haar universum wankelde. Maria voelde zich duizelig en misselijk. De enige troost in haar ellende was dat Krister niet bij die Ninni kon zijn, want anders had Ninni-je-weet-wel niet hoeven bellen en met 'zijn moeder' hoeven praten. Met een onvaste wijsvinger toetste ze het nummer van Kristers werk. Het hele nummer behalve het laatste cijfer. Ze liet de hoorn nog even rusten in haar hand. Wat zou hij zeggen? Zou hij alles glashard ontkennen? Het zou veel eenvoudiger voor hem zijn om de aantijgingen per telefoon af te doen. Nee, ze moest het hem onder vier ogen vragen. Ze moest zijn gezicht zien.

Maria kleedde zich na het douchen gejaagd aan en vertrok naar de tuin om wat in de grond te graven. Tranen van vernedering en woede brandden achter haar oogleden. Hoe serieus was het met die miss Bubbelgum? Zo gauw ze met Krister onder vier ogen was, als dat ooit mogelijk was met de kinderen, haar schoon-moeder en Mayonaise, moest hij uitleg geven. 'Tot ziens!' en die kusafdruk. Stel dat ze geen gemeenschappelijke toekomst meer hadden? Hoe zou het dan gaan met de kinderen? Zou zij de ouderlijke macht krijgen met oma Gudrun als toeziend voogd? Krister zou ze nooit voor langere tijd kunnen hebben. En dan stond ze hier, de bedrogene, sla en worteltjes te zaaien! Wat had het nog voor nut? Maria stak de schop met al haar woede en kracht in de aarde. Telkens weer, totdat de uitputting het topje van de onrust had weggenomen. Toen boog ze zich voorover over de steel en huilde. Soms heb je een dicht-bij-de-natuur-ervaring nodig om perspectief te zien.

Plotseling zag ze in hoe eenzaam ze was. Alle oude vrienden zaten in Uppsala of, liever gezegd, zaten verspreid over het hele land. Karin zat in Uppsala. De hele oude ploeg met wie ze oud en nieuw, midzomer en Pasen gevierd hadden, was uiteengevallen nu iedereen op andere plaatsen werk had gekregen. Voor het eerst sinds ze naar Kronviken verhuisd was, dacht Maria na over haar leven. Haar dagen waren vol activiteiten, maar ze had er geen plezier meer in. Ze voelde zich geïsoleerd. Zonder contact met volwassenen, afgezien van Jonna en Mayonaise, en niet te ver-geten Kristers familie. Op het werk had je Erika, maar dat was niet hetzelfde als Karin, en Hartman natuurlijk. Hartman, *a man of my heart.* Maria stuurde hem een warme gedachte. Hartman was een heel speciaal iemand. Een man die respect inboezemde en die ook respect voor alle anderen toonde, of het nu herrie-schoppers of collega's waren. Maar dat was toch niet hetzelfde als die oude ploeg om zich heen. Misschien was het zo dat de Maria die zo gelukkig was geweest in Uppsala alleen in het bewustzijn van anderen aanwezig was en uitsluitend in hun gezelschap kon herleven. Op dit moment voelde het zo. Met een gestreept ge-zicht van aarde en tranen toetste Maria het nummer van Karin.

Na afloop voelde het een stuk beter. Karin miste haar net zo erg als zij Karin miste en had serieuze plannen om een baan te zoeken in het ziekenhuis van Kronköping, dat wanhopig op zoek was naar verpleegkundigen en lokte met een verhuiskostenvergoeding, een woning en veertigduizend kronen 'welkomstpremie'. Karin had groot nieuws. Ze had een man leren kennen en was tot over haar oren verliefd.

'We gaan misschien samenwonen. Hij kan zich best voorstellen om in Kronviken te gaan wonen, zegt hij. We moeten maar kijken of het wat wordt met die baan. Ik kan niks beloven', zei Karin. 'Ik zeg alleen maar dat ik bij je in de buurt wil wonen. Dat is het enige wat ik kan toezeggen.' Voor wat betreft Kristers wonderlijke gedrag kon Karin Maria alleen maar adviseren om hem zo snel mogelijk met de rug tegen de muur te zetten en er dan voor te zorgen dat het verband op zijn buik er afging. Sterilisatie bij mannen was een kleine ingreep die hoogstens een pleister aan beide kanten vereiste. Wekenlang met een verband over je buik lopen, was belachelijk. 'Dat riekt van verre naar hypochondrie en zelfmedelijden', meende ze.

Na afloop van het gesprek voelde ze zich, zoals gezegd, veel beter en niet meer zo geïsoleerd. Maria begon weer met nieuwe inspiratie aan haar kruidentuin te denken, ondanks Mayonaises auto's die nog op het grasveld stonden. In de bibliotheek had ze alles geleend wat er over kruiden te vinden was. Over anijs las ze dat een drank bereid van dit kruid de lust bij mannen en vrouwen voor elkaar kon opwekken. Hetzelfde las ze over goudsbloemen, basilicum en bonenkruid. Misschien moest ze er een liefdesdrug van koken en die op Krister uittesten. Sterk spul, zoals Mayonaise zou zeggen. Misschien was een simpele ouzo wel voldoende, als er alleen wat anijs nodig was om hun huwelijksleven weer op orde te krijgen. Aan de andere kant prikkelde Giovanni Boccaccio's gedicht over Isabella haar fantasie. Isabella verborg het afgehakte hoofd van haar geliefde in een pot met basilicum zodat het niet zou verrotten. Misschien iets voor Krister om bij gelegenheid eens te lezen?

Met deze gedachten pakte Maria haar schetsblok en haar aquarelverf, en liep naar het strand om te gaan schilderen. Een doodzonde volgens alle regels op het gebied van recht op kinderopvang. Kinderen mogen alleen in de crèche zijn als hun ouders werken of slapen. De laatste keer dat Maria avonddienst had en overdag niet kon slapen, had ze de vrijheid genomen om de ramen van de veranda te zemen en wat gebeurde er? Ze kwam Jonna van Mayonaise tegen op het schoolplein, ze stonden even gezellig te praten totdat ze bij de crècheleidsters waren en toen, precies op dat moment, stak ze haar heksenpijp op.

'Ik zag dat je de ramen aan het zemen was', zei ze met overduidelijke lipbewegingen zodat niemand de informatie zou ontgaan. 'Mag dat als je kinderen op de crèche zijn? Je mag wel oppassen dat dat niet opgeschreven wordt en tegen je gebruikt. Er zouden mensen zijn die hun kinderen constant op de crèche zouden doen als dat mocht', meende Jonna met een blik op het personeel, dat Maria niet de les las in die mate die Jonna gewenst had.

Jij bijvoorbeeld, dacht Maria. Er zijn genoeg afgepeigerde ouders die in een bepaalde periode hun kinderen niet aankunnen omdat ze genoeg hebben aan hun eigen sores. Was het zo erg om ze dan een adempauze te geven? Het is voor kinderen vast beter om wat langer op de crèche te zijn dan thuis te zitten met een ouder die helemaal uitgeteld is. Maar Maria zei niets. Jonna zou ongetwijfeld een zware wissel op een dergelijke uitspraak trekken en van alles kunnen verzinnen over druggebruik en kindermishandeling.

'Mocht je Manfreds kijker lenen?' was alles wat ze in die beladen stilte kon verzinnen.

Toen Maria naar het strand liep met haar verf, vol energie en creativiteit, voelde ze zich toch schuldig, schuldig vanwege het onwettige bezit van aquarelverf en het misbruik van kwasten. Ze verwachtte dat Jonna elk moment langs zou komen en zou vragen wat ze met de kinderen gedaan had.

14

Maria was net begonnen met het mengen van de verf, toen de roeiboot langs de steiger gleed. De meeuwen zweefden als on- heilsprofeten boven het achterschip. Ondanks het gekrijs had ze het hese geroep van de visser van afstand al gehoord en was ze erheen gerend. De man wees volkomen overstuur naar het ach- terschip.

'Ik heb een dode in mijn net. Een dode man. Hij lag te drijven onder Kronholmen. Ik was erheen geroeid om te kijken wat er in het water lag. Ik heb hem niet in de boot kunnen trekken. Ik durfde de motor niet te gebruiken. Ik was bang dat hij weer los zou raken als er iets zou knappen of dat hij in de schroef van de motor terecht zou komen. Ik ben de hele weg van Kronholmen komen roeien, de hele weg', benadrukte hij buiten adem. Maria zag dat de rug van zijn blauwe hemd nat was van het zweet.

Met vereende krachten tilden ze het lichaam over de reling. De wind was behoorlijk aangewakkerd. Wedijverde met hen om de buit die uit zee was opgevist: een blanke man van middelbare leeftijd. De 'werkstershuid' op de handpalmen van de man en het losgeweekte witte huidoppervlak duidden erop dat hij al een tijdje in het water had gelegen. 'Ik heb geen telefoon. Tijdens het roeien heb ik de hele tijd gedacht dat ik een telefoon had moeten hebben', zei de visser en hij schudde zijn kale hoofd waarop net zijn pet nog gezeten had.

'Deze man is hoogstwaarschijnlijk niet vandaag verdronken. Een paar uur meer of minder maakt niet uit. Het was verstandig om het lichaam voorzichtig te transporteren. Dat vereenvoudigt het werk van de politie om uit te zoeken wat er gebeurd is.'

Maria nam contact op met de meldkamer en hoorde de wat nasale falsetstem van de centralist. Rond de steiger had zich een groepje mensen verzameld. In de rietkragen en kuilen van het strand, dat er net nog zo verlaten bij had gelegen, waren blijkbaar toch meer mensen verborgen geweest dan je op het eerste gezicht vermoedde. Toen de politieauto arriveerde, was de menigte vervijfvoudigd. De pers, die de code van de scanner opgepikt had, kwam aan precies op het moment dat de afzetting gereed was. De verslaggever van *Kronköpings Allehanda*, die uit de auto gespurt was met de fotograaf op zijn hielen, keek op zijn zachtst gezegd beteuterd dat hem de toegang tot de steiger ontzegd werd.

'Wat heeft de politie te zeggen over het voorval?' riep hij naar Maria, die over de overledene gebogen stond.

'Praat maar met de dienstdoende rechercheur', antwoordde Maria vriendelijk maar beslist.

'Gaat het om een moord of een ongeluk?'

'Daar kan ik geen uitspraak over doen. Praat met de dienstdoende rechercheur.'

'Het is die makelaar, hè?' De verslaggever greep Maria bij haar arm toen ze langs wilde lopen.

'Ik ben niet bevoegd om daar antwoord op te geven en dat weet u.'

'Jezus', steunde de verslaggever en hij deed een paar stappen achteruit om plaats te maken voor de fotograaf.

De dode werd in een zwarte plastic zak met ritssluiting naar de lijkwagen gedragen, die naar het ziekenhuis van Kronköping vertrok, direct gevolgd door de politieauto.

Eenmaal binnen bij de arts die de dood moest vaststellen, bedacht Maria dat ze vergeten was de buitendeur van haar huis af te sluiten. Krister zou wel denken. De jonge arts had een vreemde gezichtsuitdrukking. Misschien was het nieuw voor hem om met de politie samen te werken of werd hij gehinderd door de geur van het al enigszins in staat van ontbinding verkerende lichaam, het verzeepte huidoppervlak.

'Het lichaam werd dus vanochtend om circa zeven uur dertig

door een visser gevonden. Vervolgens heeft die de overledene aan land geroeid en dat nam ongeveer drie uur in beslag. Moet er sectie verricht worden?'

'Ja, daar moeten we zeker van uitgaan. Een misdrijf kan niet uitgesloten worden. De identiteit is nog niet vastgesteld. Het lichaam is opgezwollen en onherkenbaar. De visser, die de overledene uit het water heeft gevist, meende hem te herkennen, maar we moeten met behulp van een gebitsdiagram zekerheid krijgen. Het is niet onmogelijk dat hij een van degenen is die hier in de provincie als vermist staat opgegeven. Als we er niet uit komen, nemen we contact op met de Rijksrecherche.'

Toen Maria klaar was met haar papierwinkel, dat wil zeggen de aangifte en het 'voorlopig rapport sterfgeval', zocht ze Hartman op.

'Hebben ze hem al kunnen identificeren?' vroeg hij.

'Ze zijn bezig.'

'Wat denk je, kan het Clarence Haag zijn? Jij hebt immers foto's van hem gezien. Als ik het goed begrijp, verkeerde de overledene in enigszins opgezwollen staat. Het leek me het best eerst de andere mogelijkheden uit te sluiten voordat we mevrouw Haag vragen hiernaartoe te komen om hem te identificeren.'

'Mijn eerste gedachte was dat het Clarence zou kunnen zijn. Ze lijken wel op elkaar; ongeveer dezelfde leeftijd, dezelfde lichaamsbouw. Toen we de man op de kant hadden gelegd, zag ik zijn tanden. Het kan Clarence Haag niet zijn. Clarence heeft een halve gouden voortand.'

'De visser die de overledene heeft opgepikt meende de man te herkennen als ene Mårten Norman. Ik heb die gegevens inge-klopt en Mårten Norman blijkt goed vertegenwoordigd te zijn in onze database: hij heeft vastgezeten voor drugsproblemen, in-braken, diefstallen en mishandeling. Momenteel is hij voorwaar-delijk vrij en drie dagen geleden door zijn reclasseringsambtenaar als vermist opgegeven. Zijn laatste adres was een strandhutje in

Kronviken. Volgens de gegevens is hij een jaar geleden zijn flat aan Videvägen uitgezet.'

'Zijn flat aan Videvägen uitgezet?! Dat zegt een hoop over de man.' Örjan Himberg, die tijdens het gesprek binnengeslenterd was, glimlachte van oor tot oor. Hartman gaf hem een afkeurende blik en Himberg liet zijn glimlach dalen tot een passender niveau.

'Heeft hij familie?'

'Zijn moeder. Lilly Norman.'

'Wie neemt contact met haar op als we zeker weten dat het Mårten Norman is?'

'Wern. Vrouwen zijn daar gevoelsmatig beter in.' Himberg draaide lusteloos heen en weer.

'Wern?'

'Als niemand anders wil, doe ik het wel. Oké.'

Nadat Maria een paar keer bij mevrouw Norman had aangebeld zonder gehoor te krijgen, werd ze door de buurvrouw geïnformeerd dat Lilly Norman bijna een week geleden was opgenomen in het ziekenhuis.

'Ze is gevallen en heeft zich weer bezeerd, het arme mens. Lilly heeft altijd pech, ze glijdt constant uit en bezeert zich voortdurend. Ze zou niet alleen moeten wonen in dat grote huis. Het is moeilijk voor een alleenstaande oude vrouw om alles zelf te doen, grasmaaien en sneeuwruimen. De laatste keer dat ze een gloeilamp zou verwisselen, was het hetzelfde liedje. Ze is gevallen. En haar zoon, die nietsnut, daar heeft ze ook weinig plezier van. Hij steekt geen poot uit voor zijn oude moeder. Komt hier alleen maar om geld te lenen. Hij heeft ook geprobeerd om van mij te lenen, maar toen heb ik nee gezegd. Je moet voet bij stuk houden. Lilly is altijd te slap geweest voor die jongen. Dat zijn mijn woorden en daar sta ik voor', verklaarde de buurvrouw en ze onderstreepte haar uitspraak door een knik met haar hoofd.

Op weg naar de informatiebalie van het ziekenhuis passeerde Maria de kiosk, of liever gezegd, ze passeerde hem juist níét. Toen ze de schappen vol chocola, fruit en zakjes snoep zag, voelde ze hoe hongerig ze was. Ze had niet geluncht. Zelfs geen kop koffie bij de oude Jacob, zoals ze gedacht had. Een intens verlangen naar chocola steeg op uit haar lege maag, volstrekt onweerstaanbaar. Donkere chocola met minimaal tweeënzeventig procent cacao, bij voorkeur puur, of van die kleine, verrukkelijke nogabolletjes die langzaam smelten in je mond, of punchpralines, of Belgisch zeefruit. Het liefst alles tegelijk en door elkaar.

Toen Maria voor vijfentachtig en een halve kroon chocola naar binnen gewerkt had, moest ze opeens denken aan Ninni-je-weet-wel, die vast geen gram extra vet op haar lichaam had dan wat nodig was om haar bh te vullen, en ook geen zwangerschapsstriemen op haar buik of littekens op haar ziel die de relatie belemmerden. Daarom kocht Maria een banaan, die ze achteraf niet meer op kon en in haar zwarte rugzakje liet glijden om eventuele aanvallen van vraatzucht de baas te kunnen. Het was trouwens Ninni's schuld dat ze die chocola dwangmatig naar binnen had gewerkt. Ninni-je-weet-wel had de balans verstoord en haar mistroostig gemaakt. Er is zo weinig mistroostigheid nodig om je toevlucht te nemen tot chocola. Veel chocola. Dat verzacht het verdriet. Ook al neemt het grensnut af met het gevoel van verzadiging, om vervolgens haast helemaal te worden geëlimineerd door schuldgevoelens. Ze had toch maar liefst vijfentachtig en een halve kroon van het schrale gezinsinkomen misbruikt voor haar chocoladeverslaving. Want verslaving en misbruik is het als je goede chocola gewoon maar naar binnen schrokt. De enige waardige manier om de koningin van de kioskproducten te behandelen, is door haar te consumeren in kleine stukjes en die langzaam op je tong te laten smelten. Dan zijn een, hooguit twee stukjes voldoende om het opperste genot te bereiken.

Bij de liften hing een grote spiegel. Maria keerde zich resoluut om toen ze haar spiegelbeeld zag, trok een lelijke grimas naar haar veranderde uiterlijk en nam de trap naar de verpleegafdeling, de afdeling chirurgie, waar Lilly Norman lag. Ze liep langzaam, treetje voor treetje, om tijd te hebben om zich voor te bereiden op de ontmoeting met de moeder van de overledene.

Het is nooit gemakkelijk om een overlijdensbericht te moeten brengen. Onderweg naar de vijfde verdieping probeerde Maria de juiste woorden te vinden. Misschien is dit wel een van de moeilijkste dingen die je moet doen bij de politie. Iets wat je niet leert op de politieacademie, is hoe het in de praktijk uitpakt. In het begin mag je naar oudere collega's luisteren en hun manier overnemen of afwijzen: 'Ik ben van de politie. Ik heb de droevige plicht u mee te delen dat uw zoon is overleden.' Het is moeilijk om een waardige manier te vinden zonder hoogdravend te zijn: 'Mijn naam is Maria Wern, ik ben van de politie. Kunnen we ergens gaan zitten zodat we ongestoord kunnen praten? Ik heb een triest bericht: uw zoon is verdronken.' Maria had gisteren nog op de radio gehoord dat slechts zeven procent van alle communicatie via het gesproken woord plaatsvindt. Lichaamstaal en toonhoogte zijn veel belangrijker; warmte en welwillendheid, daar gaat het om, ook al komt dat wat je zegt wat lomp over. Ze hadden op school natuurlijk wel wat aan psychologie met betrekking tot crisisreacties gedaan, maar dat betekende niet dat ze enig idee hadden hoe iemand zou reageren. Sommige nabestaanden worden mechanisch, stom en ingekapseld. Sommigen huilen stil, terwijl anderen razend agressief worden en je de huid vol schelden. Hoe reageer je als iemand die je helemaal niet kent komt zeggen dat je zoon dood is? Dringt dat dan door? Kun je dat geloven? Het zou natuurlijk het beste zijn als iemand die de nabestaande eerder ontmoet heeft, het moeilijkste deel voor zijn rekening zou nemen. Maar dat kon bijna nooit. Ze kregen soms van de politie aan de andere kant van het land de opdracht om nabestaanden in Kronköping te informeren over een sterfgeval elders.

Toch is de mededeling op zich niet het moeilijkste. Het allermoeilijkste is om degene die je met een droevig bericht geschokt hebt, achter te moeten laten. Vooral als er geen goede vriend is die langs kan komen om het over te nemen. Je voelt je op de een of andere manier schuldig. Schuldig dat je alles uit harmonie en balans gebracht hebt. In onze uiterst effectieve samenleving is geen plaats voor verdriet. Geen plaats en geen tijd. Het liefst moet de rouwende de volgende dag weer op zijn werk zitten en zijn werk goed doen, met of zonder pillen. Als dat onmogelijk is, kan de getroffene in de ziektewet. In het ergste geval met de diagnose psychisch insufficiënt, geestelijk ontoereikend. Alsof rouw een onnatuurlijke reactie is bij een sterfgeval in de familie. Onze cultuur is zo vervreemd van de dood dat we niet weten wat we moeten zeggen of wat we moeten doen als iemand door een verlies getroffen wordt. Sterven doe je in een verborgen hoekje van het ziekenhuis, of, zoals in Mårten Normans geval: je wordt weggesmokkeld in een zwarte plastic zak zodat niemand onaangenaam getroffen wordt door zoiets gewoons als de dood.

Lilly Norman zei niets. Haar dunne, gespannen lichaam leek eerder iets te ontspannen toen Maria haar boodschap had overgebracht. Ze zag eruit als een gewond vogeltje, zoals ze daar in de rolstoel zat met haar gipsen been en haar gezicht vol blauwe plekken. Maria legde een stapel ziekenhuiskleren opzij en ging op de enige beschikbare stoel zitten om op ooghoogte te komen.

'Hij is door een visser gevonden in het water vlak achter Kronholmen.'

Lilly staarde een hele poos naar buiten. Haar ogen werden vochtig en een traan vond zijn weg over de dunne huid van haar wang, gevolgd door een tweede. Maria zat stil met haar handen op haar schoot te wachten. De geluiden om hen heen drongen zich op. De etenskar denderde langs. Rammelend servies. Geroezemoes van stemmen.

'Hij was zo'n lieve jongen. Goede cijfers op school. Vrolijk en behulpzaam. Soms wat ondeugend, een echte jongen. Alles waar ik op hoopte voor de toekomst lag binnen handbereik. We konden zelf geen kinderen krijgen. Mårten was geadopteerd. Vuriger gewenst dan hij kan een kind niet zijn. We wilden hem alles geven. We waren zo trots toen hij thuiskwam en zei dat hij met de VN-troepenmacht naar Cyprus zou gaan. Dat uniform stond hem zo goed. Het was heel romantisch en ontroerend toen Anita Lindblom op de radio zong: "Oorlog en dood in een ver land. Verdriet en honger, een land in brand. Maar in het licht van een handgranaat, staat met een blauwe baret een Zweedse soldaat." Hadden we het maar geweten! Hij was te slap, Mårten. Raakte in slecht gezelschap. Misschien was hij de hele tijd gewoon bang. Soms heb ik wel eens gedacht dat hij voor ons daarnaartoe ging, zodat we trots op hem zouden zijn. Om te laten zien dat hij volwassen was, een man. Dat had hij niet hoeven doen. Misschien zou alles anders gelopen zijn als hij niet gegaan was. Toen hij thuiskwam, was hij zo veranderd. Zo ontzettend veranderd. Ik kreeg geen contact meer met hem. Op de begrafenis van zijn vader pikte hij geld uit mijn handtas, de vijftienduizend kronen die ik had opgenomen voor de onkosten. Hij wilde het geld alleen maar even lenen, zei hij. Dat was het begin. God, wat was het een zware last om te dragen! Wat denkt u, komt hij in de hel?'

'Ik denk dat hij al in de hel geweest is.'

'Dat is waar. De vraag is of je kunt zeggen dat hij een vrije wil had. Ik weet dat hij eigenlijk van me houdt, hield, en toch was hij gedwongen me pijn te doen, me te slaan om aan geld te komen voor zijn verslaving. Ik heb de politie nooit ingeschakeld.'

'Dat doen moeders zelden als ze mishandeld worden door hun kinderen.'

'Nee, dat gebeurt vast veel vaker dan wij kunnen bevroeden.'

'Dat denk ik ook. Kunt u vertellen wanneer u Mårten voor het laatst gezien hebt?'

'Dat is precies een week geleden. Hij kwam vroeg in de

ochtend thuis. De voordeur zat op slot, maar ik heb opengedaan toen hij begon te schreeuwen. Je wilt niet dat de buren zich afvragen wat er aan de hand is. Hij kreeg de laatste honderdjes die ik had. De huur had ik al vooruitbetaald. Hij geloofde me niet en toen belandde ik hier in het ziekenhuis. Weten jullie wat er gebeurd is met Mårten? Was het een ongeluk? Was hij stoned?'

'Daar kunnen we pas over een paar dagen antwoord op geven. Klopt het dat hij in een hut op het strand woonde?'

'Tot vorig jaar woonde hij aan Videvägen, maar hij maakte zich daar onmogelijk. We spraken af dat hij in het strandhutje dat ik van mijn vader geërfd had, kon wonen. Dat staat bij het vissersdorp Kronviken. Er woont in de zomer een oude man in de hut naast hem, Jacob. Ik geloof dat hij een oogje in het zeil houdt, hield, zodat Mårten af en toe wat binnenkreeg.'

15

Er zou een nieuw computersysteem worden geïnstalleerd. Ragnarsson-Storm kon aan bijna niets anders denken, of ergens anders over praten. Commissaris Ragnarsson werd achter zijn rug om Storm genoemd omdat hij alles met een stormachtige intensiteit aanpakte. Was er iets om je over op te winden, dan deed hij dat. Deze keer ging het om het computersysteem. Zelfs Hartman kon zijn mondhoeken niet in bedwang houden toen bleek dat het nieuwe systeem ook STORM heette.

Ek was die middag langs geweest om de lijst met aanmeldingen voor zijn verjaardagsfeest op te halen. Hij bekeek het papier en trok een brede grijns. Iedereen die geen dienst had zou komen. Hartman had geruild met Storm, die zijn vrouw aanstaande zaterdag naar het vliegveld moest brengen, maar dan eigenlijk avonddienst had.

Iedereen kan komen, herhaalde hij bij zichzelf. 'Willen jullie dansen of zullen we moordenaartje spelen?'

'Kunnen we niet gewoon met elkaar praten als volwassen mensen?' vroeg Arvidsson droog en hij sloeg de pagina van de krant om, en verschanste zich erachter zodat niemand zou zien hoe ontzettend blij hij was om Ek weer te zien.

'Wat is moordenaartje?' vroeg Erika, die zo veel mogelijk verrassingen wilde vermijden waar ze niet op gekleed was sinds ze een hindernisbaan in Kronskogen had moeten nemen in een strak rokje en op schoenen met hoge hakken. 'Is dat zoiets als waarheid, durven, doen?'

'Erger. Eén is de moordenaar en die doodt de anderen die in de kring zitten door naar ze te knipogen. De doden vallen een voor een op de grond. Iemand anders is de detective en die moet ontdekken wie de moordenaar is, dus hem op heterdaad betrappen als hij knipoogt.'

'Kleuterschoolspelletjes, dat weiger ik!' Arvidsson kreeg al koude rillingen bij het idee dat hij in een kring moest zitten en Maria in de ogen zou moeten kijken, van heel dichtbij, en zelfs naar haar zou moeten knipogen of andersom. Hij wist dat hij zou gaan blozen en dat iedereen dat zou zien. De opmerkingen zouden dodelijk zijn. 'Ik kom niet als het een kinderpartijtje wordt', zei hij en hij hoopte dat niemand de teleurstelling in zijn stem zou horen.

'Oké, dan doen we dat niet. Ik weet een ander spelletje, liever gezegd een weddenschap. We hebben al heel lang niet meer gewed. Kijk naar die koelkastmagneten, die zitten exact op een rijtje met telkens drie centimeter ertussen. Hoe komt dat, denken jullie? Nou, dat heeft Ragnarsson gedaan. Nu laat ik de derde magneet een stukje zakken. De vraag is dan: gaat Storm hem terugzetten als hij koffie komt drinken of niet? We beperken ons tot die gelegenheid. Als hij hem na vieren aanraakt of hele-maal niet, dan telt dat als "nee", en als hij zonder toespelingen,' Ek keek Erika streng aan en stak zijn bookmakerspen achter zijn oor, 'zonder toespelingen de magneet terugschuift, dan winnen degenen die op "ja" hebben gewed. We zetten tien kronen de man in, net als anders.'

Maria dacht diep na. Toen ze nieuw was, was ze onwetend op Ragnarssons plaats bij het raam in de personeelskantine gaan zitten. Hij had haar niet op de vrouw af gevraagd ergens anders te gaan zitten, maar hij had haar wel lang en geïrriteerd aangekeken, en toen ze opstond om een kop koffie te halen na het eten, had hij haar bord weggeschoven naar de uiterste hoek van de tafel en haar plaats ingenomen. Storms bureau was ook een analyse waard. De pennen stonden in 'geef acht!'-houding in hun pennenstan-daard. Het blad van het bureau was meestal schoon, afgestoft zelfs. De telefoon en de intercom stonden in een rechte lijn ten opzichte van elkaar en de papieren durfden zich vermoedelijk niet te verroeren, zoals ze daar op hun precieze stapeltjes lagen. Die man leed aan symmetritis! De hamvraag was nu hoe het was gesteld met zijn oplettendheid, zou hij de koelkast überhaupt opmerken? Had de wet op de symmetrie alleen betrekking op de privé-sfeer of gold hij ook in het algemeen? Had hij het ooit opgemerkt als iemand naar de kapper was geweest? Of dat er nieuwe gordijnen in de vergaderkamer hingen, of dat Arvidsson op krukken liep toen hij zijn voet verstuikt had? Maria zette tien kronen in op 'nee' en ging vervolgens naar de verhoorkamer, waar ze Tord Bränn aantrof, de visser die Mårten Norman gevonden had. Er was geen gelegenheid geweest om alle gegevens ter plaatse op te nemen vanwege alle toeschouwers en mensen van de pers die daar samendromden.

Tord Bränn had een schoon overhemd aan en een verbazingwekkend ouderwetse stropdas om. Het colbert trok onder zijn armen en kon vermoedelijk niet dicht. Zelf ervoer hij dat als een geciviliseerde vorm van een dwangbuis, zo zag hij er tenminste uit.

'Gaat het lang duren?' vroeg hij en hij zat onrustig aan zijn pet te friemelen, niet wetend of hij hem nu juist af of op moest zetten.

'Wilt u me vertellen wat er vandaag is gebeurd, zo gedetailleerd mogelijk?'

'Ik ben vanochtend om vier uur opgestaan en heb twee eieren gebakken. We hebben eigen kippen. Soms moet je naar de eieren zoeken, maar vanochtend...'

'Ik bedoel vanaf het moment dat u de dode man vond', haastte Maria zich eraan toe te voegen.

'Ik ging weg met de boot om de netten uit te zetten in zee. Ik heb mijn eigen plaats vlak achter Kronholmen, ten zuiden van het uitkijkpunt op die rots. Ik zag iets drijven in de vaarroute en werd nieuwsgierig. Maar ik deed eerst met die netten wat ik moest doen voordat ik erheen roeide. Ik dacht dat het een grote jerrycan was die in de golven lag te deinen, en zoiets is altijd handig om te hebben. Maar het was een dode.'

'U meende de man te herkennen?'

'Ja, zeker!' Tord schoof zijn onderkaak naar voren en knikte twee keer. 'Het was die junk, Mårten Norman.'

'Weet u hoe hij in het water terechtgekomen kan zijn? Hebt u hem de laatste week met een boot weg zien gaan?'

'Die? Die heeft watervrees. Hij wast zich niet eens op zondag, zoals nette mensen. Hij heeft geen boot.'

'Was er iemand met wie hij omging, met wie hij ondanks alles misschien een boottochtje was gaan maken?'

'De oude Jacob was aardig en stopte hem wel eens wat eten toe. Maar ik geloof niet dat iemand hem mee de zee op zou nemen.'

'Waarom niet?'

'Hij was niet te vertrouwen. Je moet al rekening houden met weer en wind, en dan moet je niet ook nog zo iemand in je boot hebben waarvan je niet weet of je hem wel veilig weer aan land krijgt. Hij was volstrekt onberekenbaar. Soms was hij taai als leer en soms maakte hij zo'n herrie in zijn hut dat je dacht dat er een heel bataljon binnen was.'

'Hebt u hem met midzomer gezien?'

'Met midzomer was ik met de kleinkinderen naar Stockholm. Het was op de grens van godslastering om de natuur hier te verlaten als die op zijn mooist is, maar die kleintjes hadden een ijzeren wil om naar dat pretpark, Gröna Lund, te gaan. Je hebt nergens meer iets over te zeggen tegenwoordig.' Tord nam zijn pet af en veegde het vocht van zijn voorhoofd. Het zweet druppelde op de kraag van zijn overhemd. 'Moeder de vrouw. Zij vond dat ik me zo moest opdoffen als ik naar de politie ging, ze hield voet bij stuk', zei hij verontschuldigend.

Toen Maria om exact 15.32 uur de koffiekamer binnenstapte, waren Ek en Arvidsson verwikkeld in een van hun eindeloze discussies. Het culinaire debat was dit keer uitgemond in een luid gesprek over automobilisme en offers aan de goden. Hoe ze daar beland waren, was voor iemand die er niet bij was geweest onmogelijk te achterhalen. Maria ging zitten en wachtte tot de discussie zou bedaren.

'De mens heeft altijd al en in alle culturen offers aan zijn goden gebracht. We doen dat zelf ook.'

'Aan welke goden offeren de mensen dan in deze tijd?'

'De Mammon in allerlei gedaanten. De Markt, zo je wilt. Snelle goederentransporten vereisen meer auto's op de weg. Ieder jaar zijn er in Zweden zeshonderd verkeersdoden en dat vinden we een redelijk offer ter compensatie voor de gaven die de god geeft. Het vertrouwen van de Markt is belangrijk. In de heilige beursnoteringen kunnen we de stemmingen van de god aflezen.'

'Zo moet je niet redeneren!'

'Waarom niet? Het verschil tussen de mensenoffers van onze tijd en die van toen is dat onze offers willekeurig gekozen worden. We weten niet bij voorbaat wie er in het verkeer zullen omkomen, kanker krijgen door schadelijke stoffen of instorten door de stress op hun werk. Als er een jaar van tevoren een lijst met slachtoffers gepubliceerd zou worden, zou niemand dat accepteren. Maar als het willekeurig gebeurt, sluiten we er onze ogen voor: "Ik ben er toch niet bij."'

'Zo kun je niet praten!' Ek stond verontwaardigd met zijn bovenlijf heen en weer te zwaaien, als een pendel, de handen in zijn zakken.

'Wat je ziet, is afhankelijk van het uitgangspunt dat je kiest. Als je met je gezicht naar de muur gaat staan, loop je het risico dat je heel weinig ziet.'

'En als je voortdurend in de krant zit te koekeloeren, riskeer je dat je gok ertussen komt', zei Ek en hij kneep Arvidsson bij gebrek aan andere argumenten stevig in zijn neus. Op dat moment kwam Storm binnen en iedereen keerde zich verwachtingsvol en gespannen naar hem toe.

'Nee, die koffieautomáát komt er níét!' zei hij nukkig toen hij hen een tijdje had bestudeerd en zijn eigen interpretatie van hun gezichtsuitdrukking gemaakt had. 'We hebben het daar al eerder over gehad en zoals jullie weten vind ik het een idiote investering. Onnodig en tijdrovend. Stel je eens voor hoe iedereen rond zou gaan rennen als er constant koffie was. Er is toch niks mis met de manier waarop we het altijd gedaan hebben: met het koffiezet-apparaat. Ik zal jullie zeggen dat die automaten pure volksver-lakkerij zijn. Volgens mij betalen de koffieproducenten een deel van de reclame, omdat er meer koffie nodig is voor zulke bak-beesten.'

'Is dat zo?' vroeg Ek.

'De laatste keer dat ik zo'n apparaat bij de zelfbedienings-groothandel heb uitgeprobeerd, kon ik het zelf zien. Eerst moest er een vijfkronenmunt in, daarna drukte ik op het knopje. Ver-volgens hoorde je een hoop gebonk en toen stroomde de koffie eruit.'

'Ja?' zei Ek om Storm op weg te helpen, die met zijn handpalm tegen de koelkastdeur was blijven staan. Zijn vlak bij elkaar zittende ogen waren alleen maar gefocust op de koelkastmagne-ten. 'Jáá?'

'En tóén kwam dat kutbekertje', riep Storm uit en hij schoof gauw de overige vijf koelkastmagneten omlaag, zodat díé over-eenkwamen met die ene afwijkende. Een zet die tot eindeloze discussies tussen Ek en Arvidsson zou leiden.

16

Arvidsson had een heleboel te vertellen over Clarence Haags zakelijke aangelegenheden.

'Ik ben nog even langs Videvägen gegaan om Mårten Normans oude vriend, de etherman en muizenvanger Per Trägen op te zoeken. Eerst was hij niet erg mededeelzaam, maar dat werd beter toen ik hem een beetje onder druk zette. Zuiver mentaal uiteraard. Want waarom zou je geweld gebruiken als je alleen maar hoeft te zeggen dat het bij hem verdacht naar sterke drank ruikt? Ik heb benadrukt dat clandestien stoken van alcohol al sinds 1860 verboden is. Hij beloofde dat in gedachten te houden. Toen kwam hij een beetje los. We zijn als vrienden uit elkaar gegaan. Maar daarvóór vertelde hij dat Mårten Clarence Haag geld afhandig maakte. Een week geleden voor het laatst, twintigduizend kronen, en vorige maand idem dito. Ik heb het gecontroleerd met Clarence' rekeningafschriften en dat klopt. En dat gaat al jaren zo. Toen ik het vervolgens vergeleek met de periodes dat Mårten in de gevangenis zat, zag ik dat Clarence die maanden niet had hoeven dokken.'

'Misschien is er een verband dat maakt dat een gevestigd makelaar grote sommen geld overmaakt naar een als zodanig bekendstaande druggebruiker? Wat kunnen we ons voor motieven indenken? Eigen gebruik? Dealen? Afpersing? Ik wil het personeel van De Vergulde Druif een foto van Mårten Norman laten zien. Misschien kunnen ze hem aanwijzen als de man met de pet.' Hartman bladerde terug in zijn blok en het werd even stil. 'Neem jij dat op je, Arvidsson?' De roodharige Arvidsson knikte. 'Na sectie van de verdronkene moeten we kijken welke middelen we in moeten zetten. Vanwege die betalingen van Clarence Haag kan een misdrijf niet worden uitgesloten.'

'Ik vind dat we weer met Odd Molin moeten gaan praten.

Misschien herkent hij Mårten Norman en weet hij iets over Clarence' zaken. Ze zijn immers compagnons', zei Arvidsson.

'We moeten ook de vissers horen die in Kronviken liggen. Ik kan me voorstellen dat die vrij veel weten over elkaars boten en activiteiten', benadrukte Hartman.

'Er is een oude man, Jacob Enman, die de hele zomer meestal voor zijn hutje zijn netten zit te boeten. Van daaruit heeft hij vrij zicht op het vissersdorp en de jachthaven. De laatste keer dat ik erlangs kwam, lag hij voorovergebogen over de keukentafel te slapen. Hij was vast moe van het onweer. Dat krijg je met zo'n lagedrukgebied, daar krijg je een zwaar hoofd van. Oudere mensen voelen aan... Hij lag voorover met zijn hoofd op tafel te slapen... Néé! Hartman, ik ben er verschillende keren langsgelopen en hij lag telkens op dezelfde manier. Met zijn hoofd op zijn armen. Misschien klopt er iets niet', riep Maria en ze vloog overeind.

Wern en Arvidsson namen de witte Ford naar het vissersdorp. Alle dienstauto's waren bezet, twee waren ten noorden van de stad en de derde was bezig met een klopjacht op een vermeende alcomobilist helemaal bij het schietterrein. Niet zo vreemd dat rijden onder invloed steeds meer toenam, als er in bijna elk huis clandestien werd gestookt. Sommige wetten en verordeningen konden maar moeilijk steun vinden bij de bevolking in de donkere bossen en de afgelegen kustgebieden in het noorden.

De wind probeerde vat te krijgen op de auto toen ze op de open vlakte kwamen. De auto suisde langs de geelste koolzaadvelden en het blauwste vlas, afgewisseld door snelgroeiend bos, voor de brandstofvoorziening, en graasgronden. Maria kon het niet snel genoeg kon gaan. Voor deze ene keer was ze blij dat Arvidsson reed en zich aan de regels van de wet hield. Zelf zou ze plankgas gegeven hebben. Anders kon ze zich wel eens ergeren aan de vanzelfsprekendheid waarmee haar mannelijke collega's achter het stuur plaatsnamen.

De tuin van Rosmarie was van verre zichtbaar, met zijn roze gebouwen. Maria zag de halfvolle parkeerplaats toen ze langs de kwekerij reden.

Toen ze de grijze rij vissershutjes naderden, viel de regen met grote, zware druppels uit de hemel. Witte ganzen speelden op de golven, die zich donkergrijs op het stenen hoofd stortten. De vissersboten deinden op en neer in de woeste zee. Ondanks de harde wind hoorde je het krakende geluid van de stootkussens die langs elkaar schuurden, toen Arvidsson uit de auto stapte. Het waaide behoorlijk. Maria moest de deur aan haar kant openpersen, alsof de wind haar wilde verhinderen het onvermijdelijke te zien. De wind rukte aan haar kleren. Blies het haar voor haar gezicht, zodat ze niets kon zien. Maria balde haar vuisten in haar broekzakken. Had ze het maar fout, was hij nog maar in leven, de oude Jacob. Alhoewel het natuurlijk ieder moment afgelopen kan zijn als je tegen de negentig loopt. Het is een keer over. Inslapen aan je eigen keukentafel is niet het ergste, probeerde ze zichzelf wijs te maken. Met een branderig gevoel achter haar oogleden veegde ze het ergste vuil van de ruit en keek naar binnen. Ze zag al snel dat de oude Jacob er nog op dezelfde manier bij lag, met zijn hoofd op zijn armen, voorover op de keukentafel. Maria klopte op het raam. Een armzalig klopje, dat door het gieren van de wind werd opgeslokt. Jacob bewoog zich niet. Maria bonsde zo hard ze kon zonder de ruit in te slaan.

Arvidsson voelde aan de deur. Die was op slot. Zijn hand tastte boven de deurpost en onder de platte steen bij de ingang. Maar er was geen sleutel te bekennen. Nu kon Arvidsson alleen nog maar het raam inslaan, de haakjes losmaken en het restant van het raam uit de scharnieren tillen. Een vreselijke stank van verrotting kwam hen tegemoet. Maria kroop door de opening naar binnen, waarbij ze een zetje kreeg van Arvidsson, en keek om zich heen. Geen sporen van geweld. Alles zag eruit zoals ze het zich herinnerde. De petroleumlamp aan het plafond. De slaapbank met de sprei van gehaakte oma-ruiten keurig strak opgemaakt. De koffiepot op het gasstel met flessengas, een beetje beroet, alsof hij in het vuur gestaan had. Het grote schilderij met Jezus die de storm doet gaan liggen en de hoekkast met de wandschilderingen, waar Jacob zijn eerste levensbehoeften in bewaarde: zijn pruimtabak en de zondagse borrel. Zoals gewoonlijk hingen de netten langs de ene lange muur en stond de bootshaak in de hoek naast de zinken teil. Naast het bed lag het gestreepte voddenkleed, aan een kant versleten en gerafeld. Voorzichtig, zonder iets aan te raken, zette Maria de laatste stappen naar de keukentafel, waar Jacob voorovergeleund zat. Ze trapte daarbij bijna in de plas bloed die langs de stoelpoot omlaag gelopen was. Jacobs bril lag ernaast, het ene glas verbrijzeld. Maria volgde het spoor van het bloed omhoog over Jacobs blauwe hemd, waar het onder zijn oksel was gestold tot een donkere vlek. Ze pakte Jacobs pet zo voorzichtig mogelijk vast en tilde hem op totdat zijn achterhoofd ontbloot was. Onder de pet kwam een zwerm vliegen vandaan, samen met de zoetige geur van bloed. Maria zag met afgrijzen dat de vliegen al kleine witte eitjes in de gapende wond hadden gelegd. Een vlieg ging zoemend op haar wang zitten en ze deinsde verschrikt terug, zonder haar ogen van de overledene af te kunnen houden. Hij lag met een vredig gezicht over de tafel, ondanks de enorme wond op zijn achterhoofd. Zijn oren en neus hadden een donkerblauwe kleur gekregen, die van buiten zichtbaar zou zijn geweest als de ruit niet zo vies geweest was.

'Hoe gaat het?' Arvidssons stem rukte haar uit haar verstening.

'Hij is dood! Doodgeslagen! Een grote wond op zijn achterhoofd.' Voorzichtig liep Maria achteruit en vertrok via dezelfde weg als ze gekomen was. Nu was het verder de zaak van de technici, die zouden het overnemen. Misselijkheid welde op in haar keel. Duizeligheid kwam in golven.

'Hoe gaat het, voel je je wel goed?' vroeg Arvidsson toen Maria weer op het gras geland was. Toen kon ze zich niet langer goedhouden. De tranen kwamen in een kermende stroom. Maria liet zich in Arvidssons uitgestrekte armen vallen en verborg haar gezicht.

'Ik heb er niet aan gedacht dat hij misschien wel dood zou kunnen zijn. Ik dacht dat hij sliep. Ik ben hier drie keer langsgelopen zonder eraan te denken', hakkelde ze. 'Ik ben zo met mijn eigen dingen bezig dat ik er niet eens over nadacht dat Jacob in dezelfde houding lag. Ik had vanochtend koffie bij hem willen drinken, maar toen was hij dus al dood.'

'Dat is niet jouw fout. Je moet niet de schuld op je nemen. Je had zijn leven toch niet kunnen redden. Het ziet eruit of hij slaapt. Dat vind ik ook.' Arvidsson drukte haar tegen zich aan, de vrouw van wie hij ongewild was gaan houden. Hij hoopte dat ze niet hoorde hoe zijn hartslag versnelde en niet zag hoe het bloed opvlamde in zijn gezicht toen hij blozend zijn hoofd over haar haar boog. Hij rook haar geur van zo dichtbij dat hij al zijn wilskracht moest gebruiken om haar niet te kussen, toen ze haar gezicht naar hem toe wendde. Gepijnigd beet hij op zijn onderlip.

'Ik denk dat hij met een bijl op zijn achterhoofd geslagen is. Het was een grote, gapende wond. De vliegen...' Maria moest een aanloop nemen om de zin af te maken. 'De vliegen hadden al eitjes gelegd', zei ze en er liep een rilling over haar lijf. Die nuchtere constatering gaf Arvidsson de kracht om haar voorzichtig van zich af te duwen. Samen trotseerden ze de wind en liepen ze de steiger op, zodat Maria haar streperige gezicht kon wassen voordat ze weer naar het bureau gingen. Arvidsson hield haar in de houdgreep toen ze vooroverboog. Als Jacob op zijn bankje gezeten had, had hij zich vast afgevraagd wat we aan het doen waren, dacht Arvidsson met een grimlach.

'We moeten Rosmarie Haag ook de foto van Mårten Norman laten zien', zei Hartman en hij vouwde zijn pizza vierdubbel voordat hij hem in zijn mond stak. Alles om tijd te sparen. Daarna zei hij een tijdje niets.

'Kan Mårten Norman het gezicht voor het raam zijn geweest, de persoon die Rosmarie in haar tuin meende te zien? Als hij getuige was van mishandeling had hij iets om over te onderhandelen. Afpersing is een mogelijk motief voor zijn dood. Hoewel de betalingen, zoals ik al eerder heb gezegd, al geruime tijd aan de gang waren. Rosmarie en Clarence waren vijf jaar getrouwd. Welke mogelijkheden zijn er nog meer? Kan het gaan om een soort liefdadigheid tussen oude vn-soldaten onderling?' Arvidsson leunde voorover en schoof zijn pizza naar binnen met beide ellebogen op tafel en zijn lange rode pony voor zijn gezicht als bescherming tegen inkijk tijdens het eten. Hij had moeite met eten als mensen naar hem keken. Nu zat Maria daar naast hem en dat maakte het alleen maar lastiger. De happen werden alleen maar groter in zijn mond. Hij vervloekte zijn verlegenheid en schoof zijn bord weg met de halve maaltijd er nog op.

'Rosmarie Haag heeft een alarmpakket nodig. Ik ga het haar bij voorkeur vandaag al brengen, als jullie dat goed vinden.' Maria haalde de banaan, die er niet beter op geworden was, uit haar rugzak en voelde zich uitgehongerd, maar ook wat ascetisch. Hartman, die iets van zijn spreekvermogen terug begon te krijgen, mompelde met de laatste hap nog in zijn mond dat hij begonnen was de vissers die de laatste week in Kronviken geweest waren, in kaart te brengen.

'Het personeel van De Vergulde Druif en Odd Molin moet tot morgen wachten. Arvidsson en ik gaan naar het vissersdorp. Het is mogelijk dat we het publiek om hulp moeten vragen, als er niets concreets uit komt bij de booteigenaren die we ontmoeten. We weten morgen pas op welke dag we ons voor beide sterfgevallen precies moeten richten, als we de voorlopige sectierapporten krijgen. Erika Lund was niet blij toen ik haar tegenkwam. Ze had dit weekend iets belangrijks te doen op de golfbaan en dan loopt het zoals het gelopen is. Ze is naar het vissersdorp. We zullen de komende uren wel niets van haar horen. Örjan Himberg is op weg naar Stockholm. We hebben een foto van Clarence

Haag naar de politie van Stockholm gefaxt. Zij zullen vanavond ook paraat zijn in Engelen. We kunnen geen enkel risico nemen. Odd Molin is ook naar Stockholm afgereisd volgens zijn secretaresse. Hij kan helpen met de identificatie als de heer Haag daar zou verschijnen. We kunnen niet uitsluiten dat Clarence Haag zowel Mårten Norman als Jacob Enman om het leven heeft gebracht. Hij heeft een motief en hij schuwt geweld niet, zoals we weten.'

'Ik heb een lijst gemaakt van de vissers in Kronviken die ik ken, met hun telefoonnummers.' Maria legde het papier op de matig schone tafel in de personeelsruimte. 'De bovenste naam is van de man die het lichaam heeft opgevist. Tord Bränn. Hij is gehoord, maar ik heb er nog geen proces-verbaal van kunnen opmaken. Daarna komt mijn buurman, Manfred Mayonaise Magnusson, die voor eigen gebruik vist. Ik zou blij zijn als ik hem niet zou hoeven verhoren. Egil en Gustav Hägg, vader en zoon, hebben een boot met hun buurman, Ivan Sirén. Die boot heet de Marion II. Het lijkt me ook een goed idee om te kijken welke plezierjachten in de jachthaven deze week van hun plaats zijn geweest. Kronholmen is een bekend doel voor zondagszeilers. Ik geloof zelfs dat je er primitief kunt kamperen.'

17

Rosmarie Haag bestudeerde de foto van Mårten Norman aandachtig. Het lichte haar dat uit zijn gezicht gestreken was, zat piekerig achter zijn oren. De vooruitstekende kin en de scherpe neus. De ogen lagen diep verzonken in hun kassen.

'Hij ziet eruit alsof hij geen gemakkelijk leven heeft', constateerde ze.

'Ja, dat kun je wel zeggen. Hij is dood.' Rosmarie gaf de foto snel terug, alsof ze zich gebrand had.

'Ik heb veel moeten denken aan dat telefoontje dat Clarence kreeg. Het is meer dan een week geleden dat ik daarover aan Himberg verteld heb, dus jullie hebben er zeker van gehoord. Ik was op de bovenverdieping en pakte per ongeluk de telefoon op om te bellen: "Ik heb niet veel te verliezen, maar jij wel, Clarence", en Clarence antwoordde: "Gore klootzak. Ik krijg je nog wel." Ik weet niet wie hij aan de lijn had, maar het klonk eigenaardig. Denken jullie dat het de man op de foto kan zijn? Ik kan niet zeggen of dat het gezicht was dat ik voor het raam zag. Misschien, misschien ook niet. Ik zag degene achter Clarence' schouder maar heel even. Een wit gezicht met donkere, haast zwarte ogen. Clarence sprong vloekend uit bed. Ik kon alleen maar aan vluchten denken. Een mogelijkheid om te ontkomen. Clarence was veel beangstigender dan dat gezicht voor het raam.'

Maria pakte de tas met het alarm en demonstreerde de werking ervan.

'Het werkt ongeveer net zoals zo'n veiligheidsalarm voor oudere alleenstaanden. Als u het alarm indrukt, gaat er een rood lampje branden op het apparaat. Dan weet u dat het alarm bij ons binnenkomt. Mocht u de knop per ongeluk indrukken, dan kan het alarm worden uitgeschakeld met een groene knop. Ik wil graag dat u ons dan belt en laat weten dat het vals alarm was. Op het apparaat zit een microfoon, zodat we kunnen horen wat er in de kamer gebeurt. We kunnen ook de telefoongesprekken die u krijgt, opnemen. En als u naar buiten gaat, kunnen we een mobiele telefoon voor u regelen met een rechtstreekse lijn naar de politie.'

'Het voelt een beetje als zo'n elektronische voetboei, maar dan omgekeerd.'

'Ja, dit is voor uw eigen veiligheid. Ik adviseer u er gebruik van te maken, maar u moet het natuurlijk zelf weten.'

'Ik zou liever willen dat u hier bij mij bleef, maar dat zal wel niet mogelijk zijn, hè?'

'Het spijt me echt dat ik nee moet zeggen. We hebben te weinig mensen om iedereen die dat nodig heeft vierentwintig uur per dag te kunnen bewaken. Een alarm is het beste wat we op dit moment kunnen bieden.' Maria stootte per ongeluk tegen een boeket gedroogde rozen aan en er zweefde een wolk stof omlaag in het zonlicht. 'Ik zou nog wat rond willen kijken in het huis, als dat mag. Heeft Clarence een eigen werkkamer?' Rosmarie knikte, in gedachten verzonken. Samen passeerden ze alle gevleugelde wezens om uiteindelijk in een zone te komen die volkomen vrij was van engelen en droogbloemen. Clarence' kantoor stond in schril contrast met de lichte inrichting van de rest van het huis. De meubels waren zeer mannelijk; van zwartgelakt hout en buisframe. Voor de ramen hingen zware, donkergroene gordijnen, die een minimaal, groezelig licht binnenlieten in de kamer. De kamer rook bedompt, was haast vacuüm. Drie van de vier muren waren bedekt met abstracte kunst in felle kleuren, terwijl de vierde was gedecoreerd met trofeeën uit zijn tijd op Cyprus: foto's, een wandkleed, een prikbord met lapjes stof met de namen van verschillende landen, die volgens Rosmarie op de uniformen van de soldaten gezeten hadden. Een aantrekkelijk ruilobject. Als je maar goede maatjes bleef met de foerier was niets onmogelijk, had Clarence gezegd. Op de boekenkast onder het prikbord lag een fotoalbum en op een wat lager tafeltje lagen een bidkleed en een kamelenzadel.

'Kan ik dat album een paar dagen lenen?' vroeg Maria.

'Natuurlijk, maar als Clarence erachter komt, zal hij dat niet leuk vinden.' Rosmarie wrong zich de handen. 'Heb ik u verteld dat mijn kat weg is? Ze is weggelopen. Dat is nog nooit eerder gebeurd.' Maria schudde haar hoofd en keek op van alle vrolijke militairen in het fotoalbum.

'Ze is echt verdwenen. Ik heb het nagevraagd bij de buren, zelfs in de bermen gekeken voor het geval ze overreden was. Clarence was erg gek op die kat.' Maria nam Clarence' agenda mee en enkele documenten die uit financieel oogpunt van belang waren.

'Hij vermoordt me als hij weet dat we in zijn laden hebben zitten snuffelen', zei Rosmarie en ze fronste haar mooie gezicht in een grimas van afschuw. 'Hebt u tijd voor een kopje koffie?' vroeg ze toen Maria in de deuropening stond.

'Nee, een andere keer graag. Zo gauw ik vrij ben, kom ik aardappelen en wortelen bij u kopen. Ik kan nu helaas niet blijven, hoe graag ik ook zou willen.'

Buitengekomen bestudeerde Maria het slaapkamerraam vanaf de buitenkant. Het raam lag een behoorlijk eind boven de grond. Zelfs voor een lange man zou het onmogelijk zijn om zijn gezicht tegen de ruit te drukken als hij niets had om op te staan. Even verderop op het gras stond een tuinameublement van witte kunststof. Als je op zo'n stoel ging staan, zou je je haast aan de metalen dorpel vast moeten houden om je evenwicht te bewaren. Maria haalde koolstofpoeder en een stuk kunststof film uit haar rugzak en nam eventuele vingerafdrukken. Eigenlijk konden ze daar niet veel van verwachten na de regen.

'Hebt u een van de tuinstoelen de laatste week nog verplaatst?' riep ze naar Rosmarie, die op de trap stond.

'Nee, dat geloof ik niet. Maar vraag het aan mijn vader, dat is een ordelijk iemand.'

Bij de grote eik zat Konrad op zijn bank naar de zonsondergang te kijken. Hij tilde beleefd zijn strohoed op toen Maria passeerde. De koffie stond klaar op het terras en de hoop aarde ernaast was weggehaald, noteerde Maria.

'Weet u nog of u de laatste tijd een van de tuinmeubelen bij het huis verplaatst hebt?'

Konrad dacht even na, nam zijn hoed nogmaals af en krabde zich achter zijn oor.

'Ja, Rosmarie, die sloddervos, ze zet de stoelen altijd onder de ramen om erbij te kunnen als ze ze gaat zemen. Ik heb een stoel weggehaald die onder het slaapkamerraam stond. Maar ik weet niet meer welke dag dat was. Ergens vorige week.' Maria bedankte hem nadat ze ook vingerafdrukken van de stoel genomen had. Het was misschien wat overdreven, maar soms geven zorgvuldig uitgevoerde routineklussen nog het beste resultaat. Bewijzen die voor de rechtbank standhielden. Toen ze op het grindpad was, bedacht ze zich en liep weer terug naar Konrad.

'Is er hier een schuur voor gereedschappen?' Konrad stond moeizaam op. 'Waar zou u naar willen kijken?'

'Ik wil weten of er een bijl ontbreekt of iets dergelijks, een groot slagersmes, misschien?'

'Een groot slagersmes komt er bij mij niet in', bulderde Konrad. 'Een bijl heb ik misschien wel.'

Achter de kassen stond een kleine groene schuur omgeven door lupinen in allerlei kleuren, als een waterval, een geurende regenboog. De deur was niet op slot. 'Ja, nu u het zegt. We hebben een grote bijl en een wat kleinere "damesbijl". Ze zijn hier allebei.'

'Mag ik ze even lenen?'

'Ja, als ik ze weer terugkrijg. Er raken voortdurend dingen zoek. We hebben in de zomer een groot aantal vakantiekrachten. Die jongelui zijn niet meer zo voorzichtig met andermans spullen als wij in onze jeugd waren, toen we niets hadden. De jeugd van tegenwoordig baadt in weelde en toch moeten de productie en de groei voortdurend omhoog. En als dat nou ten goede zou komen aan de mensen die niets hebben, zou het eerlijk zijn, maar zo werkt het niet. U moet het een oude man niet kwalijk nemen dat hij de choreografie van de hoogconjunctuur en de wereldpolitiek niet begrijpt, maar hebben wij in de geïndustrialiseerde samenleving nog meer spullen nodig? De meeste mensen rennen maar rond in hun tredmolen. Je kunt je afvragen of ze juist niet meer tíjd nodig hebben, tijd en rust. Tijd om na te denken!'

18

Op weg naar de vergaderkamer liep Maria Egil en Gustav Hägg tegen het lijf. Gustav gaf haar een grote knuffel. Achter hen stond Hartman met een vrolijk gezicht en een grasklokje in zijn hand.

'Heb jij tijd om deze heren te verhoren?' vroeg hij en hij wees met een hoffelijk gebaar naar de verhoorkamer.

Nadat Gustav 'Maria-Therese' op zijn mondharmonica had mogen spelen, wat hij vlijtig geoefend had, kon Maria de noodzakelijke gegevens opnemen. Gustav gaapte hoorbaar en trok zijn benen onder zich in kleermakerszit. Egil keek onrustig op zijn horloge en naar zijn zoon. De jongen moest naar huis om te rusten. Hij was bleek en glom van het zweet.

'Duurt het lang? Gustav heeft een hartafwijking en epilepsie. Als hij te moe wordt, kan hij een toeval krijgen. We moeten goed voor deze jongen zorgen.' Egil legde zijn arm beschermend om Gustav heen en Gustav deed hetzelfde bij hem, met hetzelfde beschermende gezicht. Ze leunden met hun hoofden tegen elkaar en Gustav sloot zijn ogen. Zijn mond was één brede grijns.

'Dan doen we het zo dat je nu naar huis gaat en zo exact mogelijk probeert op te schrijven welke boten je ongeveer een week geleden in Kronholmen hebt zien liggen. Dat is niet zo eenvoudig, zo achteraf, maar het zijn belangrijke gegevens voor ons. Zowel plezierjachten als vissersboten zijn van belang. Ik wil ook dat je je probeert te herinneren wanneer je de oude Jacob voor het laatst gesproken hebt en wie er op dat moment op bezoek kwamen. Herken je deze man?' Maria hield hem de foto van Mårten Norman voor.

'Ja, Jezus. Dat is die verslaafde uit de strandhut naast Jacob. Heeft hij Jacob doodgeslagen?'

'Daar kunnen we nog geen antwoord op geven. De man is vandaag gevonden in Kronviken, verdronken. We zijn geïnteresseerd in alles wat met hem te maken heeft. Wanneer en hoe je hem gezien hebt.' Maria legde de foto van Clarence Haag op tafel.

'Weet je wie dit is?'

'Zijn vrouw is heel knap. Ze heet Rosmarie.' Gustav straalde met zijn hele ronde gezicht. 'Knap en ook lief. Ik heb taart van haar gekregen.'

'Ik kan het niet met zekerheid zeggen', zei Egil en hij streek nadenkend over zijn kin. 'Misschien. Zeilt hij samen met die Odd Molin, die van die mooie, oude mahoniehouten boot?'

'Dat is niet uitgesloten.'

'Dan heb ik hem en zijn vrouw daar wel eens zien zwemmen. Heeft zij geen rood haar? Ik ben het met Gustav eens, een prachtige vrouw, die Rosmarie. Die zou je niet twee keer afpoeieren, hè Gustav?' Egil porde zijn zoon in zijn zij en lachte, toen zag hij de ernst van dat moment in, en bond wat in.

'Verdomme, wie zou die oude Jacob nou kwaad willen doen? Hij heeft in zijn hele leven zelf geen vlieg kwaad gedaan.' Maria schrok even. Vliegen! Het beeld van de gapende wond met de witte eitjes kwam haar onvermijdelijk weer voor ogen.

'Je moet niet bang zijn, Maria. Het is niet erg om dood te gaan. Je valt gewoon in slaap en daarna zit je opeens niet meer in je lichaam. Floep, zoals een banaan uit de schil, en dan begraven ze die schil onder de grond', zei Gustav en hij hield zijn hoofd schuin en glimlachte begrijpend.

'Hij is zo slim, mijn Gustav', zei Egil ontroerd en hij haalde een zakdoek uit zijn zak, snoot luidruchtig zijn neus en stak vervolgens zijn hand uit ten afscheid. 'We moeten nu naar huis. Kom, Gustav, voordat je helemaal verliefd wordt op de agente hier. Ik zal alles opschrijven wat ik me kan herinneren en dan komen we het morgenochtend brengen', beloofde hij.

'Ivan, komt hij ook?'

'Hij voelt zich niet goed. Hij heeft koorts door die voet. Hij zou toch eens naar een echte dokter moeten. Ik ga er morgen met hem naartoe. Het is niet anders. Hij is een beetje mensenschuw. Dat zijn de zenuwen, als je het mij vraagt.'

Toen ze vertrokken waren, dacht Maria na over het gezicht dat Rosmarie Haag voor het raam gezien had. Stel dat er helemaal geen mysterieus iemand in de tuin bestond. Dat het gewoon een schreeuw om hulp was. Een manier om de politie daar te krijgen zonder direct naar Clarence te wijzen. Maria hield de mogelijkheid open tot ze weer in de gelegenheid zou zijn om met Rosmarie Haag te praten.

Door het raam zag ze Egil wegbenen met Gustav aan zijn hand. Ze leken ieder een andere mening te hebben over welke kant ze op moesten. Egils bulderstem was hoorbaar door het glas. Gustav stond te stampen op de grond en probeerde zich met al zijn kracht los te trekken. Daarna verdwenen ze achter het gebladerte.

Een klop op de deur onderbrak Maria in haar gedachten over het gezicht voor het raam en daar stond Gustav weer.

'Ik heb iets voor je, Maria', zei hij gewiekst. 'Doe je ogen dicht en steek je hand uit.' Maria deed wat haar gezegd werd en voelde iets kleins en kouds in haar handpalm.

'Nu mag je je ogen weer opendoen.' Maria deed haar ogen een voor een langzaam open en staarde naar de duivenring in haar hand.

'Wil je met me trouwen?' Maria moest lachten om Gustavs zonnige gezicht.

'Het spijt me Gustav, maar ik ben al getrouwd met Krister.'

'Dat maakt niet uit. Hij mag ook best meedoen', zei Gustav gul. 'We kunnen ons allemaal samen ringen. Als puntje bij paaltje komt, kies je toch voor mij. Dat weet ik.'

'Ja, je bent een lieverd, Gustav. Mag ik die ring een tijdje van je lenen totdat je een ander meisje vindt waaraan je hem wilt geven?

Een leuke jongen als jij loopt vast niet zo lang vrij rond.'

'Nee, de meiden in de garage zijn wel eens wat opdringerig', zei Gustav serieus.

19

Toen Hartman moe van zijn werk thuiskwam, kwam de verrukkelijke geur van in port gebraden vlees hem tegemoet. De
tafel in de woonkamer was gedekt met een wit tafellaken, kaarsen
en rozen. Het schaakspel stond klaar en in de open haard brandde
het vuur. Samen met zijn geliefde echtgenote ging hij aan tafel
zitten en trapte daarbij in iets nats en lauws. Een klein stukje
verderop, buiten handbereik, zat cavia Peggy hem geamuseerd
aan te kijken met haar peperkorrelachtige oogjes. Voor Tomas
Hartman zou het kleine rotbeest nooit een hogere status krijgen
dan die van sanitair ongerief, maar omwille van de huiselijke
vrede hield hij zijn mond.

'Je ziet er moe uit, Tomas.' Marianne glimlachte mild en
warm. 'Ik hoorde op het lokale nieuws over dat verdrinkingsgeval. Ze zeiden dat een oude man in het vissersdorp op ge-
welddadige wijze om het leven was gebracht, vermoedelijk beroofd door een junk. Zo te horen had je een hele intensieve dag.'

'Is dat het beeld van de media? Ik heb vanavond nog geen tijd
gehad om naar het nieuws te kijken', zuchtte Hartman en hij
glimlachte naar Marianne. Gaf haar een knipoogje. 'Wat heb je
het gezellig gemaakt. Ik ben zo blij dat ik jou heb', zei hij en hij
streek zijn vrouw over haar blote, gebruinde arm. 'Als je al die
ellende om je heen ziet, zie je hoe gelukkig je zelf eigenlijk bent.
Portsteak waar ik zo gek op ben, gebakken aardappelpartjes met
dragon en een prachtige vrouw. Wat zit er in die glazen schaal?'

'Dat is tzatziki, Griekse komkommersalade. Die maak ik van
magere kwark. Dat is niet zo vet, maar heel erg lekker.'

'Maar de roomsaus, waar is die lekkere roomsaus?'

'Het is met tzatziki net zo lekker. Proef maar. Ik ben zuinig op
jou, liefste', zei Marianne en ze reikte hem de schaal met de
komkommersalade aan. 'Af en toe een glas rode wijn is ook goed

voor je hart. Wil je me even helpen de fles open te maken?'
Tomas Hartman voelde zich meteen iets meer gerustgesteld.
Sommige geneugten mochten blijkbaar tóch gewoon blijven.

Net toen Hartman zijn tanden in de perfect gekruide portsteak
wilde zetten, ging de buitendeur met veel kabaal open en tuimelde zijn jongste dochter, onder een vracht van vuile was, naar
binnen. Zonder ook maar gedag te zeggen, smeet ze haar bagage
neer, liep met een zuur gezicht een rondje om de tafel en keek
haar vader boos aan. De zwarte ogen onder de zwaar opgemaakte
oogleden zeiden alles over haar gemoedstoestand.

'Getver! Je zit gewoon een koe te eten. Een arm dier dat
iemand doodgemaakt heeft, geslacht, zodat jij je handen niet
vuil hoeft te maken. Zou je met dezelfde eetlust zitten te eten als
je haar zelf doodgeslagen en gevild had, en die biefstuk er zelf met
een mes uitgesneden had, nou?'

'Nee, waarschijnlijk niet.' Met oude en zeer vermoeide ogen
keek Hartman zijn dochter aan en liet zijn vork zakken tot op zijn
bord.

'Er zijn aardappelen en tzatziki als je trek hebt', zei Marianne
onaangedaan.

'Nee, dank je, ik wil niet aan dezelfde tafel eten als een bar-
baarse vleeseter. Mag ik de wasmachine lenen? Ik heb thuis geen
wastijd kunnen boeken. Ik weet niet dagen van tevoren wanneer
ik tijd heb om te wassen! Maar dat snappen ze niet. Die gepen-
sioneerden schrijven zich al weken van tevoren in. De enige
wastijd die over is, is op zaterdag als *Bingolotto* op tv is.

Later, toen de rust weergekeerd was en hun dochter was vertrokken met haar gewassen én gedroogde wasgoed, nam het
echtpaar Hartman met een kop koffie plaats bij het langzaam
uitdovende vuur. Marianne boog zich over het schaakspel en
deed een gedurfde openingszet met het witte paard. Hartman
schoof zijn zwarte pion besluiteloos heen en weer terwijl zijn
gedachten heel ergens anders waren.

'Wat heeft Lena eigenlijk voor vrienden? Weet jij met wie ze omgaat? Het is lang geleden dat ze vrienden mee naar huis nam. Of doe je dat niet meer als je niet meer thuis woont?'

'Toen ik langskwam met de stofzuiger die ze wilde lenen, zat er een stel jongelui om de tafel. Ik geloof niet dat we ons druk hoeven te maken. Ze zagen er allemaal aardig uit. Leuke, in de natuur geïnteresseerde jonge mensen. Ik kan me niet voorstellen dat ze zich bezighouden met drugs en zo. Je lijdt aan beroeps-deformatie, Tomas. Het zag eruit of ze zouden gaan demonstre-ren. De hele vloer was bezaaid met plakkaten. Ik vond het er gezellig uitzien. Net als toen wij jong waren en gingen demon-streren. Ik vind dat er tegenwoordig veel te weinig gedemon-streerd wordt. Wanneer zijn wij gestopt met op 1 mei de straat op gaan, Tomas, weet jij dat nog?'

Hartman friemelde aan een andere pion, om daarna, lijdzaam en tegen beter weten in, zijn zwarte paard in de strijd te gooien.

20

Een regenworm vocht voor zijn leven in een plas water. Het asfalt glom zwart in het licht van de straatlantaarn op de parkeerplaats. De geuren, die door de regen waren vrijgekomen, hingen zwaar over de jasmijnstruiken en om de linden bij de parkeerautomaat. Maria boog zich omlaag over het kleine wezentje en zette het op de aarde onder een struikje. Als een kleine overwinning op het leven van deze dag, zo vol van kwaad en sterfte.

Naar huis gaan om te slapen was niet aanlokkelijk. Ze moesten nodig praten, maar Maria voelde dat ze tijd nodig had om haar vragen te herformuleren. En vooral tijd om zich voor te bereiden op de antwoorden die Krister zou kunnen geven. Maria besloot daarom om naar het vissersdorp te rijden. Erika was waarschijnlijk nog in het hutje van Jacob bezig. Een ingeving, direct uit de holle leegte van haar maag, deed Maria naar de pizzeria rijden en twee *quattro stagioni* bestellen. Erika had vanavond vast nog niets gegeten.

In afwachting van de pizza's ging Maria aan een tafeltje zitten en luisterde ze naar het nieuws van die avond. Storms stem sneed door het etablissement en deed de oorvormige blaadjes van de geraniums schudden. Met luide stem gaf hij zijn visie op de gebeurtenissen van die dag en de gereduceerde middelen van de politie, af en toe onderbroken door het: 'Maar u kunt de algemene veiligheid toch wel garanderen?' van de verslaggever.

'We doen wat we kunnen.' Storms stem klonk nu geforceerd. Maria zag zijn gezicht voor zich, knalrood tot aan zijn oorlellen, zijn peuk nerveus heen en weer rollend tussen duim en wijsvinger. Ze kon zich ook de slecht verborgen glimlach van de verslaggever voorstellen, toen ze merkte dat ze Ragnarsson-Storm uit balans had gebracht. De vrouwelijke verslaggever en Storm waren sinds eerdere confrontaties nou niet bepaald vrienden.

Misschien zou ze erin slagen hem een uitspraak te ontlokken waar de krant later grote koppen van kon maken. Met tegenzin moest Maria het vermogen van haar chef bewonderen om niet in alle valkuilen te trappen die hier gegraven werden.

'De dader is dus niet bekend. De politie staat machteloos', vatte de verslaggever samen en Storm repliceerde snel.

'We werken vanuit beproefde strategieën. Ons personeel is volhardend en zeer competent. Maar we zijn onderbemand en dat is een kwestie voor onze politici.'

Goed zo, Storm, dacht Maria. Als Ragnarsson-Storm af en toe eens een complimentje zou geven op de werkplek, dat zou een hele klimaatverandering teweegbrengen. Maar een schouderklopje via de radio moest in geval van nood maar voldoen, een welkome uitzondering op de dagelijkse scheldkanonnades. Tijdens haar eerste week in Kronköping had Maria al aanleiding gehad om zich te ergeren aan Storm. 'Verdomd slecht rapport, Wern! Verdomd slecht!' had hij haar in haar gezicht geschreeuwd. Na een ogenblik van bezinning had Maria zich geconcentreerd en haar rapport beargumenteerd. Ze had punt voor punt bewezen dat het gebaseerd was op zakelijke feiten, terwijl Storm haar bestudeerde met de argwanende blik van een neushoorn. De vlak bij elkaar staande ogen, half verborgen onder de borstelige wenkbrauwen, hadden vijandigheid van de derde graad uitgestraald. Daarna had hij iets onverstaanbaars gemompeld en zich naar de wachtende pers gespoed, waarna hij woordelijk Maria's materiaal en argumenten geciteerd had, alsof hij ze zelf verzonnen had.

'Kan de politie de algemene veiligheid garanderen?' Maria hoorde instinctief hoe Ragnarsson eigenlijk had willen antwoorden: uiteraard, we denken aan zes à zeven bewapende agenten per inwoner, zodat iedereen vierentwintig uur per dag beveiligd is voor het geval er een slechterik zou opduiken! Uiteraard zou dat ten koste gaan van alle andere werkzaamheden in de samenleving, maar veilig zou het zijn. Superveilig! De ideeën over meer blauw op straat en preventie waren misschien nog niet zo gek, als je de middelen kreeg om die activiteiten zó te ontwikkelen als ze dan ook maar bedoeld waren. Veranderingen kosten nou eenmaal veel tijd en energie, met name als de middelen al bij voorbaat ontoereikend zijn.

Het was ondanks alles nog niet zo eenvoudig om Storm te zijn. Maria benijdde hem niet als hij de pers te woord moest staan. Gevatte ja's en nee's op gecompliceerde vraagstellingen; suggestieve vragen en provocerende beweringen die diplomatiek en beheerst beantwoord moesten worden. Is dat wat de mensen van machthebbers willen hebben, gevatte antwoorden? Is een antwoord met bedenktijd en overleg minder geloofwaardig? Maria peuterde wat met een tandenstoker in de aarde van de geranium. De aarde was kurkdroog en hard samengeperst. Hier was geen rode wijn aan te pas gekomen. De aarde zou losgemaakt moeten worden en begoten met een scheutje bier. Waarom had Clarence Haag of zijn dinergast wijn in de plantenbak bij restaurant De Vergulde Druif gegoten? Was daar een aannemelijke reden voor? Iemand dronken voeren en zelf nuchter blijven, levert een zeker overwicht op. Verder kwam Maria niet in haar overpeinzingen – ze werd naar de kassa gewenkt om de pizzadozen en de kleine plastic bakjes met wittekoolsalade op te halen.

De bleke sterren schenen helderder toen Maria de straatverlichting van de stad achter zich gelaten had en van de ringweg afgeslagen was in de richting van Kronviken. Benzinepompen en verspreid staande huizen flitsten voorbij als lantaarns in de nacht. De nachtmuziek op de radio werd overstemd door het geluid van de motor van de Volvo toen ze de negentig kilometer op de snelheidsmeter passeerde. Het stuur trilde. Geïrriteerd merkte Maria dat ze weer op haar nagels gebeten had. Alleen haar duimnagels waren zo goed als heel. Zo ging het altijd als alles tegelijk kwam. Als het haar thuis en op het werk te veel werd. De gedachte aan Kristers eventuele ontrouw speelde voortdurend door haar hoofd. Ze maalde maar door. Ze wilde het niet geloven, maar kon het beeld toch niet uit haar hoofd zetten: Krister en Ninni-je-weet-wel samen, innig verstrengeld. Stel dat ze zwanger was! Dat Emil en Linda een halfbroertje of -zusje zouden krijgen. Dat zou stof opleveren voor het naaikransje van haar schoonmoeder! Heremetijd, wat zou er gekletst worden! En dat was niet het enige – die verdomde sloopauto's van Mayonaise waren nog geen millimeter verschoven. Maria greep het stuur stevig beet. In de verte lag de tuin van Rosmarie. Er brandde een zwak licht in het prieeltje. Maar het woonhuis was in het duister gehuld, evenals het restaurant. Vreemd eigenlijk. Als Rosmarie bang was voor iemand, voor haar man of voor een vreemde die in de tuin rondsloop, zou ze zich dan niet juist opgesloten hebben in het woonhuis? Maar misschien was ze niet alleen? Het was mogelijk dat ze gezelschap in het prieeltje had van haar vader of van een vriendin, of van Odd Molin, wie weet?

Het vissersdorp lag er in het licht van de maan bij als een grijze spookstad. Er glom een brede zilveren band in het zwarte water, langzaam heen en weer gewiegd door grote, slaperige golven die landinwaarts rolden, waarbij de golven afvlakten en de stenen en de steiger zacht streelden. De meeuwen waren verstomd en hadden plaatsgemaakt voor de eigen geluiden van de nacht. De afzetting rond de hutjes was zichtbaar in de duisternis. Bij de oude Jacob en in het hutje ernaast, dat van Mårten Norman, brandde licht. Erika stond net in de deuropening toen Maria het gras op keerde. Ze keek grimmig.

'Pizza! Heb je tijd?' riep Maria.

'O, ik zal je gedenken in mijn testament!' zei Erika en ze klaarde wat op. Langzaam trok ze haar rubberen handschoenen uit. Ze spoelde haar handen af in het zeewater en ontsmette ze vervolgens met alcohol. Samen gingen ze op de pier zitten en aten met hun vingers, ook de wittekoolsalade. Maria had er niet aan gedacht om er plastic bestek bij te vragen.

'Weet jij hoe je kunt zien dat een vrouw de veertig gepasseerd is?'

'Nee', zei Maria in afwachting van de uitleg die komen zou, zoals altijd wanneer Erika gedurende langere tijd met haar eigen gedachten alleen was geweest tijdens een onderzoek op de plaats van een misdrijf.

'Ze wordt onzichtbaar. Denk maar eens aan wat er op tv komt. Vrouwen van middelbare leeftijd worden gediscrimineerd in de reclame. Vrouwen boven de veertig bestaan niet, hoogstens als het gaat om incontinentieproducten. Wordt er op tv een biertje gedronken, dan zijn dat mannen die even een moment voor zichzelf willen hebben. Om nog maar niet te spreken over zangeressen. Hoeveel zie je er daar nog van als ze eenmaal middelbaar zijn? Cher misschien. Maar niet zonder dat ze geopereerd en tot op het bot gecorrigeerd is. Je zou denken dat een fantastische stem alleen voldoende was. Maar zo is het niet. Dat is bijna van ondergeschikt belang. Kijk wie er gelanceerd worden. Piepkuikens met hun halve stem nog in het ei. Dat is wat die kerels willen, jonge kippetjes', zei Erika verbitterd. Maria herinnerde zich vaag dat Erika vroeger als zangeres bij een dansorkest had gewerkt en gedumpt was voor een jonger exemplaar, zowel privé als op het toneel. Ek had ooit zoiets verteld. Maria was het roerend met haar eens. Huppelkutjes waren momenteel een gevoelig onderwerp. Nu het lont eenmaal aangestoken was, spatte het hele probleem met Ninni en Krister, de kus op het papiertje en Maria's verdenkingen als een kruitvat uiteen.

'Je voelt het al van verre aankomen', zei Erika en haar stem kwam uit een andere tijd. 'Plotseling heeft hij nieuwe kleren gekocht. Terwijl het hem nooit kon schelen hoe hij eruitzag. Hij komt 's avonds laat thuis. Hij moet overwerken. Zijn ogen staren vol afgrijzen naar jouw versleten ochtendjas. Hij wil niet dat je je voeten op zijn schoot legt als jullie op de bank voor de tv zitten. Er zit een nieuw soort beleefdheid, een afstandelijkheid in de manier waarop hij jou aanspreekt wanneer hij nog geen beslissing genomen heeft, maar wel een slecht geweten heeft. Wanneer je haar parfum op zijn kussen ruikt, weet je hoe dicht ze elkaar genaderd zijn. Tot op de huid. Ik durfde hem nooit voor het blok te zetten. Ik wist dat de strijd verloren was toen ik die vrouw op zijn kantoor zag. Toen ik de verliefde blikken zag die ze elkaar toewierpen. Zij was achttien en ik was achtendertig. Ik heb me aan die laatste dagen met hem vastgeklampt of het het leven zelf was, en dat was misschien ook wel zo. De laatste dagen dat zijn lichaam in mijn nabijheid was, alhoewel zijn gedachten al uitgevlogen waren. Zoals een stel geile konijnen dat niet weet hoe snel het weg moet komen, en het hol leeg achterlaat.'

Maria voelde hoe haar maag zich omkeerde. De zwarte spin van de onrust kriebelde in haar buik. De pizza bleef steken in haar keel, het was onmogelijk om hem door te slikken. De witte kool nam de vorm aan van onappetijtelijke maden die in hun plastic bakje om elkaar heen krioelden.

'Misschien is het gewoon een domme vergissing. Misschien is er een goede reden dat Krister haar telefoonnummer op een papiertje in zijn zak heeft. Die kus kan er bij een andere gelegenheid op gekomen zijn. Het kan een of ander intern grapje zijn. Ik zit me misschien voor niets druk te maken.' Maria's stem klonk alsof ze voorlas uit een boek, alsof ze niet achter de woorden stond die ze uitsprak.

'Dat dacht ik in het begin ook.' Erika haalde haar hand door het zwarte water. De ring met de amethist glom, evenals haar zilverkleurig gelakte nagels. 'Nu zit ik hier midden in de nacht in een hutje op het strand met mijn opvliegers, mijn gezweet en mijn slechte humeur. Net op de avond dat ik de man van mijn leven op de golfbaan zou ontmoeten. We hadden afgesproken om elkaar weer te zien, als een soort vijftienjarig jubileum of zoiets. Hij is nu alleen. Hij is vast behoorlijk ouder geworden. Het zal niet meevallen om zo'n jonge vrouw bij te benen. Ik geloof niet dat hij weer in de kleine kinderen wilde zitten. Hij wil mij zien. Ik had veel van deze avond verwacht. Maar het is fijn dat jij hiernaartoe gekomen bent. Een pizza en wat gezelschap zijn nooit weg.'

'Heb jij Odd Molin onlangs gezien?'

'Hoe weet jij dat?'

'Tja!'

'Hij had me vorige week uitgenodigd voor een zeiltochtje met zijn schitterende Viktoria. En toen dacht ik: waarom ook niet? Je moet nemen wat het leven je te bieden heeft. Het was zo gek nog niet. We zijn voor anker gegaan in een kleine baai achter het schietterrein. Sandåstrand heet het daar. Een ongerepte baai met zand zo zacht als cakemeel. Er is een verlaten huis met een verwilderde tuin, een beetje landinwaarts. Het is zo dichtgegroeid dat je het door het naaldbos eerst niet ziet, maar als je het pad over de stenen brug gevonden hebt, dan wordt er al snel een open plek in het bos ontsloten. De brug is echt handwerk, met grote precisie uitgehouwen en helemaal begroeid met mos. In het hoge gras bij het huis groeien aardbeien. Je zou er eens heen moeten met de kinderen. Het is niet zo gemakkelijk te vinden, maar ik kan een kaartje voor je tekenen.'

'Ik heb over die plek gehoord. Die duivenmelkers laten daar hun postduiven los. Maar ik weet niet waar het is, dus een kaartje zou handig zijn. Hoe gaat het hier? Hebben ze het lijk al opgehaald? Weet je dat ik drie keer langsgelopen ben zonder te begrijpen dat hij dood was? Drie keer!' zei Maria en ze beet als een bezetene op haar duimnagel.

'Hij zag er op afstand ook niet erg dood uit. Niet door die gore ramen. Eigenlijk niet voordat je zijn pet optilde.'

Maria zuchtte diep en ongelukkig, en volgde met haar blik een zwanenpaar, dat door de zilveren straat zwom, gedoopt in het maanlicht, verblindend wit.

'Zeg maar niets meer, Maria. Wat zou het geholpen hebben of je hem een halve dag eerder gevonden had? Hij is met grote waarschijnlijkheid al een week dood. Er zullen in die tijd heus wel meer mensen langsgekomen zijn. Ik heb twee zaken van belang gevonden, of liever gezegd, niet gevonden. De ene is de sleutel. De deur was op slot. De sleutel is weg. De andere is de bijl, die ontbreekt ook. Jacob heeft buiten een houtstapel en een hakblok, maar geen bijl. Het is mogelijk dat hij met zijn eigen bijl om het leven is gebracht. Wat er weer op kan wijzen dat de moord op Jacob niet gepland was. Er zitten overal vingerafdrukken. Hij had blijkbaar een grote kennissenkring, die oude Jacob. Met Mårten Normans hut ben ik nog niet begonnen. Je kunt je afvragen of zijn dood een ongeluk was. Ik hoorde van Hartman dat Clarence Haag Mårten Norman door de jaren heen diverse keren een behoorlijke som geld heeft betaald. Dat is interessant. Wat een geluk dat het lichaam zo snel gevonden is.'

'Hoe bedoel je, heeft hij er niet lang in gelegen?'

'Jawel, maar een lijk komt niet direct aan de oppervlakte. Pas wanneer het rottingsproces op gang komt en er zich gassen onder de huid vormen en ophopen, komt het lichaam bovendrijven. In deze warmte kost dat ongeveer een week, maar in de winter duurt het veel langer. Meestal worden vermiste personen pas tegen het voorjaar weer gevonden. Vroeger hadden ze hun eigen methoden om drenkelingen te vinden. Eén manier was het water op te roeien met een haan. Waar de haan ging kraaien, begon men te dreggen. Een andere manier was een kaars aan te steken en die op een rond, plat brood met een gat in het midden te zetten en dan te kijken waar dat brood heen dreef. Niet zo gek bedacht, trouwens. Op die manier kun je zien hoe de stroming is.'

Maria voelde een rilling langs haar ruggengraat lopen. Ze beefde even. Het leek alsof ze werd teruggeplaatst in de tijd dat de visserij brood op de plank betekende, leven of dood. Het was niet zo moeilijk je de vissersvrouwen voor te stellen die angstig over het water tuurden in afwachting van de boten met de witte zeilen, die leven ademden. Er moeten ontelbare vissers op zee gebleven zijn. Ieder afscheid moet gekleurd zijn door die wetenschap. Maria voelde een duizendjarige adem in de avondbries. De angst en het verdriet van vrouwen liepen als een blauwe draad door de tijd. Blauw, de kleur van de blues en het verdriet.

'Fijn dat je langsgekomen bent.' Erika keek Maria hartverwarmend en vriendelijk aan. 'Het is hier een beetje unheimisch, maar nu voelt het een stuk beter. Moet je niet naar huis? Slapen? Je moet morgen toch werken?'

Er brandde licht in de keuken. Even dacht Maria dat Krister nog wakker was en op haar zat te wachten. Maar dat was niet het geval. Ze hoorde uitvoerig geronk vanuit de slaapkamer en daar lag Krister op zijn buik te slapen met het dekbed van zijn voeten getrapt. Emil en Linda lagen ook naast elkaar op Maria's bedhelft. Linda had haar duim in haar mond. Maria vroeg zich af waar haar speen was. Ze had liever niet dat ze ging duimen. Het gebruik van een speen zou ze gemakkelijker kunnen beperken.

Maria kroop in bed, helemaal tegen de rand aan, en probeerde haar gedachten te verzetten, maar die weigerden los te laten. Ze zoemden als geïrriteerde vliegen door haar bewustzijn. Had Krister de kinderen expres in het tweepersoonsbed gelegd om een confrontatie te vermijden? Maria lag te woelen in bed. Het was onmogelijk om tot rust te komen. Konrads verhaal ging een eigen leven leiden. Het verhaal over Rosmaries geliefde, de jongeman die in de kwekerij gewerkt had en vervolgens met Clarence naar Cyprus vertrokken was. Kon dat Mårten Norman zijn geweest? Of Odd? Mayonaise was ook op Cyprus geweest. Maar dat hij Rosmaries geliefde was geweest, leek haar onwaarschijnlijk. Maria glimlachte bij zichzelf en de spanning nam af. Met die gedachte moest ze in slaap zijn gevallen, want het volgende moment was het moment dat ze haar ogen opendeed; de slaapkamer baadde in het licht. Een eigenzinnige vlieg, een echte bommenwerper, liep heen en weer op het dekbed zijn nieuwe domein te inspecteren.

De uren van het ochtendgloren waren altijd de ergste. De zure stank van zweet in de lakens. De kloppende pijn in de stevig samengeperste kaken. Hij was door paniek bevangen wakker geworden, had ge-

schreeuwd, was in foetushouding gekropen om zijn hoofd te beschermen. Nergens kon zijn onrustige geest tot rust komen, zelfs niet in zijn slaap. De oneindige vermoeidheid striemde onder zijn voorhoofdsbeen, ontleedde stukje bij beetje de kwabben van zijn voorhoofd. De schreeuw zat nog in zijn keel, onderdrukt door de dunne draadjes van zijn wil. Zijn ogen brandden van slapeloosheid. Hij durfde er niet eens aan te denken weer in te slapen en opnieuw in de bodemloze, opengesperde bek van de afgrond te vallen. Daarom dwong hij zijn lichaam om te wandelen, doelloos heen en weer te lopen, om niet te rusten, niet weer in te slapen. De sterke, hete koffie stroomde door zijn droge keel omlaag en schrijnde het onbeschermde maagslijmvlies. De voortdurende pijn straalde uit naar zijn rug en hielp hem te vechten tegen zijn vijand, de slaap.

Toch had hij zich ontdaan van alles wat hem kon herinneren aan de tijd van het kwaad. Gevangen in de sterke greep van zijn gevoelens had hij zijn herinneringen verbrand tot een hoop as, alles behalve de ring. Die had hij op drie vadems diepte in zee laten vallen. Dat waren de dode dingen. Nu restten alleen nog de levende herinneringen aan wat er gebeurd was. Misschien dat hij daarna tot rust kon komen, en als dat niet kon, dan in de eeuwigheid. De gedachte aan de oude Jacob maalde in zijn bewustzijn. Een misser. Hij had aan de oude Jacob moeten denken, die op het bankje voor zijn huis zijn netten zat te boeten. Maar de vermoeidheid had zijn scherpte vertroebeld. Hij had te laat beseft dat de ogen van de oude gezien hadden wat ze niet hadden mogen zien. Jacob wist toen van niets, maar als er vragen gesteld gingen worden, zouden de herinneringen van de oude man aan wat hij gezien had een gevaar kunnen vormen, een troef in de hand van de vijand. Dat risico kon hij niet lopen. En in plaats van zich snel uit de voeten te maken, had hij rustig en methodisch de ontstane situatie overdacht. Waarom zou hij het moordwapen niet daar laten waar de politie zou zoeken, het daar met zorg neerplanten en het een deel van de wraak laten worden? De tijd was nog niet rijp om de bijl in zee te gooien.

21

Maria sloeg de vlieg uit haar gezicht en keerde zich om naar Krister, die zwaar lag te ademen in het bed naast haar. Als die akelige vliegen niet gauw uit de slaapkamer verdwenen, zouden ze vliegenpapier op moeten hangen. Maar aan de andere kant waren die volgeparkeerde kleefstroken op ooghoogte eigenlijk nog smeriger. Maria was als tiener eens met haar lange haar tegen zo'n ding aangekomen, dus ze wist uit ervaring hoe weerzinwekkend dat was. Ze werd nog boos als ze aan die keer dacht. En daar lag Krister te slapen, onschuldig en vredig als een kind. Hoe kon hij daar liggen slapen alsof er niets gebeurd was? Had hij dan helemaal geen geweten?! Hoe meer Maria dacht aan wat hij misschien gedaan had, des te bozer ze werd. Wat had Karin gezegd over hypochondrie en zelfmedelijden? Liep Krister rond met zo'n immense bandage om zielig te doen en medelijden op te wekken bij Maria, zodat ze hem met rust liet? Was dat niet het toppunt van brutaliteit? Voorzichtig schoof Maria het dekbed van Krister af. Ze tilde eerst zijn loodzware rechterarm op en vervolgens de linker. Ze voelde zich net Robin Hood toen hij de goudzakken van de valse regent, prins John, afpikte, als je tenminste buiten beschouwing liet dat Krister niet meer op zijn duim zoog en dat Sir Hiss niet met een te grote slaapmuts in zijn wieg op de loer lag. Alleen Humpe, de kater, deed zijn ene oog even open. Moe en afgemat van zijn nachtelijke jachtpartij. Kan ik nou nooit eens rustig liggen? zei zijn beschuldigende gezicht.

Een smoezelig absorptieverband liep van heup tot heup, aan de onderkant vastgehouden door zijn onderbroek, aan de bovenkant vastgeplakt met zwart isolatieband. Zeker iets wat over was van die keer dat hij van de winter de ijshockeystick provisorisch gerepareerd had. Zonder een greintje medelijden trok Maria de bandage met één stevige ruk weg, zodat het haar op Kristers buik half meekwam.

'Auuuw!!! Wat gebeurt er?' schreeuwde een klaarwakkere Krister, terwijl hij zijn buik probeerde te bedekken met zijn behaarde armen. Humpe rende verschrikt de kamer uit.

'Dat zou jij toch het best moeten weten!' Maria trok zijn handen weg en zocht naar de littekens van de operatie, maar kon niets vinden. Helemaal niets. Niet het kleinste puntje dat duidde op een operatieve ingreep. Krister sprong uit bed en rende naar de badkamer. Maria holde achter hem aan en kon nog net de deurkruk vastgrijpen voordat Krister de deur achter zich dichtdeed. Na wat trekken en duwen slaagde Krister erin de deur op slot te doen. Maria hoorde hem uitademen.

'Beken! Kom naar buiten en beken, lafaard!' Maria bonsde met beide handen op de deur. Emil en Linda, die dachten dat het een leuk spelletje was, stormden eropaf en gingen meehelpen.

'Beken, lafaard', echoden ze zonder ook maar het geringste vermoeden te hebben waar het over ging. Maria barstte uit in een hysterisch gelach. Dit was een van de stomste dingen die ze in haar leven had meegemaakt! Krister zette de badkamerdeur voorzichtig op een kiertje, zijn haar stond recht overeind en hij keek met kleine oogjes kippig om zich heen.

'Ik voelde me er nog niet rijp voor', zei hij met een zielig stemmetje. 'Er kan van alles misgaan bij zo'n operatie, zo kun je bijvoorbeeld bloedvergiftiging krijgen.' Hij begon langzaam maar zeker zijn normale houding weer aan te nemen. 'Of hiv, of geelzucht. Er kunnen lelijke littekens ontstaan. Ze kunnen in je maag snijden, zodat je de rest van je leven pap moet eten via een slangetje, of in een urineleider, zodat je verzuipt in je eigen vocht.' De kinderen keken Maria beschuldigend aan. Daar had ze aan moeten denken, nietwaar?

'Wie heeft jou dat wijsgemaakt? Mayonaise?' gokte Maria. Krister knikte.

'Wat een gelul! Je had beter met Karin kunnen praten. Ben

je überhaupt in het ziekenhuis geweest?'

'Neeeee.'

'En dat potje in de koelkast dan? Dat behangersplaksel?'

'Mayonaise zei dat je een spermamonster moest inleveren om te zien of er nog enig leven te bespeuren was, en dat is niet het geval in een maïzenapapje. Ik zou nooit op het idee gekomen zijn behangersplaksel te gebruiken. Jakkes, wat vulgair!' zei Krister terwijl hij zijn hoofd in zijn nek gooide als een echter filmster.

'En wat heb je te zeggen over Ninni, Ninni-je-weet-wel, die jou zo graag wilde spreken?' Maria hoorde zelf hoe hard en schel haar stem werd.

'Hè?'

'Ninni Holm!'

'Ninni Holm, wat heeft die hiermee te maken?' In Kristers wijdopenstaande mond was met een beetje moeite zeker plaats geweest voor vijf pingpongballen. 'Wat bedoel je?'

'Ze heeft hiernaartoe gebeld!'

'Ik begrijp het niet. We hebben het hier over letselschade en de gezondheidszorg en dan begin jij over Ninni Holm. Moest ik haar bellen? Toch niet weer?! Ze had gewoon die basiscursus moeten herhalen voordat ze aan geavanceerdere dingen begon.'

'Dat zou kunnen. Hoe geavanceerd zijn de dingen waar ze aan begonnen is?' Maria priemde haar ogen in die van Krister, nagelde hem vast aan de badkamerdeur, en eiste wederzijds begrip op volwassen niveau.

'Programmering onder andere. Waarom wil je daar nu juist over praten? Dat begrijp ik niet. Ben je niet helemaal goed snik? Is het wel goed met je, Maria? Je denkt toch niet? Dat denk je toch niet – neeeee, Maria, nu zie je echt beren op de weg die er niet zijn. Ik zou nooit van mijn leven iets willen beginnen met Ninni Holm.' Krister probeerde zijn armen om zijn vrouw heen te slaan, maar die ontweek hem behendig en deed een stap achteruit. Hij deed een nieuwe poging en ving haar in zijn omhelzing.

'Wat moet ik denken als jij rondloopt met haar telefoonnummer in je zak, 'Tot ziens!' en een kusafdruk erbij.'

'Jezus Christus, heb je in mijn zakken zitten snuffelen?' Krister duwde Maria van zich af alsof ze iets vies was.

'Heb je in papa's zakken zitten snuffelen?' vroeg Emil, die het gesprek met groeiende belangstelling gevolgd had.

'We hebben het er nog wel over', morde Krister.

'We zullen het erover hebben als jij daar ríjp voor bent', zei Maria met een zuur stemmetje en ze liep naar de keuken om koffie te zetten.

Op de muur naast de koelkast zat iets rozeachtigs gespijkerd, iets ronds en rozeachtigs dat onmiddellijk Maria's aandacht trok.

'Krister, wat is hier gebeurd?'

'O, dat, dat is Linda's speen, dat zie je toch wel? Ik vond dat ze wat te groot was voor een speen en toen heb ik een goede manier bedacht om haar de speen af te wennen. Als die speen tegen de muur zit, moet ze met haar gezicht plat tegen de muur gedrukt staan lurken, en dat is vast niet zo aantrekkelijk, had ik bedacht. Een puur pedagogische maatregel. Ik ga er patent op aanvragen.' Linda, met het conflict van de dag ervoor nog vers in haar geheugen, begon te gillen.

'Wat heb ik gedaan dat ik een man als jij verdiend heb?' kreunde Maria.

'Wees niet zo bescheiden. Je bent slim en knap, en af en toe zelfs zachtmoedig.'

Krister leek weer helemaal de oude. Maria begon te huilen door deze gevoelige onrust; ze voelde zich aan de ene kant opgelucht, maar aan de andere kant ook razend. Ook voelde ze zich enigszins genept door dit eerherstel en Kristers serieuze spijt; zijn enige boetedoening.

'Het is niet zo eenvoudig om met jou samen te leven', fluisterde ze toen hij over haar haar streek. Op datzelfde moment hoorden ze een auto afremmen voor de deur.

'Als het Mayonaise is, dan giet ik kokende olie over hem heen vanaf het balkon', zei Maria met een hese stem. Emil vond dat wel interessant klinken en knoopte het in zijn oren: olie over Mayonaise, en misschien ook een beetje over Bieflap.

Gudrun Werns stevig gepermanente hoofd werd zichtbaar in de hal en boven haar uit torende Artur. Even leek Krister niet te weten wat hij moest doen, maar toen begon hij te stralen.

'Fijn dat jullie er zijn. Heel fijn!' Maria staarde haar man aan alsof hij een verrader was, een overloper van ongekende afmetingen. 'Heel goed dat jullie gekomen zijn. De kinderen willen graag met jullie naar het strand. Toch, Emil en Linda?! Wij komen straks met de koffie.' Gudrun Wern keek alsof dat niet helemaal was wat ze in gedachten had gehad. Ze was op dit vroege uur hiernaartoe gelokt door het nieuws in de krant over de moord met de bijl. Artur leek iets op zijn lever te hebben, maar het duurde zoals altijd even voor hij ermee voor de dag kwam als hij niet direct gesouffleerd werd. Omdat zijn vrouw altijd sprak in lange, samenhangende tirades, alleen afgewisseld door razendsnelle onderbrekingen om adem te halen, had hij zijn taal moeten aanpassen aan die van haar. Vaak kon hij net een of twee zorgvuldig gekozen woorden per keer uitspreken, het leek wel touwtjespringen, waarbij je het inspringen moet aanpassen aan de snelheid waarmee de anderen draaien.

'Muizen', zei hij toen Gudrun ademhaalde na Kristers kleding van commentaar te hebben voorzien, of liever gezegd het ontbreken ervan.

'Wat zei je, papa?' Krister legde zijn hand op Gudruns arm om haar tot zwijgen te brengen.

'Muizen bij de buitenmuur', zei Artur snel en hij keek, op zijn hoede, naar zijn vrouw.

De mannen vertrokken naar buiten om af te rekenen met die beesten. Met tegenzin vertrok Gudrun Wern met de kinderen naar het strand, na haar meest brandende vragen te hebben gesteld en haar meest ongenadige commentaren over 'de moord' en het verdrinkingsgeval te hebben gespuid.

'Die Rosmarie Haag, de vrouw van die makelaar, dat is een losbandig type. Ik herkende haar meteen op die foto in de krant.'

'Aha', zei Maria, er niet helemaal zeker van wat 'losbandig' in dit verband betekende. Gudrun knikte samenzweerderig en nadrukkelijk.

'Toen we de vorige keer bij jullie weggingen, toen Astrid en ik hier waren, weet je nog wel, hebben we een omweg genomen via de jachthaven. Astrid vindt dat zo romantisch, al die bootjes en die lichtjes. Haar man zat bij de marine. Ik vond het niet zo nodig. Het onweerde en ik was nogal moe, moet ik zeggen. De kinderen zijn heel zoet, maar op mijn leeftijd word je moe van alle geluiden om je heen. Dat zal je wel merken. Maar hoe dan ook, we parkeerden naast elkaar op de kade en zagen de bootjes op het water deinen. Toen draaide Astrid haar raampje omlaag en zei ze: "Kijk nou eens! Daar stapt Rosmarie Haag uit een mooie houten boot. Jaaa, kijk. Ze is met een man en ze lopen samen de kade op. Ja, zeker! Ze omhelzen elkaar." Astrid zei dat het leek alsof ze elkaar kusten. Maar ik weet het niet. Misschien spraken ze alleen maar met hun gezichten dicht bij elkaar. Als het hard waait, is het niet zo gemakkelijk om te horen wat er gezegd wordt. Ze stonden precies onder een lantaarn. Astrid vond het zo romantisch. Net zoals in *Waterloo Bridge*. Toen stapten ze in een auto en reden weg. Stel je voor zeg, zo gauw de kat van huis is, dansen de muizen op tafel. Want dat was niet haar man. Dat weet ik zeker.'

Gudrun trok haar mond samen en knikte nadrukkelijk.

'De man van de mahoniehouten boot is een goede vriend van de familie Haag. Het is alleen maar natuurlijk dat Rosmarie steun zoekt bij iemand in deze omstandigheden.'

'Natuurlijk. Ja, dat zal wel. Maar Astrid zag wat ze zag en ik zeg alleen: die vrouw is een losbandig type.'

Toen iedereen weg was, pakte Maria de picknickmand in en zette die op de keukentafel, schreef een briefje, nam een snelle douche en ging naar buiten. Ze had er enorm veel behoefte aan

om alleen te zijn. Gegarandeerd alleen! Krister en haar schoon-
vader waren druk bezig de muizen uit hun gangen te roken. Artur
keek zeer enthousiast. Krister ook. Hij moest zijn gelukkige
gesternte maar bedanken dat hij er daarnet zo gemakkelijk van
afgekomen was. Maar hij hoefde zich geen seconde in te beelden
dat ze erover waren uitgepraat. Hoe kon je bouwen op een man
die net deed alsof hij zich had laten steriliseren? Hoe kon je met
iemand samenleven die je niet kon vertrouwen? Maria zwaaide
naar Krister en Artur voordat ze het pad naar de top van de berg
nam, maar die werden te veel door hun bezigheden in beslag
genomen om haar op te merken.

22

Het is wonderlijk dat planten zich onder zulke sobere omstandigheden kunnen handhaven: dat vetkruid, duizendblad en walstro, paardenbloemen en beemdkroon overleefden in de schrale grond op de berghelling, in kleine, kwijnende exemplaren. Geteisterd door de wind, door stortregens en door de brandende zon hielden ze stand met hun wortelharen. Maria streek het haar uit haar gezicht en liep in rap tempo omhoog. Eigenlijk was ze van plan geweest om vanochtend een paar kilometer langs het strand te joggen, maar met haar schoonmoeder en de afzetting van de politie daar bij de vissershutten zou er geen tijd zijn om alleen te zijn, de tijd om na te denken die ze zo hard nodig had.

De kerk van Kronviken lag helemaal op de top, aan de rand van de rots. Van zee af gezien torende hij groots en statig overal bovenuit. Maar toen Maria vanaf de andere kant aankwam en over het kerkhof liep, leek hij helemaal niet zo imposant, hoewel de toren aan de forse kant was. Alsof ze groots begonnen waren en vervolgens geen geld meer hadden gehad om het gebouw op dezelfde schaal af te maken. Een oude vrouw met een gestreept schort en een gebloemde hoofddoek was bezig het grindpad te harken. Haar mooie, oude gezicht was verweerd door weer en wind. Er lag een fijnmazig net over haar gezicht in het symmetrische patroon van haar lach. Ze trok de grote hark ferm door het grind en boog moeizaam voorover om een paardebloem of een brandnetel te verwijderen. Het was rustig en stil op het kerkhof, buiten de vrouw was er niemand te zien. De grote kastanjebomen gaven schaduw en koelte.

Dicht bij de ingang van de kerk, tussen twee grote familiegraven, was een opvallende grafsteen, een omgehakte boom uit wit marmer. De tekst op de steen was half overwoekerd door korstmos en andere sporenplantjes. Maria's aandacht werd getrokken door een klein, naaldboomachtig plantje. Ze trok er voorzichtig een blaadje af en wreef het tussen haar vingers. Rozemarijn, rozemarijn ter herinnering aan de doden. De vrouw met de hark kwam dichterbij en Maria liep enigszins schuldbewust weer terug naar het grindpad. Er bestond misschien wel een bepaling die ze had moeten kennen, dat je niet op het gras mocht lopen bijvoorbeeld. De deur van de kerk stond open. De grote sleutel zat in het roestige ijzeren slot. Maria liep naar binnen onder de gewelven en liet haar ogen aan het donker wennen. De witgekalkte muren waren behangen met afbeeldingen en ornamenten uit de geschiedenis van het christendom. De mens gewogen op een weegschaal en te licht bevonden, omdat een stel duiveltjes de tegenoverliggende weegschaal heeft verzwaard. De vinger van God in de eerste weegschaal zou op zijn plaats zijn geweest, meende Maria. De Heilige Maagd Maria en het kindje Jezus. Jezus die in verzoeking gebracht wordt in de woestijn, ook hier door de van hoornen voorziene vijand. Apostelen en op de een of andere raadselachtige wijze een paar Zweedse koningen die zich stiekem bij de heilige schare hadden aangesloten. Een wit stuk muur om je eigen beelden op te projecteren was er niet. Maria had ooit gehoord van de middeleeuwse angst voor leegte. Als je alle wanden vulde met afbeeldingen konden de boze geesten niet naar binnen. Dat gevoel kon je een beetje krijgen als je in Gudrun Werns overgedecoreerde woonkamer was. Welke plagen zíj probeerde buiten te sluiten, daar kon je alleen maar naar raden.

De koelte was zeer plezierig na de inspannende wandeling de berg op. Helemaal vooraan in het koor, links van het altaar, hing een schip. Maria liep erheen en las de tekst op het zilveren plaatje onder de boot. Bovenaan stond met sierlijke letters: 'De zee gaf en de zee nam'. Onder die tekst was een dertigtal namen ingegraveerd van degenen die in de storm van 1931 waren omgekomen. Maria las de namen een voor een. Dat hadden die mensen verdiend, vond ze, om herinnerd te worden: Arnold Jacobsson, Edvin Karlsson, Holger Modig en Ivan Nilsson. Maria moest aan Ivan denken en keek omhoog naar de glas-in-loodramen van gekleurd glas. Misschien had hij hier als kind ook zitten fantaseren over de kleuren. Het geheel losgelaten, Jezus en Maria, en zich in plaats daarvan geconcentreerd op de kleuren, raam voor raam. Misschien zaten die gebrandschilderde ramen daar wel om te laten zien hoe God naar de mensen kijkt. Niet in zwart-wit, hij zou meer fantasie moeten hebben, de Schepper, niet in goed of kwaad, maar in kleur, in nuances die even rijk en verrassend konden zijn als het leven en de wisseling van de seizoenen. Wat had Ivan gezegd? Dat hij als kind zijn eigen werkelijkheid kon bepalen, zelf een zienswijze kon kiezen toen hij nog over flexibiliteit en fantasie beschikte? Maar dat de keuzemogelijkheden later, toen hij volwassen werd, verschrompeld waren als krenten. Misschien is dat voor sommigen het geval. Maar dan is het zaak de krenten uit de pap te vissen. Om tenminste een keuze te maken als die er is. Wat zou het leven voor zin hebben als alles al door het lot bepaald was, als de draden van het leven niet meer waren dan de touwtjes van een marionet? Als je een mens-erger-je-niet-pion was in een voorbestemd spel? Waarom zou je dan moordenaars moeten straffen, als ze voorbestemd waren om te moorden en geen keuze hadden? Eigenlijk zouden ze veel respect en compassie moeten krijgen omdat ze zo'n wrede rol toebedeeld hadden gekregen. Misschien zat er toch een kern van waarheid in Ivans gedachten. We worden onder verschillende voorwaarden geboren. Maar een mens is nooit zonder keuze, hoe groot of klein die keuzevrijheid misschien ook lijkt. Maria wierp snel een blik op haar horloge en stond op van de kerkbank.

De oude vrouw was bezig onkruid te wieden op het familiegraf naast het graf dat de aandacht van Maria getrokken had. Ze groette wat schuchter, maakte bijna een revérence en keek naar de grond. Maria zag hoe ze haar zanderige handen achter haar rug verborg, haar mond opende en een paar stappen naar voren deed. Het was alsof ze iets wilde zeggen, maar zich bedacht.

23

Gudrun riep dat het tijd was voor koffie. Ze waren alweer thuis. Vreemd, de kinderen konden er toch nauwelijks al genoeg van hebben bij het water, hoewel het een beetje koud was om te zwemmen? Linda vertelde met haar mond vol cake dat zíj er helemaal in geweest was, en dat Emil alleen maar was gaan pootjebaden, zo was haar verhaal met wat goede wil en enige ervaring in elk geval te interpreteren.

'Er waren kwallen!' schreeuwde Emil.

'Nou en?' vroeg Linda honend.

'Ome Egil, waar oma boos op werd, zei dat het neptieten waren die uit Amerika waren komen aandrijven. Getsie!' Emil rilde over zijn hele lijf toen hij in zijn badjas op de tuinbank zat.

'Siliconen!' zei Linda met het gezicht van de alweter.

'Ja, als die tantes in Amerika gaan zwemmen, dan stromen de siliconen in zee en die zwemmen dan naar Zweden, dat snap je toch wel?!' Krister moest zo ontzettend lachen dat hij zich verslikte in zijn koffie.

'Werd oma daar boos om?' vroeg hij.

'Nee, ze werd boos toen ome Egil naar haar keek toen ze zich ging omkleden. Oma zei dat hij de ogen uit zijn kop staarde. Gustav gluurde niet, die sliep. Weet je wat oma toen deed?' Krister schudde zijn hoofd en hij zag tot zijn verbazing dat Gudrun rood aanliep en dat haar gezicht op onweer stond. Linda moest zo hard lachen dat ze bijna van de bank tuimelde.

'Ik wist niet dat jullie elkaar kenden. Ik heb hem uitgescholden en gevraagd of hij nooit eerder een wollen onderbroek gezien had.'

'Daar had hij kennelijk geen antwoord op, want daarna gingen Gustav en hij naar huis. Hij had vast honger', zei Emil. Het kleine jongensknuistje reikte vliegensvlug naar een volgend plakje cake.

Linda kroop op Arturs schoot. Ze had het een beetje koud. Haar rug was helemaal nat van haar nog vochtige, lange, blonde haar. Emil kroop bij Gudrun op schoot. Zijn stekeltjes waren droog en hij had het eigenlijk helemaal niet koud. Het was meer een soort demonstratie voor gelijkheid. Krister steunde luid. Wanneer zou je je niet meer voor je ouders hoeven schamen?

Artur wilde net iets zeggen toen de telefoon in de keuken ging. Maria haastte zich op te nemen voordat Gudrun kon opstaan. De nieuwsgierigheid van die vrouw kende werkelijk geen grenzen. Met dezelfde voorspelbaarheid waarmee de dag na de nacht komt en de zomer na de winter, stond haar schoonmoeder na een paar seconden in de keuken met een stel koffiekopjes in haar hand als camouflage voor haar inbreuk.

'Met mij. U moet meteen komen! Alstublieft!' snikte Rosmarie. 'Ze zeiden dat u vanmiddag pas op het werk zou komen. Kunt u niet even komen als u toch hierlangs rijdt? Er is niemand anders die naar me wil luisteren.'

'Wat is er gebeurd?' Maria wuifde afwerend naar haar schoonmoeder die dichterbij gekropen was en over een niet-bestaande vlek op de keukentafel wreef. Gudrun ontweek haar gebaar handig, nam meteen de borden mee en zette ze zwijgend bij de afwas, om toch maar vooral niets te missen van het gesprek.

'Dit is een privé-gesprek. Wil je me even alleen laten?' zei Maria beheerst. Gudrun trok haar mond samen en droop af, ze liep naar de anderen rond de tuintafel. Ze nam plaats op het uiterste puntje van de tuinbank en zat geïrriteerd met haar voet te wippen, zoals een kat met haar staart zwaait.

De tuin van Rosmarie baadde in het zonlicht. De tuin zag er mooi en vredig uit met zijn rustige begroeiing. Maria haalde diep adem en liet de zeelucht haar longen strelen. De bijen zoemden in de haag van wilde roos. De zwaluwen vlogen naar en van hun nesten onder het dak van het restaurant. Een vriendelijk glimlachende serveerster in een naturelkleurige, mouwloze linnen jurk kwam Maria tegemoet.

'Rosmarie is in het prieeltje. Konrad is er ook. Ze is helemaal overstuur, de stakker. Ik geloof dat de gebeurtenissen van de laatste tijd wat te veel van het goede zijn. Ze wil ons niet vertellen wat er is. Ze zit alleen maar te huilen. Dit loopt niet goed af.' De glimlach verdween van het gezicht van de vrouw en ze keek Maria smekend aan: 'De politie moet toch wel íéts kunnen doen? Het is verschrikkelijk om een mens in een paar dagen zo te zien instorten. Nog steeds geen spoor van haar man?'

'Er wordt onafgebroken aan gewerkt. Hoe zou u Clarence willen omschrijven, als persoon?'

'Aardig, een hele aardige man en zo zorgzaam voor Rosmarie. Hij gaat overal met haar mee naartoe. Ze zijn altijd samen. Als ze naar een feest is, haalt hij haar altijd op. Het maakt niet uit of het laat wordt, hij zit in de auto te wachten en dan rijdt hij haar naar huis. En toen ze laatst naar een vriendin in Gävle ging, is hij daar helemaal naartoe gereden en heeft hij haar op het station verrast toen ze net in de trein wilde stappen. Hij had rozen gekocht. Daar zou mijn man nog wat van kunnen leren!'

Ze naderden het prieeltje en de vrouw pakte Maria bij haar arm. 'Beloof me dat er een einde komt aan deze ellende. Ze kan niet in het ongewisse blijven. Dat houdt ze niet vol.'

Rosmarie zat in elkaar gedoken in een rieten stoel in een hoek van het prieeltje. Konrad zat naast haar en hield haar handen in de zijne. Zijn gezicht was zo verdrietig dat Maria bijna haar zelfbeheersing verloor.

'Kom mee', zei Rosmarie en ze kwam moeizaam overeind. 'Kom mee naar de brug, ik moet u wat laten zien.' Haar gezicht was net zo door verdriet getekend als dat van Konrad: rood, gevlekt en opgezwollen. Ze droogde haar tranen met de mouw van haar vest.

'Gaan jullie maar vast. Ik loop wel in mijn eigen tempo', zei Konrad. Ze liepen naar de vijver met de waterlelies en de treurwilgen. Toen ze de brug naderden, merkte Maria dat Rosmarie verstijfde, dat de greep om haar arm verhardde.

'Op de brug onder de wilg, kijk maar!' Maria duwde de takken opzij en staarde naar het drijfnatte, verfomfaaide kattenlijf, dat slap en uitgestrekt naast de donkerrode letters lag, die het woord 'hoer' vormden. 'De kat lag onder de brug. Ik zag iets wits door de lisdodden heen schijnen en toen bleek het de kat te zijn.' Haar stem ging over in een hese huilbui. 'Volgens mij is het bloed.' Rosmarie wees op de letters. Ze viel huiverend op haar knieën en aaide de kat over de natte vacht. Het enige wat Maria hoorde, was het zachte suizen van de wind in de wilgen. Maria ging op haar hurken zitten en sloeg haar armen om Rosmarie heen. Zo zaten ze een hele tijd tot ze Konrads strompelende stappen op het grind hoorden.

'Wat denkt u hiervan?' vroeg Maria. Rosmarie schudde haar hoofd.

'Waarom zou Clarence de kat doodmaken waar hij zo aan gehecht is?' Plotseling sloeg de symboliek in zijn volle duidelijkheid toe. 'Kan hij de kat doden, dan kan hij mij ook vermoorden. Is dat wat hij wil laten zien?' Rosmaries ronde, grijze ogen keken Maria vragend aan, biddend en smekend dat Maria haar zou weerspreken, zou zeggen dat dat niet het geval kon zijn.

'We hebben het slot van de deur vervangen', mopperde Konrad, 'en we slapen in de keuken met de deur naar de slaapkamer op slot en de rolgordijnen naar beneden, voor het geval hij door het slaapkamerraam naar binnen zou komen. Het is alsof we in gevangenschap leven. 's Avonds hebben we de lamp in de keuken niet aan en zitten we daar in het donker om niet gezien te worden. We durven de radio of de tv ook niet aan te doen, omdat we bang zijn een geluid te missen dat ons kan waarschuwen – voetstappen in het grind, een deurkruk die omlaag geduwd wordt. Van de avondschemering tot het ochtendgloren houden we om de beurt aan de keukentafel de wacht. We zetten koffie om onszelf wakker te houden. Hoe lang moet dit nog doorgaan? Het is net een gevangenis! Wat doet de politie om hem te vinden? Hoe lang duurt het voordat de politie komt als we het alarm indrukken? Ik zou zeggen wel dertig minuten. Wat kan er in een halfuur niet gebeuren? En dan, als jullie hem te pakken hebben, hoe lang zit hij dan vast voordat hij met verlof mag en mijn dochter alsnog komt vermoorden?' Konrad kreeg moeite met ademhalen. Elke keer dat hij ademhaalde, maakte dat een sissend geluid. Zijn lippen kregen een blauwachtige kleur. Hij zocht naar een potje in zijn zak en stopte een nitroglycerinetablet onder zijn tong.

'We houden dit niet lang meer vol.' Rosmarie keek haar vader angstig aan. Maria kreeg tranen in haar ogen. Ze voelde zich machteloos. In veiligheid leven zou het onschendbare recht van ieder mens moeten zijn. Dat een oude man met een hartkwaal 's nachts moest zitten waken om zijn mishandelde dochter te beschermen tegen meer geweld was volkomen onacceptabel. Maar de middelen waren er niet. Zelfs niet wanneer mannen veroordeeld waren en een bezoekverbod hadden. Telkens weer gebeurde dát wat niet zou moeten gebeuren. Het meest effectieve alternatief, met de middelen die ze tot hun beschikking hadden, zou misschien zijn om mannen die hun vrouwen sloegen, elektronisch toezicht met behulp van een enkelband te geven.

'Wilt u misschien contact met het blijf-van-mijn-lijfhuis tot we Clarence gevonden hebben? Dat is het beste waar ik nu op kan komen', zei Maria terneergeslagen. 'Bent u ervan op de hoogte dat Clarence iedere maand grote sommen geld heeft betaald aan een man die Mårten Norman heet?'

'Ik heb geen inzicht in Clarence' financiën. Maar nee, dat wist ik niet.' Rosmarie stond op en borstelde haar knieën af, haar blik nog steeds op de dode kat gericht.

'Mårten Norman en Clarence hebben tegelijkertijd vn-dienst op Cyprus verricht. Elke eerste maandag van de maand komen de vn-soldaten bij elkaar in restaurant Engelen in Stockholm. Himberg is er gisteravond heen geweest. Heeft hij nog niet gebeld om te vertellen hoe dat is afgelopen? Hij had me beloofd dat te doen.'

'We hebben helemaal niets gehoord!'

'Dan wil ik graag uw telefoon lenen en dat controleren. Himberg is misschien vannacht in Stockholm gebleven.'

'Als Clarence er niet was, als ze hem dus niet hebben, wat denken jullie dan te gaan doen?' hijgde Konrad, nog steeds buiten adem van de wandeling.

'Doorgaan en gevolg geven aan ons plan uit te zoeken waar hij zich zou kunnen bevinden. Met zijn foto naar buiten treden, naar de media, en het publiek om hulp vragen. U weet geen zomerhuisje of iets dergelijks waar hij zou kunnen zijn? Een hotel waar hij regelmatig kwam?'

'Nee, we hebben het er wel eens over gehad om een huisje te kopen, maar daar is nooit iets van gekomen. We hebben niet zoveel vrienden. Ik heb contact opgenomen met alle mogelijke mensen. Ik heb Odd wel tien keer gebeld en de secretaresse bij Haags Makelaardij ook ontelbare keren. Zij vragen het zich net zo hard af als ik.'

Maria toetste het nummer van Hartman en moest een behoorlijke tijd wachten voor ze zijn bekende stem in de hoorn hoorde. Ze vertelde in het kort over de dode kat en de letters die op de brug waren aangetroffen. Hartman beloofde Erika te sturen voor een analyse van de rode kleurstof. Himberg was die nacht overgebleven in Stockholm, maar hij was nu op weg naar huis. Clarence Haag was niet verschenen bij restaurant Engelen. Daarentegen had Himberg volgens Hartman een indringend gesprek gehad met Odd Molin.

24

Op weg naar het bureau luisterde Maria met een half oor naar het nieuws. Er kwamen nieuwe bezuinigingen aan binnen de openbare sector vanwege de gigantische buitenlandse schuld. Ongelooflijk dat Zweden in de jaren zeventig nog een begrotingsoverschot had. Nu moest er opnieuw bezuinigd worden om de taken die op de gemeenten rustten te kunnen betalen. Wat gebeurt er als de steun aan de meest kwetsbaren in de samenleving wegvalt? De kosten worden vast niet minder als de staat en de gemeente niet langer betalen. Er is altijd iemand die op de een of andere manier moet betalen. Maria dacht aan de mensen die ze vorige winter ontmoet had, die in caravans woonden nadat het psychiatrisch ziekenhuis gesloten was. Hetzelfde gold voor de psychisch zieken in Kronköping. Hoeveel mensen zaten er niet eenzaam op hun flatjes, opgesloten met dreigende stemmen in hun hoofd, niet in staat tot een sociaal leven, te zeer gehinderd door hun ziekte om afspraken bij de dokter en de sociale dienst na te kunnen komen? Hoeveel dat er waren kon je alleen maar vermoeden naar aanleiding van de gesprekken die bij de politie binnenkwamen. De hervorming zou iedereen eigen woonruimte bieden, en die gedachte was wel goed, maar als die mensen dan maar voldoende steun en hulp kregen. Maar het geld dat voor dit doel naar de gemeente ging, kwam niet in een speciaal potje en verdween daardoor in het algemeen tekort. Een tijdje geleden had Maria op tv de laatste cijfers gezien. Eenderde van de patiënten die weer op zichzelf hadden moeten gaan wonen, was niet meer in leven! Eenderde! Er is altijd iemand die betaalt. Familieleden – niet zelden oude mensen – die het juk weer op de schouders moeten nemen als hun volwassen kinderen in misère leven. Wat gebeurt er als er niet voldoende plaats is in de afkickkliniek? Iemand anders betaalt. Mårten Normans moeder, die bont en blauw geslagen op de orthopedieafdeling zat, was een van hen. Er is altijd iemand die ervoor opdraait, altijd.

Hartman zag er moe en terneergeslagen uit. Misschien kwam dat door zijn mislukte pogingen om zich te houden aan een dieet van minder vet voedsel. Werd er te veel van hem geëist, of was het gewoon een gebrek aan inspiratie, dacht Maria en ze nam plaats tussen de anderen in de vergaderkamer.

'We hebben het voorlopige sectierapport van Mårten Norman.' Hartman bladerde ijverig in de stapel papieren voor zich en haalde zijn schouders geërriteerd op toen hij niet kon vinden wat hij zocht. 'Mårten Norman is niet verdronken!'

'Niet verdronken? Wat deed hij dan met zijn kop onder water?' vroeg Himberg en hij wreef over zijn ronde aardappelneus.

'Het longweefsel zag er normaal uit', nam Erika het over. 'Bij een verdrinking worden de longen en de maag gevuld met water. Mårten Norman was dus al dood voordat hij in het water terechtkwam. Wat de verdenking op een misdrijf uiteraard versterkt. Als het rottingsproces verder geweest was, had men zich daar niet over uit kunnen spreken. Hij is dus op tijd boven water gekomen, kun je zeggen. Het lichaam vertoont geen uitwendige sporen van geweld, geen wonden of kogelgaten. Ze zijn nu bezig met een standaard toxicologisch onderzoek. Zoals we eerder al aannamen, is hij ongeveer een week geleden overleden. Maar dat is niet het vreemdste. Dat is dat hij een ring had ingeslikt. Die kregen we vanochtend met de post.' Ze maakte een plastic zakje open en liet een ring in de vorm van een soort gordiaanse knoop op tafel glijden, een puzzelring. Maria leunde voorover om hem goed te kunnen zien. De puzzelring bestond uit vier schakels en was van goud of een goudachtig metaal. Een turkenring, zoals Mayonaise gezegd zou hebben.

'Wat is dat voor soort ring?'

'We zouden het juwelier Bredström kunnen vragen, hij zou het moeten weten. Ik geloof dat VN-soldaten zulke ringen hadden. Maar misschien worden ze gewoon bij Bredström verkocht, wat weet ik ervan?' Maria wist zeker dat Mayonaise ook eens zo'n ding had laten zien.

'Mårten heeft ook bij de VN-troepenmacht gezeten, hè?' vroeg Hartman en hij wreef over zijn oor.

'Hij, die Mayonaise, ook. Dat bleek heel duidelijk toen ik met hem in verhoor zat.' Arvidsson bloosde licht en bestudeerde een barst in zijn koffiekopje. 'Hij heeft me zijn hele levensgeschiedenis verteld. Daarna probeerde hij me een oude Volvo 240 aan te smeren.'

'Koop hem!' Maria pakte Arvidsson smekend bij de arm.

'Jezus, waarom? Iedereen weet toch dat die oude Volvo's onder je kont wegroesten.' Arvidsson streek zijn haar naar achteren en vouwde zijn handen achter zijn nek om te proberen te ontkomen aan Maria's poging tot lichamelijk contact.

'Omdat die auto bij mij in de tuin staat!'

'Ik ben bang dat dat niet voldoende is als verkoopargument. Mevrouw Mayonaise had blijkbaar een conflict met Jacob Enman. Ze noemde hem een oude zak, voordat ze wist dat hij overleden was. Jacob had schijnbaar haar zoon, dat lieve schatje, van het voorjaar bij zijn lurven gepakt toen die stenen aan het gooien was naar een eidereend die zat te broeden.'

'Dat verbaast me geen steek. Het is een ettertje', zei Maria nadrukkelijk.

Hartman schraapte zijn keel en eiste de aandacht.

'Waarom had die vent een ring in zijn maag? Waarom slik je in hemelsnaam een ring in? Bij het forensisch lab zeggen ze dat die ring uitstekend om Mårten Normans rechter ringvinger gezeten kan hebben. De maat klopt en hij heeft een lichtere rand om zijn vinger waar de zon zijn huid niet gebruind heeft.'

'Hij wilde zijn schatten zeker meenemen de kist in', grapte Himberg. De aanwezigen kreunden collectief. Hartman vroeg om concentratie. Himberg bladerde chagrijnig in zijn blok en liet zijn pen snel tussen zijn vingers draaien. 'Mårten had trek', mompelde hij bij zichzelf.

'Of was hij bang om beroofd te worden? Misschien had hij die ring gestolen en wilde hij hem gebruiken als deelbetaling voor zijn volgende trip', stelde Arvidsson voor.

'Of misschien kende hij zijn moordenaar en wilde hij ons een kleine aanwijzing geven.' Erika zag er niet uit alsof ze er zelf in geloofde. 'Maar waaraan hij gestorven is, is nog niet bekend.'

'Himberg, wat kun jij vertellen over Engelen?'

'Clarence Haag is niet komen opdagen. Er waren er wel een paar die op hem leken, in een mooi kostuum en zo. Odd Molin zat bij me aan tafel, helemaal bij de deur. Als Clarence binnengekomen was, had Odd hem direct herkend. We zaten daar op de bovenverdieping, in het restaurant, dus.'

'Maar je hebt uitvoerig met Odd van gedachten kunnen wisselen?'

'Ja, een ontzettend aardige vent. Die kan praten! Betaalt de politie het bier dat ik moest drinken, ik bedoel omwille van het onderzoek?' Himberg haalde een nota uit zijn versleten portefeuille. 'We hebben daar een hele tijd gezeten en ik zou toch overnachten in Stockholm. Dan zou het onnatuurlijk zijn geweest als ik alleen mineraalwater gedronken had.' Hartman wierp een blik op het papiertje.

'Je had maltbier kunnen nemen.'

'Bestaat dat?'

'Omwille van het onderzoek heeft maltbier de voorkeur. De aanvraag wordt afgewezen. Kunnen we ons beperken tot het onderwerp?' vroeg Hartman met een blik op de klok.

'Is het mogelijk dat Rosmarie Haag politiebewaking krijgt?' Maria deed verslag van de gebeurtenissen van die ochtend. 'Het is niet ondenkbaar dat Clarence naar huis komt.'

'Rosmarie Haag heeft een alarm gekregen. Ik begrijp dat ze het moeilijk hebben, dat ze op scherp staan. Maar we hebben de mogelijkheden niet. Zelfs als het geen vakantietijd was, zou het onmogelijk zijn.'

'Ik heb een snelle analyse gemaakt van de rode kleurstof op de brug, dat was bloed. Mensenbloed of dierenbloed, het is nog te vroeg om daar iets over te kunnen zeggen, maar de test gaf uitslag op hemoglobine.'

'Dat is vervelend. En we moeten maar zien wat de juwelier kan zeggen over die ring. Kun je nog iets meedelen over Jacob Enman, Erika?'

'Hij is ook ongeveer een week dood. Hij heeft geen familie. De strandhut, het huisje in het bos en de flat in de stad vervallen aan de staat. Hij was zo gezond als een vis, zei de patholoog. Hij zou nog wel tien jaar hebben kunnen leven als hij niet omgebracht was. De klap, die schuin vanaf de zijkant zijn achterhoofd trof, was onmiddellijk dodelijk. Hij had volgens getuigen een goed gehoor en had zeker gereageerd als er een vreemde binnengekomen was, door op te staan of door zich om te draaien. Ik denk dat we kunnen aannemen dat degene die Jacob gedood heeft, een goede bekende van hem was. Niemand heeft tijdens midzomer een onbekende gezien in het vissersdorp. Het ziet er dus naar uit dat we op zoek zijn naar iemand die daar normaliter ook komt.'

'Wat zei Odd Molin over de foto van Mårten Norman?' vroeg Hartman.

'Dat is nog wat vaag. We moesten onze aandacht immers op de deur richten.'

'Herkende hij Mårten Norman?'

'Dat kun je eigenlijk niet concreet zo zeggen. Hij zag veel andere jongens die hij herkende.' Himberg sprak snel en zacht, terwijl hij geconcentreerd probeerde een stift uit zijn vulpotlood te schudden.

'Maar je hebt hem toch wel de foto laten zien?'

'Shit, die foto...'

'Moet ik het zo interpreteren dat je die helemaal niet hebt laten zien? Had je die foto überhaupt bij je?'

'Ja, die had ik bij me, maar...'

'Je hebt hem nooit aan Odd laten zien.'

'Dat zou je kunnen zeggen. Jezus, ik ben ook maar een mens! Er werd gedanst en we werden ten dans gevraagd door knappe dames, weet je wel.'

25

Ivan Sirén zat aan de keukentafel met een pluizige, roodgeruite deken om zich heen te rillen van de kou toen Maria aanbelde. Hij stond langzaam op en hinkte weg om open te doen. Zijn haar hing samengeklit en grijs over zijn schouders. Zijn wangen, onder de koortsachtig glanzende ogen, leken nog meer te zijn ingevallen.

'Hebben jullie ze al, die veganisten?' vroeg hij en een stank van aceton en zure koffie ontsnapte aan zijn mond.

'We doen ons best, maar dat kan wel even duren. We zitten met een moord. En er is ook een verdrinkingsgeval in Kronviken. Zou ik je een paar vragen kunnen stellen?' Ivan knikte zwijgend en kroop dichter onder zijn deken. In zijn ene geitenwollen sok zat een gat en Maria zag hoe hij dat probeerde te verbergen door zijn voeten over elkaar te leggen.

'Ben je al naar een dokter geweest met je enkel?'

'Hägg heeft me gereden. We hebben penicilline gehaald bij de apotheek.'

'Heb je vandaag al iets gegeten?'

'Nee,' Ivan trok nadenkend aan zijn snor, 'dat geloof ik niet.'

'Wil je dat ik iets voor je maak terwijl we praten?'

'Ja, graag.' Een glimlach zocht zijn weg naar buiten door zijn baard.

'Wat heb je in huis? Is dit de voorraadkast?' Ivan knikte. Zijn oogleden hingen loodzwaar omlaag.

'Pap, griesmeelpap, dat is goed. Als jij dat tenminste ook wilt?'

'Daar zeg ik geen nee tegen', zei Maria en ze pakte een steelpannetje uit de kraakheldere kast. Terwijl ze melk en griesmeel mengde, keek ze naar haar handen. Alle nagels waren afgebeten en alle nagelriemen waren kapot van het graven in de aarde. Ivans nagels zagen er nog erger uit. Die waren haast onvindbaar, zag Maria toen hij zijn lepel naar zijn mond bracht. Alsof dat een troost was.

'Als je terugdenkt aan de zondag van het midzomerweekend – ben je toen in het vissersdorp geweest?'

'We hebben op zondagavond netten uitgezet en ze maandagochtend vroeg weer binnengehaald. Maar het leverde niet veel op.'

'Ben je die zaterdag op het strand geweest?'

'Nee, toen hebben we nertsen ingeënt. Ik krijg hulp van scholieren. Het kost erg veel tijd. Ik zou willen dat ik van die ondieren af was, die nertsen dus. Ik zit er ernstig over te denken om de activiteiten van de winter te beëindigen.'

'Maar zondagavond hebben jullie netten uitgezet. Jij en de Häggs?'

'Jacob was er ook bij.'

'Hoe laat zijn jullie ongeveer uit elkaar gegaan?'

'Tien uur, halfelf.'

'Heb je toen nog iemand anders gezien in het vissersdorp?'

'Ja, hoe heet hij, Mayonaise en zijn vrouw. Dat ventje stond stenen te gooien naar de meeuwen. Hij raakte in conflict met Jacob en dat verbaast me niks. Hij wordt Bieflap genoemd.' Ivan glimlachte voorzichtig en zag er opeens heel jeugdig en jongensachtig uit.

'Waren er meer boten dan alleen de Marion 11?'

'Ja, die vent met die mahoniehouten boot, de zondagszeiler, zoals we hem noemen.'

'Weet je hoe hij heet?'

'Molin, samen met die makelaar die daarna verdwenen is. Ze waren op weg naar Kronholmen. Zijn vrouw was nog op het strand. Het leek alsof ze haar daar hadden gedropt. Ze zat op de steiger te huilen.'

'Kun je haar beschrijven?' Ivan leek lang na te moeten denken.

'Valt de schoonheid van een dauwdruppel te beschrijven?' Hij streek met zijn hand over zijn ogen, die glommen van de koorts.

Maria besloot alleen de meest noodzakelijke gegevens op te nemen en later terug te komen.

'Wat hebben jullie gedaan nadat jullie die zondag aan land waren gegaan?'

'We hebben nog een bakkie gedronken bij Jacob en toen zijn we naar huis gegaan. Ik heb het nieuws van elf uur gezien en toen ben ik naar bed gegaan, want we moesten heel vroeg weer op.'

'En op maandagmorgen hebben jullie de netten binnengehaald. Weet je hoe laat jullie in het vissersdorp kwamen?'

Ivan wachtte even met antwoorden tot hij de karrenvracht pap die hij op zijn lepel had, had doorgeslikt. Maria keek om zich heen in de spaarzaam ingerichte keuken, waar de enige wandversieringen bestonden uit een kwikzilverbarometer en een vergeeld kunststof lijstje met een krantenfoto van bokser Ingemar Johansson, een ouderwets wandrekje voor kranten en de telefoon, een oud, zwart bakelieten model met een draaischijf. Naast het fornuis stond een thermoskan met een macraméachtig omhulsel van rood plastic. Vast origineel. Onbewuste cult?

'Om welke tijd kwamen jullie in het vissersdorp?' herhaalde Maria.

'Hoe vroeg kan het geweest zijn, vijf uur misschien?'

'Was Jacob ook bij het binnenhalen van de netten?'

'Nee, hij voelde zich niet helemaal lekker, hij wilde zijn krachten sparen. Hij is al over de negentig. Maar hij was op. Ja, zeker. Alhoewel hij met zijn hoofd op tafel lag te slapen. Maar hij is heel kwiek voor zijn leeftijd, dat zal ik je zeggen.'

'Ivan, je weet toch wel dat Jacob dood is?' vroeg Maria en ze keek Ivan onzeker aan.

'Hägg zei het. Wie kan dat gedaan hebben? Wie wilde Jacob nou kwaad doen? Hägg dacht dat het misschien die verslaafde was van de hut ernaast.'

'Heb je Mårten Norman vorig weekend gezien?'

'Nee, ik heb hem niet gezien, maar er brandde die zondagavond licht bij hem.'

'Op maandagmorgen toen jullie die netten binnen gingen halen, waren er toen nog meer mensen op het strand?'

'Nee.'

'Heb je gezien of er licht brandde bij Mårten Norman?'

'Daar heb ik niet op gelet.'

Ivan was inmiddels lijkbleek en keek zeer vermoeid, en het leek Maria beter om hem weer in bed te laten kruipen.

'Komt er nog iemand naar je kijken vandaag?'

'Hägg zou langskomen met wat pannenkoeken als hij op het politiebureau geweest was. En Gustav zal wel langskomen met een of twee bloemetjes, verwacht ik.'

Maria liet haar auto bij het bureau staan en wandelde naar juwelier Bredström. Dat duurde misschien vijf minuten langer dan met de auto, maar het was lastig parkeren in de binnenstad. De voorgevel van het raadhuis werd gerenoveerd voor het botenfestival komende week. Maria laveerde om de steigers en ladders heen, en moest een omweg maken om een hek dat het publiek ervoor moest behoeden rechtstreeks in een cementmolen te lopen. De halve straat voor de kiosk was opgebroken om plaats te maken voor charmante kinderhoofdjes in plaats van het praktische, maar weinig esthetische asfalt dat voorheen gebruikt was als bestrating. Maria stopte bij de kiosk en kocht een stuk chocola en een ijshoorn met drie bolletjes roomijs: noten, chocola en rumrozijnen. Toen ze met het hoorntje in haar hand stond, bedacht ze dat het misschien niet zo gewaardeerd werd als ze bij juwelier Bredström binnen zou komen met een ijsje. Er hing, dacht ze, zelfs een bordje met een ijsje en een sigaret, en een rood kruis erdoorheen, zodat niemand de boodschap zou ontgaan en ijs of as zou knoeien op de rode vaste vloerbedekking. Daarom bleef Maria een tijdje tegen de muur van de kiosk geleund staan en liet de zon haar gezicht warmen terwijl ze genietend haar ijsje opat.

'Wérn!!!' Die stem kon niet missen. 'Heb je dienst?' Dat kon ze niet ontkennen. Maar toen ze zag dat Storm diep inademde om in de aanval te gaan en voelde hoe pijnlijk het zou zijn als hij haar voor alle mensen in de rij voor de kiosk een uitbrander zou geven, legde ze haar hand op zijn arm en fluisterde in zijn oor: 'Niet hier, Åke. De mensen kijken. Denk aan onze reputatie.' Storm raakte van zijn apropos en keek wat gegeneerd om zich heen, en dat was het dan. Later moest Maria er nog wel eens aan denken wát nu eigenlijk de scheldkanonnade tegengehouden had. Misschien hoorde hij zijn moeders stem: 'Maak jezelf nu niet belachelijk, Åke.' Of misschien was de brutaliteit hem buiten het bureau bij zijn voornaam te noemen, zo groot dat hij die niet aankon. Op dat moment verdween in elk geval iets van de wrevel die Maria tegenover haar chef gevoeld had en ze zag hem daarna met wat meer warmte, althans zo nu en dan.

Bredström zelf was er niet, maar zijn vrouw, die wel eens in de winkel meehielp, was zeer behulpzaam. Maria legde de ring op de toonbank en mevrouw Bredström liet haar een vitrine aan de andere kant van de zaak zien waar identieke ringen lagen, op blauw fluweel en gerangschikt naar het aantal delen waaruit ze bestonden en uit elkaar genomen konden worden: vier, zes of twaalf.

'Hij wordt Afrikaring, Turkse ring of VN-ring genoemd. Wij maken hem uiteraard uitsluitend van achttienkaraats goud. Waar de jongens mee thuiskomen als ze in het buitenland zijn geweest, is vaak maar veertienkaraats, turkengoud, zoals ze zeggen.' De vrouw van de juwelier giechelde zó, dat haar hele borstkas op en neer ging.

'Kunt u controleren hoeveel karaats deze ring is?'

'Mijn man is momenteel niet aan het werk, maar als u hem hier achterlaat, kunnen we er morgen naar kijken. Hoe is uw naam?'

'Maria Wern, van de politie.'

'Ik geloof dat ik het dan meteen tegen hem zeg. Hij ligt hierbinnen een dutje te doen', zei mevrouw Bredström en ze wees naar het roodfluwelen gordijn dat de zaak scheidde van het privé-gedeelte van het huis.

Een zichtbaar vermoeide man met een verwarde haardos maakte zijn entree door het fluwelen gordijn toen zijn vrouw hem riep. Haar stem, die een brok graniet tot leven had kunnen wekken, werd gevolgd door een deinend gegiechel. Bredström gaf Maria een hand en zocht naar zijn bril in de zak van zijn colbert.
'We zullen zien, we zullen zien', mompelde hij bij zichzelf. 'Het duurt even. Misschien wil mevrouw even rondkijken terwijl ze wacht? Wellicht is er nog iets interessants bij.'
'Ze is van de politie', fluisterde zijn vrouw. De juwelier peuterde met zijn vinger in zijn oor en haalde zijn schouders op. Maria volgde de aanbeveling en maakte een rondje door de zaak.
Oorbellen en ringen lagen te schitteren op hun fluwelen bedjes. In een vitrine lag precies zo'n ketting als ze met kerst van Krister gekregen had en die ze sindsdien elke dag gedragen had. Hij zag eruit als een Keltisch sieraad of een grafvondst uit de ijzertijd, maar hij was van puur goud. Mevrouw Bredström had het sieraad gezien, maar er niets over gezegd. Met een zekere voldoening herinnerde Maria zich kerstavond bij haar schoonmoeder en de bewondering die de ketting gewekt had. Eigenlijk zou ze niet op het prijskaartje moeten kijken. Maar ze wilde tegelijkertijd zien of het exact hetzelfde sieraad was en dan móést ze wel op het prijskaartje kijken. Het glas besloeg helemaal: negenenveertighonderd kronen, daar kon je met een beetje geluk een redelijke auto voor kopen of een tweedehands wasmachine én een vaatwasser. Waar haalde Krister in hemelsnaam het geld vandaan voor een ketting van negenenveertighonderd kronen? Hoe had hij dat kunnen doen zonder dat ze gemerkt had dat er geld van de rekening verdwenen was? Vermoedelijk had dat er nooit op gestaan. Zo was het nu eenmaal met Krister, je wist bij hem nooit hoe een koe een haas ving.
In het begin hadden Kristers vrienden haar gewaarschuwd

voor gemeenschappelijke financiën. Koop geen dure dingen samen, je weet niet hoe lang het aanblijft. Wacht even met een leren bankstel, zeiden ze. Maar Maria had niet naar hen geluisterd. Ging ze een relatie aan, dan ging ze er helemaal voor. Dat was al moeilijk genoeg. Ze had diverse afschrikwekkende voorbeelden gezien van het tegenovergestelde. Er was een stel in haar kennissenkring dat constant ruziemaakte over wie wat zou betalen. Het toppunt was bereikt toen ze een verjaarscadeau voor Karin hadden gekocht en ze het hele feest hadden verpest met ruziën over de vraag wie het best met haar bevriend was en wie welk percentage moest betalen: de één dertig en de ander zeventig procent, de één veertig en de ander zestig procent of misschien zelfs de één tachtig en de ander twintig procent. Dat werd alleen nog overtroffen toen de vrouw van het stel haar man een hele dienst in het ziekenhuis achternazat met paasversiering, omdat hij weigerde de helft te betalen aangezien híj de paasversiering lang niet zo mooi vond als zíj. Wat vermoedelijk de druppel was die de emmer deed overlopen: wat volgde was hun echtscheiding. Nee, gemeenschappelijke financiën had in dat perspectief de enige mogelijkheid geleken. Clarence had de volledige controle over de financiën van de familie Haag. Rosmarie had hem om geld moeten vragen voor het meest noodzakelijke. Was het mogelijk dat hij jarenlang duizenden kronen kon uitbetalen zonder dat Rosmarie daar iets van wist?

Juwelier Bredström schraapte zijn keel en nam de loep van zijn oog.

'Ja, mevrouw Wern. Deze ring is slechts van veertienkaraats goud. Hij kan niet hier zijn gekocht. Zoals mijn vrouw al verteld heeft, wij werken uitsluitend met achttien- en vierentwintigkaraats goud.'

26

'Ga je mee naar Kronholmen, Maria? Ik heb tegen Hartman gezegd dat ik jou mee wilde hebben.' Erika Lund stond al met haar autosleutels in haar hand. 'Ik wil zien waar het lichaam van Mårten Norman gevonden is en eens even kijken op Kronholmen. Odd Molin heeft beloofd ons op te pikken met zijn Viktoria.'

'Is dat wel verstandig?'

'Hoe bedoel je?'

'Hij staat toch niet helemaal buiten verdenking?'

'Odd Molin, denk je echt dat Odd Molin iemand met een bijl zijn hoofd zou inslaan?'

'Die vraag laat ik open.' Maria probeerde haar gevoel van onbehagen weg te lachen. 'Weet Hartman dat we met Odd gaan varen?'

'Nee, maar we kunnen het bij de receptie melden, voor het geval Odd ons zou willen ontvoeren', zei Erika een beetje pissig.

De visser die Mårten Normans lichaam uit zee had opgevist, zat met een zuur gezicht zwijgend op het achterdek van Odd Molins zeiljacht. De kapitein zelf was de scheepsklok aan het oppoetsen. Het messing blonk verleidelijk in het zonlicht. De dieprode kleur van het mahoniehout, zonder ook maar één krasje, lag goed beschermd onder twaalf zorgvuldig aangebrachte lagen vernis, vertelde Odd. Erika zocht steun bij het want en wilde net aan boord klimmen toen Odd haar voet opving in de lucht.

'Stop', brulde hij op onaangename toon en zijn gezicht stond eveneens op onweer.

'Schoenen uit, verdomme. Op míjn dek loop je op blote voeten, weet je nog?' Erika sprong gehoorzaam uit haar schoenen en Maria volgde met slecht gecamoufleerde woede haar voorbeeld. Toen ze plaats hadden genomen in de kuip, vroeg Maria waarom ze niet de boot van de politie namen, die in de haven van Kronköping lag.

'Odd doet het gratis. Op die manier besparen we de staat wat geld voor brandstof.'

'Ik vind dit geen succes, Erika.'

'De vorige keer lag er een matje op de kade waar ik mijn voeten op geveegd had. Maar nu zag ik er geen een en ik dacht er ook niet aan. Kijk, nu tilt hij zijn hond aan boord!'

De teckel zag eruit als een broodje worst met haar knalgele zwemvest. Odd tilde haar naar binnen aan de handgreep op de rug en veegde haar pootjes zorgvuldig af met een witte handdoek.

'Het is niet zo gemakkelijk om alléén met de Viktoria te zeilen. Welkom aan boord', zei Odd. 'En wat kan ik de dames aanbieden? Misschien wat aardbeien?' Zijn stem was nu stroperig als honing. Erika gniffelde verrukt en kreeg een harde por in haar zij van Maria.

'Hoe weet je dat hij ons niet drogeert?' snauwde ze.

'Maria denkt dat je ons gaat vergiftigen', zei Erika luid en schaamteloos.

'Nee, ik ben hier alleen maar om jullie dag een gouden randje te geven.' Odd lachte zijn brede eekhoornlach. De lach van een knaagdier. Maria bedacht hoe eekhoorns vogelnestjes uithalen, andermans jongen opeten en eitjes kapotmaken als ze erbij kunnen komen. Eekhoorns zijn roofdieren. Deze keer droeg Odd geen kostuum, maar een zeiljack en een witte broek. Hoe praktisch is een witte broek bij het zeilen? vroeg Maria zich af, nog steeds onwillig na de onvriendelijke reprimande van daarnet. De visser op het achterdek moest haar mening gedeeld hebben, want zijn afkeurende blik rustte ook op Odd Molins lichte broek: de zondagszeiler, zeiden zijn gekruiste benen en zijn stevig over elkaar geslagen armen. Ik ga mee omdat het moet, maar Onze-Lieve-Heer heeft vreemde kostgangers.

De zon scheen en er was voldoende wind. De meeuwen stegen op van de pier en zweefden met hongerig gekrijs achter de boot aan. Het water klotste blauwgroen en schuimend langs de Viktoria.

'Het wordt een rustige overtocht, we gaan voor de wind.' Odd hees de zeilen. Maria zag de vissershaven krimpen. Het gele huis was niet meer te zien, maar de kerk met de grote klok rustte majestueus op de rand van de klip. Die was geruime tijd hun baken. Ongewild genoot Maria van het boottochtje, de zeilen vol wind, de zon die haar lichaam verwarmde. Ze aten aardbeien en sandwiches met gravad lax. Maria sloeg de champagne af, net als visser Tord.

'Trek het grootzeil wat verder aan, Erika', commandeerde Odd, die de hele tijd het zeil volgde met zijn blik. De teckel stond helemaal vooraan op het voorschip met haar neus in de wind. Klein, maar zelfverzekerd.

'Eén glas champagne kan toch wel', lachte Erika en ze keek Odd aan met een flirtende blik.

'Hier was het.' De visser nam zijn pet af en hield hem tegen zijn borst. Odd liet de Viktoria in de wind oplopen. Erika reefde de zeilen. Ze gingen voor anker.

'Weet u hoe de stroming hier is?' vroeg Maria en ze ging met de zeekaart naast Tord op het achterdek zitten.

'Ik denk dat hij er hier bij Kronholmen in gevallen is en langs de vaarroute is gedreven. Dat is het meest waarschijnlijk', zei hij en hij stopte een flinke portie pruimtabak onder zijn bovenlip, gooide het tabaksdoosje in het water, en dat dreef inderdaad in de aangegeven richting. Maria floot luid en kreeg een fikse uitbrander van kapitein Molin. Op zee fluit men niet! Nóóit! Zijn blik was zo woest, dat Maria even vreesde dat hij haar overboord wilde gooien.

'Waarom niet?' fluisterde Maria tegen Erika toen Odd even in beslag werd genomen door de teckel die haar evenwicht verloren had.

'Dat betekent gevaar, dat je de boze geesten van het weer

aanroept, de storm. Het is vast verwant aan de mythe dat je niet moet fluiten als je peterselie zaait. Peterselie werd vroeger gezien als het kruid van de duivel. Daarom groeit het zo langzaam, omdat het zaad eerst zeven keer de grond in moet zakken naar de duivel, die een tiende van de zaadjes inpikt, voordat het kan groeien. Als je je vijanden bij hun naam noemt als je peterselie zaait, zullen ze dood neervallen, zegt men. Maar ik heb het nooit geprobeerd.'

'Als het zo eenvoudig was, zou de hele oorlogsindustrie failliet gaan. Ik heb gelezen dat de Romeinen een krans van peterselie gebruikten tegen een kater. Ze dachten dat de peterselie de drankwalmen absorbeerde.' Maria sloeg haar ogen ten hemel en Erika lachte.

'Zeelui vormen een bijgelovig volk, net als agrariërs in de oude boerensamenleving. Misschien omdat vissers en boeren meer dan anderen afhankelijk zijn van weer en wind. Er zijn heel veel gezegden over de zee.'

Odd moest naar hen hebben staan luisteren met zijn oren gespitst in de wind. Hij mengde zich in het gesprek.

'Wij zeggen altijd: avondrood, water in de sloot.' Hij schoot zijn sigarenpeuk in zee en nam een slok champagne. 'Daar proosten we op, meisjes.'

Maria vroeg zich heimelijk af hoeveel glazen champagne Odd gedronken had. In geval van nood moest Tord maar terugroeien naar huis. Deze onderneming voelde niet goed, met Odds nukkige humeur en Erika's tekortschietende beoordelingsvermogen. Maria moest naar het toilet en verdween benedendeks. De toiletruimte was zo krap bemeten dat je bijna erbuiten je broek uit moest doen en achteruit moest inparkeren. Maria voelde een lichte misselijkheid opkomen door de onvoorspelbare bewegingen in de romp.

'Je weet wel dat je geen papier of andere zaken door het toilet mag spoelen, hè?' donderde Odd. De boot helde over en Maria greep zich vast aan de handgreep van het badkamerkastje om haar evenwicht niet te verliezen. De deur vloog open en ze kreeg de hele inhoud van de planchetten over zich heen. Scheermes en aftershave zette ze naar eigen goeddunken terug. Hij zou haar er zeker van verdenken in de kast te hebben rondgesnuffeld.

'Hoe gaat het daarbeneden?' vroeg Odd. 'Je bent toch niet zeeziek? Ha ha! Kom naar boven in de frisse lucht, dan gaat het beter.'

De visser wreef met zijn hand over zijn bezwete kruin.

'De onderstromen bij het uitkijkpunt op de rots van Kron-holmen leiden hiernaartoe en daarna volgt de stroming de vaar-route, bijna helemaal tot aan het vissersdorp.' Maria keek in zijn waterige ogen en zag de kleine zoutkristallen in zijn wenkbrau-wen en de zweetvlekken die aan de zijkanten van zijn blauwe hemd tot witte kringen waren ingedroogd. Zijn gestopte geiten-wollen sokken waren drijfnat, net als Maria's kousen. Hij was blijkbaar ook niet gewend om zijn schoenen uit te moeten doen. Odd stak een nieuwe sigaar op en keek voldaan. Ze naderden het eilandje. Ze voeren een kleine, beschutte natuurlijke baai in.

'Stootkussens', gebood Odd en Erika gehoorzaamde onmid-dellijk, zo gedresseerd was ze al. De stootkussens zaten in een soort ingewikkeld macraméwerk.

'Wat een flauwekul', zei Tord en hij spoog een goed gemikte fluim over de reling.

Ze legden aan bij de steiger van Kronholmen, een oude, ver-rotte houten steiger met grote gaten in de planken. Een hut met zwemvesten was het enige gebouw op het hele eiland, afgezien van de twee houten windschermen aan de zuidkant, die als beschutting dienden bij primitief kamperen. Het dak van de hut was van asfaltpapier en zat wat los in de hoek aan de kant van de steiger. Vreemde plaats om zwemvesten uit te lenen, dacht Maria. Als je eenmaal hier bent, ben je toch al over het water gekomen? Zeeasters hadden zich omhooggewerkt tussen de ste-nen op het strand, maar de blauwe bloemetjes lieten nog op zich wachten. Verderop op het eiland kwam het gras tot kniehoogte. Maria probeerde niet aan slangen te denken toen ze de steenhoop met ronde stenen zag die boven de vegetatie uitstak. Als je hier door een slang gebeten werd, duurde het een eeuwigheid voordat je in het ziekenhuis in de stad was.

'Vroeger graasden hier schapen. Nu komen hier met name toeristen', informeerde de man in het blauwe hemd. Odd tilde de teckel op aan de handgreep en bevrijdde haar van het zwemvest. Gelukkig kwispelend rende ze het bos in om haar behoefte te doen, om vervolgens gehoorzaam aan de zijde van haar baasje te blijven.

'Dat was heel aardig van je, Odd, om ons naar het eiland te brengen', zei Erika en ze glimlachte naar kapitein Molin met haar rood gestifte lippen.

'Ik heb niet gezegd dat het gratis was', zei Odd met flirtende stem. 'Ik zou me enige compensatie kunnen voorstellen in natura.' Nee hè, dacht Maria en ze raakte er steeds meer van overtuigd dat dit verkeerd was. Tord spuwde op de grond en leek dezelfde mening toegedaan. Maar Erika glimlachte alleen maar en nam Odd onder de arm. Ze gingen vrij natuurlijk twee aan twee verder toen het pad dat om het eiland liep zich in tweeën splitste.

'We zien elkaar bij de windschermen', zei Erika beslist en ze maakte een afwerend gebaar met haar hand toen Maria achter hen aan wilde lopen. Dus namen Maria en Tord de westkant en Erika en Odd de oostkant van het eiland voor hun rekening. De verdeling had anders moeten zijn, schapen en bokken gescheiden, en Maria voelde zich steeds meer in verwarring gebracht. Tord keek lang niet zo chagrijnig meer nu Odd verdwenen was.

'Hier aan de westkant is het uitkijkpunt op de rots. Hij zou daar van afgevallen kunnen zijn, als hij onvoorzichtig geweest is. Dat klopt met de stroming. Onder aan de rots loopt het steil naar beneden het water in. En de onderstroom is sterk. Een lichaam dat erin valt, wordt niet beschadigd door stenen, het komt niet op de bodem. Het drijft meteen een flink eind weg en gaat vervolgens met de stroom mee langs de vaarroute, zoals ik u op zee heb laten zien.' Tord hield zijn hand boven zijn ogen en keek tegen de zon in naar de zee.

Een nog smaller paadje leidde door haagdoornstruiken naar de klip. De lange, scherpe doornen nodigden niet uit om van het pad af te gaan. Er was geen weg terug, geen vluchtweg als iemand het pad zou blokkeren. Maria liep bewust drie passen achter de visser, vastbesloten om deze dag te overleven. De begroeiing werd minder en de uiterste punt van de rots was kaal. Op gepaste afstand van Tord liep Maria naar de rand en staarde omlaag in het gorgelende, zwartgroene water dat onder de klip werd aangezogen. Verleidelijk en glinsterend, met banden van gifgroen zeegras die aan de oppervlakte dreven, maar aan de rots vastzaten. En daarbeneden, helemaal bij het wateroppervlak, golfde een donkergroen takje heen en weer, rustend op het zeegras. Een takje rozemarijn. Maria voelde een lichte duizeling opkomen en deed een stap naar achteren en trapte daarbij precies in een stookplaats van de meest eenvoudige soort: een ring van stenen om vochtige as en verkoolde houten stokken. Een zwartgeblakerd blik was zeker gebruikt als pan. Er zaten resten van dunne, groene blaadjes en een geelachtige vloeistof in. Maria boog voorover en nam een monster mee van de inhoud. Tord keek zwijgend toe. Rozemarijn ter herinnering aan de doden. Het moment trilde in het zonlicht. Tijdloos en broos. Een sterk gevoel van kwetsbaarheid drong zich aan haar op. Maria kwam snel overeind en haastte zich als eerste bij het pad te komen dat van het uitkijkpunt af leidde. Ze moest telkens aan Jacobs gespleten schedel denken en dat beeld liet haar niet los. Achter zich hoorde ze Tords ademhaling en ze versnelde haar pas. Ze liep op een drafje door het struikgewas. De natte kousen schaafden in haar schoenen. Takken braken af achter haar. De stappen volgden de hare in een steeds sneller tempo.

'U hoeft niet bang voor me te zijn, ik wilde u heus niet over de rand duwen', hijgde Tord achter haar rug. 'Die stroming, daar valt niet mee te spotten.'

'Nee', zei Maria en ze probeerde haar stem vast te laten klinken.

'Mijn oom is hier verdronken toen ik nog klein was. Het was in mei en het water was koud. Hij was niet helemaal nuchter, wilde stoer doen en dook van het uitkijkpunt. Het duurde meer dan een maand voordat we hem vonden. Hij was bijna aan land gespoeld. De hond heeft hem gevonden. Jezus! Ik zal nooit vergeten hoe hij eruitzag. En dan had je Gekke Tilda, die hier in de oorlog zelfmoord heeft gepleegd. Er waren bij hen op de boerderij soldaten uit Stockholm ingekwartierd tijdens de mobilisatie. Ze raakte zwanger, de stakker. Als de wind uit zee komt, hoor je hoe ze haar wonderlijke liederen zingt op de klip. Hoge, gebarsten tonen. Ze zong altijd, Gekke Tilda, als ze niet op een kaneelstok of gemberwortel kauwde. Op een avond stond ze daar op de klip alleen in haar nachthemd. Vanaf het land zag het eruit als een wit zeil. En toen sprong ze.

Toen ze bij de windschermen kwamen, waren Odd en Erika er al. Erika met Odds witte pet op haar donkere lokken en Odd met een krans van boterbloemen in zijn haar, rustend op zijn elleboog als een Dionysus, met zijn champagneglas in zijn hand. Er stak een punt van zijn overhemd door zijn halfopen gulp naar buiten. Maria deed haar ogen dicht en dacht aan de terugreis. Ze gingen op een boomstam zitten bij de stookplaats. De zon brandde op hun wangen. Vliegen gonsden om hen heen. Maria verlangde naar vaste grond onder haar voeten, zowel voor zichzelf als voor Erika.

'Kent u deze man?' Maria haalde de foto van Mårten Norman tevoorschijn, Dionysus, die blijkbaar een bril nodig had, hield de foto op een armlengte afstand.

'Nee, ik heb geen idee wie dat is. Neem nog een aardbei, lekkertje. Er zitten nog sandwiches in de mand', zei hij en hij gaf Erika lachend een klap op haar achterste. Maria deed haar ogen stijf dicht en wenste dat ze mijlenver weg was. Als ze maar aan land waren, dan zou ze Erika eens iets zeggen.

'Kijk goed, neem de tijd. Weet u zeker dat u die man nooit eerder hebt gezien?'

'Ja, je hoort toch verdomme wel wat ik zeg', siste Odd dreigend.

'Ik herken hem wel', zei Tord behulpzaam.

27

De wind was aangewakkerd. Ze moesten naar huis laveren in de rode zonsondergang. Odd had het roer aan Erika overgedragen om zelf de zeilen te kunnen trimmen.

'Die oude Viktoria doet het nog best. Ze is de snelste boot van heel Kronviken', pochte Odd en hij spoog driemaal over de reling. 'De fokkenschoot verder aanhalen, Tord. Je ziet toch wel dat het achterlijk klappert?' Maria voelde zich beroerd. De boot sneed door de golven en kwam telkens weer met een klap op het water terecht. De voorsteven ging bij elke golf dieper omlaag. Een grote golf spoelde over het voordek en vulde de kuip. Erika jubelde. Maria dacht dat ze dood zou gaan. Dat ze allemaal begraven zouden worden in de golven. De misselijkheid was onhoudbaar. Koud van het zweet en bibberend stond ze op om over de reling te gaan hangen, maar ze werd hardhandig door Tord omlaag gedrukt.

'We gaan overstag, verdomme! Zag je de giek niet?!' Maria braakte in de kuip en miste de teckel op een haar. Als het nog erger wordt, neem ik het zwemvest van die hond, dacht Maria voordat ze weer moest gaan verzitten. Het was oneindig ver naar het vasteland. Toen ook de hond over moest geven, wist Maria instinctief dat dit het einde was. Ze zouden allemaal verdrinken en ze zou haar kinderen nooit meer zien.

'Kun je niet reven en de motor bijzetten, zodat we wat stabieler liggen? Ze voelt zich echt niet lekker', riep Tord.

'Niks ervan! Zolang er wind is, zeilen we', zei Odd en hij haalde het grootzeil nog verder aan.

Na de woelige terugreis voelde Maria zich zo slap als een vaatdoek. Het was er niet van gekomen om met Erika te praten. Toen ze aan land kwamen, was ze dankbaar dat ze überhaupt nog leefde. Tijdens de autorit naar huis had ze zich enigszins hersteld, maar ze had nog steeds het idee dat de grond onder haar voeten heen en weer ging. Het leven was vol verrassingen en een ongeluk kwam zelden alleen, zoals de eigenaar van De Vergulde Druif placht te zeggen.

Aan de keukentafel van de familie Wern zat Mayonaise met zijn zwartgeoliede handen voor zijn gezicht te grienen. Krister zat voor hem, zijn koffiekopje rusteloos op het schoteltje draaiend. Gudrun Wern, die sensatie geroken had, draaide in steeds kleinere cirkeltjes om hen heen en bediende de verwilderde man aan tafel.

Toen Maria de keuken binnenkwam en groette, gaf hij een nieuwe, ongearticuleerde brul en wendde zijn rode, gezwollen gezicht naar het plafond. Gudrun probeerde hem nog een koekje aan te smeren en slaagde daar boven verwachting in. Maria voelde zich alsof ze zou worden verstikt door tegenstrijdige gevoelens.

'Hebben we een logeerbed?' vroeg Krister voorzichtig en hij bestudeerde de natte verschijning van zijn vrouw met een zekere verbazing.

'Manfreds vrouw heeft hem de deur gewezen, dus hij kan nergens heen', verduidelijkte Gudrun geestdriftig.

'Ik binnenkort ook niet. Kan hij misschien bij Artur en jou logeren?' stelde Maria voor zonder ook maar enige hoop op succes. Krister wierp haar een verwijtende blik toe.

'Wat zie jij eruit, Maria. Kom, ga zitten, dan maak ik een kop koffie voor je.' Maria liet zich willoos door haar schoonmoeder naar tafel leiden.

'Jullie moeten maar met zijn tweeën in het botenhuis gaan liggen. Ik kan dit nu even niet hebben', zei ze toen ze haar koffie op had en even had nagedacht. Daarna stond ze beslist op en liep naar de slaapkamer om zich om te kleden. 'Je weet dat ik vanavond weg ben, hè?' riep ze naar Krister door de gesloten deur.

188

'Nee, waarheen?'

'Naar Jesper Ek, de collega die jou die kip leerde bereiden, weet je wel? De man die met zijn kookkunst de hele afdeling gewelds-delicten na één etentje lam legde. We gaan nu met zijn allen barbeknoeien.'

'Pas maar op', lachte Krister en hij stak zijn vingers demon-stratief in zijn keel.

'Ik zal vanavond op de kinderen letten', zei Gudrun Wern en ze drong Mayonaise nog een koekje op. 'Je bent zeker niet zo laat, Maria?'

'Dat kan ik niet beloven. Maar Krister is thuis en kan het overnemen als je moe wordt.'

Jesper Ek was blij hen weer te zien en stak dat niet onder stoelen of banken. Maria kreeg een flinke zoen, net als Arvidsson, die meteen een kleur kreeg als een boei.

'Ik had gedacht om te gaan barbecuen. Wat zeggen jullie van een lam aan het spit met gegratineerde aardappelschotel?' Een sterke walm van geroosterd vlees, om niet te zeggen een sterke brandlucht, drong de flat binnen. 'Moet je niet naar buiten om op dat lam te letten?' vroeg Erika.

'Nee, dat let op zichzelf. Neem een welkomstdrankje; een Jesper speciaal, een verrukkelijk drankje!'

'Ongeveer zoals "een groene lift"? Eerst gaat het omlaag, daarna komt het weer omhoog. Dat is ook een verrukkelijk drankje', repliceerde Arvidsson en alles was weer zoals vroeger, toen ze elkaar als uitgelaten politici ook de woorden uit de mond haalden.

'Volgens mij ruik ik brand', zei Hartman en hij nam een paar grote stappen door Eks woonkamer naar het terras.

'Alles onder controle.'

'Heb je iets om het vuur mee te doven, Jesper. Een planten-spuit, of zo. Het vlees staat in de fik.'

'Mooi, dan is het klaar', zei Ek onbekommerd. 'Wil je me

helpen de borden naar buiten te brengen, Himberg. We gaan buiten zitten.'

Het was een zwoele avond. De zon ging onder achter de bergen. Maria leunde achterover en genoot van haar bier. Haar bestaan deinde nog steeds een beetje, maar ze had de dag overleefd. 'Avondrood, water in de sloot.' De zonsondergang was intens: van bloedrood en oranje tot citroengeel en blauw.

'Wat zei Odd van die foto van Mårten Norman?' vroeg Hartman.

'Hij had hem nooit eerder gezien. Daar was hij zeker van, alhoewel hij er weinig belangstelling voor toonde, moet ik zeggen.'

'Vreemd, heel vreemd. Ik heb het fotoalbum doorgebladerd dat jij meegenomen had bij Rosmarie Haag. Er is een foto bij van drie knappe kerels met blauwe baretten: Clarence, Odd en Mårten Norman. Hij is genomen op de dag dat ze afzwaaiden. "Op weg naar huis, naar Zweden", staat er op de achterkant. Je vertelde dat je buurman, Manfred Magnusson, ook VN-dienst op Cyprus gedaan heeft. Zou hij weten of ze elkaar kenden?'

'Dat valt te betwijfelen, Mayonaise werd na twee maanden naar huis gestuurd.'

'Waarom?'

'Joost mag het weten.'

'Als je uit hetzelfde stadje in Zweden komt en tegelijkertijd voor de VN op Cyprus zit, is het dan niet vreemd dat je elkaar niet kent?' vroeg Hartman.

'Het is twintig jaar geleden', zei Maria en ze prikte in gedachten verzonken met haar vinger in het schuim van haar biertje.

'Ik kon zelfs zien dat de foto in het album Mårten Norman voorstelde, alhoewel die foto twintig jaar ouder is dan de legitimatie in de zak van zijn jas in de vissershut. Bovendien staat hij op meerdere foto's. Het leek wel of Clarence, Mårten en Odd samen optrokken. We moeten Molin morgen nogmaals ondervragen. Misschien zou jij Mayonaise zelfs op die foto's kunnen herkennen.'

'Liever niet. Ik zie hem al vaker dan me lief is. Hij is zo ongeveer bij ons ingetrokken en zou vast kop aan kont met Krister in bed liggen als ik voor vannacht het botenhuis niet aanbevolen had. Mayonaises vrouw heeft hem eruit gezet, dus Mayonaise én Krister slapen vannacht buiten.' Hartman keek wat peinzend, maar hij zei niets.

Met een theedoek in zijn broekband en een theedoek over zijn schouder sneed Ek het lam aan, net zo trots glimlachend als de eigenaar van De Vergulde Druif als hij zijn biefstuk De Vergulde Druif trancheerde. Het verschil was alleen dat Eks creatie geflambeerd was, letterlijk verbrand, nagenoeg onherkenbaar. Arvidsson staarde als gehypnotiseerd naar zijn stuk vlees dat aan de buitenkant zwartgeblakerd was en aan de binnenkant nog rood en bloederig.

'Nog een argument om vegetariër te worden', zei hij en hij nam een royale portie aardappelschotel. Maria prikte ook in haar stuk vlees in de hoop tussen het zwart en het rood iets eetbaars te vinden.

'Verrukkelijk', zei Jesper Ek en hij stopte een flink stuk lamsvlees in zijn mond, en spoelde dat weg met een grote slok bier. 'Het is Zweeds vlees, dus jullie hoeven niet bang te zijn voor allerlei enge ziektes! Ik heb het lammetje van mijn broer Arne voor mijn verjaardag gekregen. Ze heette Berta. Ze was nog maar heel klein toen haar moeder doodging, dus Arne heeft haar met de fles grootgebracht. Ze hoorde, zeg maar, bij het meubilair. Ze sliep bij hem in bed en maakte hem 's morgens wakker met haar geblaat. Ze ging overal met hem mee naartoe. Hij moest huilen toen hij haar ging slachten. Hij zou hiervan geen hap naar binnen krijgen', zei Ek en hij keek met de tranen in zijn ogen om zich heen. Hartman moffelde zijn stuk vlees weg in zijn servet en nam een hoeveelheid salade die zijn vrouw verbaasd zou hebben.

Het was opvallend hoe zo'n poehafiguur als Örjan Himberg al na een paar biertjes kon veranderen in een snikkende softie, om niet te zeggen een mentale potloodventer. Alle intieme details van zijn seksleven legde hij onomwonden op tafel. Omdat niemand daar veel trek in had, werd de hoek van de tafel waar hij zat steeds leger.

'Ik ram hem er telkens in, maar ze zegt dat ze niets voelt. Kun jij dat nou begrijpen, Arvidsson? Zou hij te klein zijn?' vroeg Örjan Himberg en hij trok nadenkend aan het kruis van zijn wijde gabardinebroek, terwijl hij over de twee lege stoelen hing die hem en Arvidsson scheidden. 'Wat denk jij? Je hebt hem in de sauna gezien. Is-ie te klein?'

'Ik geloof dat ik Ek ga helpen met de afwas.' Arvidsson stond opgelaten op en stelde zijn stoel ter beschikking. 'Hier kun je niet genieten van je biertje.'

Alleen Maria en Erika zaten nog aan tafel toen alle heren zich teruggetrokken hadden om af te wassen met een schoonmaakwoede die sinds mensenheugenis niet voorgekomen was. Vrouwen hebben misschien een hogere tolerantiegrens op emotioneel gebied.

'Wat denk jij, Erika?' herhaalde Himberg terwijl hij half over de drie lege stoelen heen lag, die het distantiëren van de anderen markeerde. 'Sussi zegt tegen iedereen dat seks overgewaardeerd wordt. Ik heb haar dat zelf horen zeggen tegen de meteropnemer.'

'Laat ik het zo zeggen: of een concertstuk je treft, is niet afhankelijk van de grootte van het dirigeerstokje. Het gaat erom de juiste snaar te raken, om harmonie, eenstemmigheid en inlevingsvermogen.'

'Ik begrijp er geen reet van! Wat heeft dat met Sussi te maken?' vroeg Himberg.

'Ik begrijp het precies,' zei Maria, 'maar alleen een wolf begrijpt een wolf. Ik geloof niet dat Örjan in de stemming is voor mooi geformuleerde omschrijvingen. Dus Örjan, kijk me aan. Ben ik in beeld? Heb je het al geprobeerd met een bos rozen terwijl je haar bloedserieus vertelt dat je van haar houdt? Dat klinkt simpel en triviaal, maar wij vrouwen trappen daar altijd weer in.'

'De laatste keer dat ik rozen kocht, smeet ze ze gewoon in mijn gezicht.'

'Was je vreemdgegaan?' vroeg Erika met oprechte belangstelling.

'Ja, Jezus, ik ben ook maar een mens.'

'Dan is die methode misschien niet meer zo actueel', zei Maria. 'Goed, waar houdt Sussi van? Gaat ze graag naar de film? Houdt ze van chocola of misschien van muziek? Gebruik je fantasie. Laat zien dat je echt geeft om wie ze is en wat ze wil. Probeer erachter te komen wat ze van het leven verwacht.'

'Ze wordt alleen warm van postordercatalogi.'

'Dan neem je haar mee naar een postorderbedrijf dat ook een winkel heeft en beproef je je geluk in een romantisch hotelletje onderweg', zei Erika met een scheef lachje.

'Postorderfetisjist, ze is een postorderfetisjist', zei Örjan nadenkend en hij vlijde zijn hoofd op zijn armen op tafel. 'Ik geloof dat ik dan maar voor een vluggertjespremie ga.' Op dat moment vond zelfs Maria dat ze haar goede daad voor die dag ruimschoots verricht had en ze stond op om zich bij de anderen rond de afwas te voegen.

'Hoe zit het Jesper, je komt toch wel terug, hè?' vroeg Maria toen ze even met Ek alleen was.

'Ja, zeker', zei Ek. 'Wat moet ik anders? Ik heb nagedacht en ik wil politieman zijn. Wat zou ik anders met mijn leven moeten?'

Maria gaf Jesper een knuffel, net toen Arvidsson voorbij de keukendeur liep. Ze kon nog net zijn ontstelde blik zien. Maria bedacht opeens dat Arvidsson geen vriendin had. Hij had het zelfs nooit over een ex gehad.

Erika zat buiten in de tuin te flirten met Himberg. Dat strookte niet helemaal met de bekentenis die ze gisteravond op de steiger bij het vissersdorp gedaan had. Ze had gezegd dat ze nog steeds van haar ex-man hield. Misschien was deze mannengekte een manier van afreageren, een methode om de pijn te verzachten. Wilde ze voor zichzelf bewijzen dat ze best zonder man kon leven? Dat ze nog steeds aantrekkelijk was, of had ze een over-dosis van die oestrogenen genomen? Als het zo vervelend was om in de overgang te komen, zoals Erika haar wilde doen geloven, dan was dat geen tijd om naar uit te kijken, bedacht Maria. Een leesbrilletje en opvliegers. Kom op, Erika, verman je! Ik heb een voorbeeld nodig. Erika had verteld dat het woord 'climacterium' van het Griekse woord voor traptrede kwam, terwijl het in het Arabisch juist betekent 'leeftijd zonder hoop'. Traptrede klonk absoluut beter. Een leeftijd waarop je omhoogklimt, carrière maakt. Het is echt een stap omhoog als je niet meer ongesteld wordt en zo. Als een appel rijp wordt, spreekt men ook van een penopauze, had Konrad verteld. Maria vond dat een mooi beeld. Bovendien had ze gelezen dat stevige vrouwen minder last had-den van de overgang. Het buikvet werkt als een soort depot voor oestrogeen wanneer de eierstokken hun greep verliezen. Wat een geweldig argument om onbeperkt chocola te eten! Nee Erika, je wordt niet gelukkiger van dat geflirt met Himberg. Maria liep naar buiten om haar vriendin te behoeden voor nog meer stom-miteiten.

Het gele huis rustte in het donker, maar er sijpelde een zwak licht tussen de planken van het botenhuis door. De wind was gaan liggen. Maria kon van verre de bekende klanken horen van de 'Ballade van de brik Blue Bird'. Ze moest lachen. Het was zo pathetisch. Mayonaise viel af en toe luid en vals in, terwijl Krister aardig op toon bleef. 'Zei u "Blue Bird", kapitein, de brik Blue Bird uit Hull? Lieve Heer! Waar is dan mijn zoon?' Toen brak zijn stem. Vermoedelijk hadden ze bier gedronken. Krister kon 'de brik Blue Bird uit Hull' nooit zingen zonder te huilen als hij gedronken had. Dat was een effectieve en betrouwbare alcoholmeter. Twee eenzame mannen in een botenhuis, er uitgegooid door hun vrouwen, die midden in de nacht smachtend liedjes zingen bij een gitaar. Het had op Maria een aantrekkingskracht als schroot op een magneet. Ze móést ze gewoon zien.

'Hé, hier zitten jullie dus', constateerde ze.

'Ja.' Krister veegde zijn neus af.

'Alles goed hier? Is het niet te koud?'

'Nee, we zijn behoorlijk bezweet', zei Mayonaise.

In het licht van de petroleumlamp kon Maria zien dat dat waar was. Het zweet droop van hem af. Zijn haar lag in slierten achterover en ze zag grote donkere vlekken onder zijn armen op zijn T-shirt. Krister leek het ook beslist niet koud te hebben.

'Wat hebben jullie gedaan? Krachttraining?' vroeg Maria wantrouwend.

'Dat zou je wel kunnen zeggen. Kom mee, dan zal ik het je laten zien.' Krister haalde de walmende petroleumlamp van de muur en liep voor haar uit de donkere nacht in.

'Wat gaan we doen? Als je wilt dat ik naar die muizengangen ga kijken, ga ik niet mee. Je ziet die beestjes amper in het donker en je kunt doodziek worden als je gebeten wordt! Ik ga er niet heen, Krister! Als jullie ze uitgerookt hebben, kunnen ze overal in het gras liggen', zei Maria en ze sprong rond op haar sandalen.

'Rustig, het is heel iets anders.'

'Heeft Mayonaise zijn auto's verplaatst?!'

'Ik heb vanochtend één auto naar huis gebracht. Dat was de reden dat ik eruit vloog. Wat moet ik nu?' vroeg Mayonaise met een zielig stemmetje.

'Er bestaat zoiets als de schroothoop', zuchtte Maria gelaten. 'Je kunt ook een advertentie zetten onder "Gratis af te halen".'

'We hebben de auto's verplaatst', zei Krister en hij hield de lamp omhoog. Maria speurde in het maanlicht en zo ver haar oog reikte zag ze de zwarte aarde vlak liggen als koffiedrab. Een paradijs voor een mol.

'We hebben een moestuin en een kruidentuin voor je gegraven. Daar verderop hebben we een spalier vastgespijkerd voor erwten of hop. En daar,' Krister liet het licht een andere kant op schijnen, 'daar hebben we een bankje neergezet waar je je vermoeide voeten op kunt laten rusten.'

'Ik word er helemaal warm van.' Maria gaf Krister een stevige zoen en klopte de door en door bezwete Mayonaise op zijn arm. 'Bedankt, hartstikke bedankt. Nu ga ik naar binnen om Gudrun af te lossen.'

'Die is allang weg. Heb je de kinderen niet gezien? Die liggen helemaal achterin in het botenhuis als kleine koolrolletjes in hun slaapzakken.'

De maan scheen groot en rond boven het gele huis bij de zee. De blaadjes van de bessenstruiken ritselden heen en weer en er ging een zuchtje wind, als de eigen ademhaling van de nacht, door het gebladerte van de perenbomen en de witte klaver in het gras. Een donkere gestalte sloop over het erf, het pad af, met een grote bundel in zijn of haar arm. Het gras was nat van de dauw en doorweekte de onderkant van de witte broek van de wandelaar. Stapje voor stapje naderde de lichtgrijze schaduw het botenhuis en drukte voorzichtig de deur open, die met een langgerekt gepiep openging.

'Krister, ben je wakker?'

'Ja.'

'Het is een beetje eenzaam daarbinnen.'

'Ik zal een stukje opschuiven, dan kun je tussen mij en Linda in liggen.'

Maria voelde met haar hand over Kristers gezicht om er zeker van te zijn dat hij het was. Ze rolde haar matje uit en kroop onder haar dekbed. Ze voelde Kristers ogen prikken in het donker.

'Wat is er?'

'Er was een man hier om het huis te taxeren en die zei dat jullie gesproken hadden over een flat in de stad. Hij kwam vlak nadat jij vertrokken was naar Ek. Hij vertelde dat jullie samen waren wezen zeilen en aardbeien gegeten hadden en champagne hadden gedronken. Wil je bij me weg of zo, Maria?' Kristers stem was ongewoon dof. Hij sprak langzaam en beheerst.

'Odd Molin?'

'Ja, hij heette Odd Molin.' Maria hoorde de angst in Kristers stem.

'Hebben jullie daarom een moestuin gegraven, Mayonaise en jij?' giechelde ze.

'Ben je van plan om bij me weg te gaan?' Kristers stem brak midden in de zin.

'Nee, ik ga met je mee naar het einde van de wereld als je dat wilt. Op dit moment bevind ik me aan je zijde in een tochtig botenhuis samen met een snurkende Manfred Magnusson. Als dat niet het einde van de wereld is, weet ik het niet. Het is trouwens heel harmoniéús met de zee bijna in de slaapkamer, zodat je in slaap kunt vallen op het geluid van de golven en wakker kunt worden met natte sokken', giechelde Maria.

In het flikkerende licht van de tv zag hij de contouren van haar lichaam toen ze in de kamer voortbewoog. Het haar, het bijna kinderlijk ronde profiel van haar gezicht, de stevige borsten en de zachte, geronde heupen. Ze draaide haar haar in elkaar tot een vlecht. Haar zwerftocht van raam naar raam werd gestuurd door angstige bewegingen. Het was alsof ze zijn aanwezigheid vermoedde. Haar grijze, ronde kattenogen tuurden met grote pupillen het duister in. Ze keek hem recht aan zonder hem te zien. Verblind door haar eigen licht. Waarom pijnigde hij zichzelf door naar haar te kijken, naar haar te verlangen, die hoer? Waarom liet hij de herinneringen komen? Herinneringen die zo'n pijn deden. Ze was hem met uit-gestrekte armen tegemoet gerend. De dunne witte jurk was als een maagdelijk witte bruidsjapon langs haar lichaam gevallen, als re-

*gendruppels. Haar tepels, stijf geworden door de koelte van de nacht,
tekenden zich af door de stof. Ze had zich in zijn armen geworpen.
Zonder voorbehoud, zonder angst. Ze had haar gezicht opgeheven en
gewacht op zijn kus. Haar ogen hadden zijn eigen verlangen weer-
spiegeld, vloeibaar grijs als gesmolten lood. De zachte handen die
onbeschaamd zijn lichaam hadden betast, waren nog in hem aanwezig als een herinnering in zijn huid. Ze had hem glimlachend,
maar uiterst serieus een takje basilicum aangereikt. Hij had de geur
van kruidnagelen opgesnoven. 'Er is een oude Oekraïense traditie die
zegt dat als een vrouw een man een takje basilicum geeft, hij haar tot
in de eeuwigheid zal liefhebben.' Misschien was dat waar. Soms is
liefde net zo verwarrend als haat. Is de grens tussen verlangen en pijn
ragfijn. Als hij haar toen de nek had omgedraaid, op dat moment,
had hij haar niet hoeven delen met een andere man. Maar hij had
het takje plechtig aangepakt, als een dwaas, gedrogeerd door begeerte,
betoverd en verblind. 'Kom', had ze gezegd en ze had hem bij zijn
hand gepakt. De brandende kaarsen in het prieeltje hadden gefiad-
derd in de tocht. Behoedzaam had hij haar kroonblad geopend, haar
nectar tegen zijn huid gevoeld toen de poort naar het paradijs voor
hem geopend werd en zij de zijne werd.*

*Op Cyprus had hij een takje basilicum gekocht van een in het zwart
geklede oude vrouw. Hij wilde de geur van het kruid leren herkennen
en zich leren herinneren. De dag zinderde van de hitte. De cicaden
in de olijfbomen overstemden hen bijna met hun gezang. Hij had al
zijn overredingskracht moeten gebruiken. Ze wilde het takje niet aan
hem verkopen. 'Het is het kruid van de dood', had ze in haar
gebrekkige Engels gezegd. Hij had gelachen om haar bijgelovigheid.
Toen had ze op de grond gespuwd en haar handen ten hemel geheven,
als om de verantwoordelijkheid af te wijzen. 'Wees voorzichtig
jongeman', had ze gezegd en ze had haar benige hand op zijn
arm gelegd, nadat ze het geld in ontvangst had genomen. De scherpte
in de bruinzwarte ogen had hem enigszins doen huiveren van
onbehagen. Misschien was het toeval, misschien een omen. Een week*

later had de hel hem opgeslokt in zijn wijd opengesperde bek. Als een levende zonder leven had hij zijn tijd in het dodenrijk afgewacht. Alleen de haat had hem op de been gehouden. De gedachte aan wraak had hem de kracht gegeven om vol te houden.

28

'Heb je het horen knallen boven zee vannacht? Het was net zo'n geluid als van brekend ijs', zei Krister en hij draaide zich een halve slag in zijn slaapzak zodat hij de rits omlaag kon trekken.

'Nee, ik heb heerlijk geslapen. Ik heb Mayonaises gesnurk niet eens gehoord.'

'Hij is weg.' Maria keek om zich heen. De kinderen lagen te slapen in hun slaapzakken, maar de plek waar Mayonaise gelegen had, was leeg.

'Jonna is hem tegen enen komen halen. Ze kon de kraan in de keuken niet dicht krijgen, het water bleef er maar uitspuiten.'

'En toen kwam hij weer bij haar in de gratie?'

'Ja, voor zolang het duurt. Heb je dat geknal echt niet gehoord vannacht? Het klonk als een explosie. Je moet echt als een blok geslapen hebben. Waar was jij gisterochtend trouwens, je was opeens weg? Ik dacht dat je naar het strand was. Ik was bijna ongerust.'

'Ik ben omhooggelopen naar de kerk. Ik had bedacht dat ik daar tenminste geen last zou hebben van Mayonaise. Ik kan me niet indenken dat hij uit eigen beweging naar zo'n stille plek zou komen, als het niet voor zijn eigen begrafenis was.'

'Je weet maar nooit. Wat heb je daar gedaan?'

'Er stond een grafsteen buiten de kerk die mijn aandacht trok, helemaal bij de ingang. Het was zo vreemd. Er stonden helemaal geen bloemen op het graf, alleen een klein kruidenplantje. De steen ziet eruit als een omgehakte boom.'

'Waarom was dat zo vreemd?'

'Het was rozemarijn. Rozemarijn ter herinnering aan de doden is een oude Egyptische gewoonte. Men legde rozemarijn bij de dode in het graf. Ik kan niet op de details ingaan, maar rozemarijn speelt op een merkwaardige manier een rol in de moordzaak waar we nu mee bezig zijn. Maar dat is misschien gewoon toeval. Ik zie nu overal kruiden.'

'Van wie was dat graf?'

'Geen idee. Ik vond het een beetje gênant om ernaartoe te lopen en het mos weg te schrapen. Een oude vrouw was het grind aan het harken. Stel je voor dat die steen op het graf van een van haar familieleden staat en ik ben daar met een takje aan het peuteren. Dat kun je niet maken. Die vrouw keek heel verlegen, haast mensenschuw. Ik vond niet dat ik haar lastig kon vallen met een vraag.'

'Zie je de zonsopgang boven zee?' vroeg Krister en hij opende de deur naar het water. Hij is helemaal rood. Dan komt er onweer.

'Ik dacht dat wanneer de zonsóndergang rood was, er onweer kwam.' Maria tuurde tegen de zon in.

'Vast wel, het rode licht is vast het eigen stopteken van de natuur: staan blijven en beschutting zoeken. Het gaat onweren!'

Zonder de kinderen wakker te maken, sloop Maria naar buiten, naar haar die nacht gegraven moestuin. Ze zag de planten al voor zich, in keurige vierkante bedden, met paden ertussen. Pepermunt wilde ze hebben om thee van te zetten of om een mintsaus van te maken bij lamsvlees. Dille was uiteraard noodzakelijk voor bij de rivierkreeften. Citroenmelisse, ook wel hartelust genoemd, was mooi op aardbeientaart en op ijs. Maria voelde haar vingers groen worden van het chlorofyl. In die chlorofylroes en de rust van de ochtend plantte ze de planten die ze bij Rosmarie gekocht had, voordat ze een snelle douche nam en naar haar werk vertrok.

Het politiebureau bruiste van de activiteiten ondanks het vroege uur. Storm was op zijn plaats. Hartman, Himberg en Arvidsson werkten onder hoogspanning.

'Je nam de telefoon niet op. Had je de stekker er uitgetrokken?' vroeg Hartman.

'Ik heb in het botenhuis geslapen.' Hartman trok een wenkbrauw op, maar hij zei niets.

'Dan heb je ook nog niets gehoord over de gebeurtenissen van vannacht. Er is rond een uur of twee een boot opgeblazen, aan deze kant van Kronholmen. De kustwacht is er meteen op afgegaan. Het licht van de explosie was zelfs hier in de haven te zien. Het schijnt dat de mahoniehouten boot van Odd Molin in rook is opgegaan.'

'En Odd... leeft hij nog?'

'Dat weten we nog niet. Ze hebben wel een teckel gevonden die in de vaarroute zwom. De boot had haar bijna geramd. Gelukkig had ze een zwemvest aan. De hond van Odd, volgens Erika. Odd Molin is niet thuis. Arvidsson is er geweest. Hij werd binnengelaten door de voorzitter van de vereniging van eigenaren en zit momenteel met die man in verhoor.'

Maria drukte haar handpalmen tegen haar ogen om de beelden in haar hoofd weg te jagen.

'Het lichaam kan in stukken gesprongen zijn of weggedreven. Er zijn duikers ter plaatse, maar die hebben nog niets kunnen melden. Een andere mogelijkheid is dat Odd op reis is. We hebben geprobeerd de secretaresse van het bedrijf te pakken te krijgen. Misschien dat ze nu op weg is naar haar werk. We komen over een kwartier bij elkaar. Neem maar vast een kop koffie, die zul je nodig hebben', zei Hartman en hij streek met zijn handen door zijn wilde haar op de onrustbarende manier die aangaf dat de situatie niet geheel onder controle was.

Maria staarde wanhopig naar de pakken papier die zich op haar bureau opstapelden. De vakantie naderde. Zoals de werksituatie er momenteel uitzag, was de begindatum van haar vakantie niet langer een feit. Er zou een hoop overwerk nodig zijn, wilden al deze zaken niet de hele zomer blijven liggen. Maria pakte twee mappen van de berg en liep ermee naar het Openbaar Ministerie aan de overkant van de straat. De hitte was drukkend, de hemel hing vol donkere wolken. Het leek alsof de zon al haar warmte tussen de wolken gelegd had. Als een brandglas op het reeds verschroeide gras. Het onweer zou spoedig losbarsten.

Toen ze terugkwam, waren de anderen er al. Maria kon Erika's blik even kort opvangen, voordat de technicus blozend in haar papieren dook. Haar donkere, anders netjes geföhnde haar lag plat en onverzorgd als een helm op haar hoofd. Haar ogen hadden donkere schaduwen. Ze zag er ellendig uit.

'In korte tijd hebben we nu een verdwijning, een verdrinkingsgeval waarbij misdaad niet kan worden uitgesloten en een ongewoon brutale moord met een bijl. Dit alles, plus de gebeurtenissen van vannacht, stelt hoge eisen aan ons. We moeten allemaal rekening houden met overwerk. Alle verloven worden ingetrokken. Het is niet uitgesloten dat we mensen moeten terugroepen van vakantie en ander verlof. Ek heeft zijn ziekteverlof beëindigd en komt ons helpen. Welkom terug. We hebben uitgekeken naar je komst', zei Hartman hartelijk. Ek keek voldaan om zich heen. Hij had zijn collega's gemist.

'Ik verlangde naar Hartmans kaneelbroodjes', zei hij en hij nam een broodje van de overvolle schaal. Storm verliet de ruimte om de pers te woord te staan en Hartman nam weer het woord.

'Arvidsson en ik hebben een overzicht gemaakt van de verhoren die we de vissers en bootbezitters in de jachthaven en de haven van Kronviken hebben afgenomen. Het samenvattende beeld ziet er als volgt uit', zei Hartman en hij sloeg het bovenste blad van de flip-over om, waarop geschetst was waar de explosie die nacht had plaatsgevonden, en tekende een nauwkeurige tijdbalk. 'De nacht van zondag op maandag na midzomer vinden twee sterfgevallen plaats. Jacob Enman krijgt een dodelijke klap met een bijl op zijn hoofd. Het technisch onderzoek wijst erop dat Mårten Norman diezelfde nacht is overleden. De oude Jacob is door meerdere getuigen die zondagavond om elf uur nog gezien. Op maandagmorgen lag hij over de keukentafel in de houding waarin hij door de politie gevonden is. Mårten Norman is door niemand gezien na die zondagavond negen uur, toen hij was opgemerkt door Rosmarie Haag. Om elf uur brandde het licht nog in zijn hut. Daarover hebben we eensluidende getuigenverklaringen. De ochtend daarna was het licht uit. Niemand heeft Norman sindsdien gezien. Odd Molin en Clarence Haag zijn dat weekend samen wezen zeilen. Rosmarie Haag is volgens een getuige in het vissersdorp gebleven. Ik heb haar en haar vader Konrad Hultgren opgeroepen voor verder verhoor. Volgens de gegevens die Wern van Odd kreeg, zeilden de heren om Kronholmen heen, als oefening voor de regatta van dit weekend. Toen ze Rosmarie met de boot zouden ophalen, was ze verdwenen. Odd had daar niet verder over nagedacht. "Ze is een beetje vreemd", meende hij. Clarence Haag hebben we om natuurlijke redenen niet kunnen ondervragen. Geen van de getuigenverklaringen die we van vissers en eigenaren van plezierjachten hebben gekregen, wijkt af van de andere. Erika heeft nieuws voor ons van het forensisch lab. Ga je gang.'

Erika keek met iets schichtigs in haar blik op van haar stapel papieren. Haar handen kwamen boven tafel en reikten naar de documenten.

'De maagzak van Mårten Norman bevatte niet alleen een puzzelring, maar ook delen van planten. De standaardanalyse van giffen heeft niets nieuws opgeleverd. Sporen van heroïne, geen grote hoeveelheden. Alcohol, in geringe mate: 0,84 promille. Geen sporen van slaapmiddelen. De maaginhoud is daarna getest op andere stoffen. Men heeft toen een grote hoeveelheid alkaloïden in het bloed gevonden, onder andere coniine. Dat klopt met de plantendelen die men aangetroffen heeft. De doodsoorzaak is zonder de geringste twijfel inname van gevlekte scheerling in een dodelijke dosis.'

'Rosmarie Haag heeft ruim een maand geleden aangifte gedaan van opgraving in haar tuin van monnikskap en gevlekte scheerling.' Maria zocht oogcontact met Himberg om dit bevestigd te krijgen. Maar Himberg bladerde in zijn blok en ontmoette haar blik niet.

'Ja, dat klopt.'

'Dat is ook een van de redenen waarom ze vandaag opgeroepen is', vervolgde Hartman.

'Ik vraag me af of die vingerafdrukken die ik bij de Haags heb gemaakt nog iets hebben opgeleverd', zei Maria.

'Behalve die van Rosmarie en Konrad is er een afdruk die we niet kunnen identificeren. Het is niet die van Clarence. Of die vingerafdruk overeenkomt met die van Odd Molin, weten we als Erika zijn flat uitkamt.'

'Ik moet denken aan wat ik opmerkte toen ik bij Rosmarie was. Er was daar onlangs een nieuw terras aangelegd, met tegels. De hoop aarde ernaast is pas een paar dagen geleden weggehaald.'

'Goed, dat zullen we onderzoeken terwijl zij bij ons zijn. Arvidsson regelt een fiat voor een huiszoeking. Er is helaas veel dat erop wijst dat zij schuldig is aan de moorden. Misschien ook aan de verdwijning van haar echtgenoot. Ze heeft een motief om Clarence te doden na de mishandelingen waaraan ze is blootgesteld. Mårten Norman perste Clarence vermoedelijk geld af, hij wist waarschijnlijk iets wat hij niet mocht weten. Rosmarie Haag was de laatste die hem in leven zag. De oude Jacob kan iets hebben gezien wat ongunstig was voor de moordenaar. Rosmarie bevond zich die avond in het vissersdorp. Niemand kan bevestigen of ze die nacht überhaupt thuisgekomen is. Odd en Clarence kwamen tegen middernacht in de haven aan. Dat is geverifieerd door meerdere mensen in de jachthaven.' Hartman streek met zijn hand door zijn haar en leunde op zijn ellebogen voorover op tafel.

'Ik heb nagedacht over die puzzelring. Is het toeval dat drie van de betrokkenen gelijktijdig in dienst waren van de vn op Cyprus?' Arvidsson streek de lok uit zijn gezicht en keek Hartman strak aan; die wilde juist zijn derde kaneelbroodje in zijn mond stoppen, maar hij hield zich in.

'Het is interessant dat Odd Molin ontkent dat hij Mårten Norman kende. Ze hebben zonder meer veel samen opgetrokken. Je kunt er ook over speculeren waarom Mårten Norman zijn puzzelring heeft ingeslikt. Of dat een daad is die hij onder invloed van drugs heeft verricht, een zinloos bedenksel of dat het van betekenis is, een aanwijzing waar iets uit af te leiden valt? Maar dat lijkt ook vergezocht. Twintig jaar geleden vertrok een stel jongens van hier naar Cyprus. Waarom zou er dan nu iets in die groep gebeuren, twintig jaar later? Als er op Cyprus iets was voorgevallen, zou dat toch direct consequenties hebben gehad, of niet?' Hartman keek om zich heen in de hoop op een antwoord op zijn vraag.

'Kan iemand mij uitleggen wat dat Cyprus-conflict eigenlijk precies inhield? Ik neem aan dat we dat op school hebben gehad, maar het is niet blijven hangen', bekende Maria. 'Ik kan wel wat bijscholing gebruiken. Wat hebben ze op Cyprus gedaan?' Iedereen keek naar Arvidsson, die licht bloosde en het stuk kaneelbrood dat hij in zijn mond had, probeerde door te slikken. Hij schraapte opgelaten zijn keel.

'Het begon in 1967 in Griekenland met de paleiscoup. Georgios Papadopoulos, overste bij de artillerie, en zijn junta namen de macht in het land over. Koning Constantijn deed een tegencoup in december van dat jaar, maar die mislukte. Aanhangers van links en intellectuelen werden gevangengenomen. De vrijheid van meningsuiting werd afgeschaft en aanhangers van de oppositie werden gevangengezet, gemarteld en verbannen. Opmerkelijk is ook dat de junta zelfs de mode van de jaren zestig – met lang haar en minirokken – probeerde te verbieden. Overgevoeligheid ten top. Toen Mick Jagger op het podium bloemen stond te gooien tijdens een concert in Athene, werd hij opgepakt omdat hij de communisten steun had betuigd.

In 1974 werden de president en aartsbisschop Makarios door Griekse officieren gedwongen Cyprus te verlaten. Toen vielen de Turken het eiland binnen. Twee dagen na de invasie ging een wapenstilstand in na een resolutie in de veiligheidsraad van de Verenigde Naties. Dat leidde tot de val van de Griekse militaire junta. Konstantinos Karamanlis nam de macht over en de democratie werd weer ingevoerd. De VN-soldaten bewogen zich aan beide kanten van de grens en waren geplaatst op speciale observatieposten, checkpoints, bijvoorbeeld voor winkels, banken en hotels.' Arvidsson leunde achterover om aan te geven dat de uiteenzetting ten einde was.

'Nou, nou, jij bent goed op de hoogte', zei Hartman geïmponeerd.

'Tja, goed ingelezen', zei Arvidsson.

'Dus jij bent bezig met dat spoor van de VN-dienst?' Hartman haalde zijn bril uit zijn zak en maakte een aantekening in zijn blok.

'Ik wil dat gaan onderzoeken, maar zoals je zelf al zegt, lijkt het wat vergezocht. Ik zou contact op kunnen nemen met SWEDINT. Die zorgen voor het rekruteren van VN-soldaten. De eigenlijke opleiding is in Södertälje. De vraag is wat ze zich na twintig jaar herinneren, of er documentatie is? Die Manfred Magnusson die ik verhoord heb, is slecht op de hoogte. Hij vertelt graag over zijn eigen wapenfeiten, maar verder is zijn geheugen beperkt. Hij werd na twee maanden naar huis gestuurd. Normaal blijven ze zes maanden. Sommigen willen langer blijven en tekenen voor nog een periode bij. Manfred Magnusson, zijn vriendin en hun zoon verlieten het strand ook tegen halfelf; ze waren toen al zeker een uur luidkeels aan het ruziën. Het ging blijkbaar over een omvangrijke bestelling uit een of andere postordercatalogus versus een vakantiereis.'

'Wern, jij bent thuis geweest bij Clarence Haag, heb jij iets van belang gevonden?' Hartman klapte zijn bril in en krabde met de poot van het montuur in zijn oor.

'Hij had een hele wand met Cyprus-trofeeën. Medailles, Zippo-aanstekers, messen, badges. Dat is te verwachten, dat is niet vreemd. Het fotoalbum heb ik meegenomen naar het bureau. Ik geloof dat het op jouw kamer ligt.'

29

Rosmarie zat in elkaar gedoken in de bezoekersstoel van de verhoorkamer. Haar roomwitte huid was ziekelijk bleek. Ze wrong haar handen op haar schoot nerveus in elkaar. Maria gaf haar een beker dampend hete koffie. Rosmarie pakte hem tussen haar beide handen en hield hem tegen haar borst, als wilde ze haar lichaam warmen. De regen die lange tijd in de loodzware, donkere wolken had gehangen, viel nu met grote, zware druppels uit de lucht. Maria voelde het lagedrukgebied achter haar oogbollen.

'U ziet er zeer vermoeid uit. Hebt u vannacht wel geslapen?'

'Ik was wakker om twee uur en heb de explosie gehoord. Ze zeggen dat het Odds boot was, de Viktoria', antwoordde ze toonloos.

'Dat is helaas waar', zei Hartman. 'Zoals u zult begrijpen, willen we u een groot aantal vragen stellen. Ik wil graag dat u de tijd neemt en zo nauwkeurig mogelijk antwoordt.' Rosmarie keek verschrikt. Haar grote grijze ogen waren helemaal zwart, het daglicht ten spijt.

'Wilt u me vertellen wat u de zondagavond van het midzomerweekend gedaan hebt?'

'Ik ben zo moe. Ik zal verkeerde antwoorden geven en mezelf tegenspreken. Ik kan het niet.'

'We hebben tijd genoeg. Probeer het! We zullen ervoor zorgen dat u daarna kunt uitrusten.' Hartman glimlachte warm en opbeurend. Maria was oneindig dankbaar dat het verhoor niet geleid werd door Storm.

'Clarence wilde dat ik met hem en Odd mee zou gaan met de Viktoria. Ze wilden om Kronholmen heen zeilen. Misschien wilde hij Odd en mij samen zien om bewijzen te vinden dat er iets was tussen ons. Clarence was dronken en onuitstaanbaar.

Odd zat te schreeuwen en te commanderen. Ik weet nooit aan welk eind van het touw ik moet trekken. Ik gooide per ongeluk een sigarettenpeuk tegen de wind in en die belandde op Odds vlekvrije dek. Er ontstond een klein schroeiplekje op het hout. Odd hield daar maar niet over op.' Maria knikte. Ze kon zich de woede van kapitein Molin in een dergelijke situatie goed voorstellen. 'Odd dronk voortdurend van die stomme nepchampagne van hem. Het is gewoon goedkope mousserende wijn die hij in dure flessen schenkt als hij indruk wil maken. Net zo achterlijk als zijn nep-Rolex. Clarence was zo gemeen. Alles wat ik zei en deed was fout. Ik heb gehuild tot ze me bij het vissersdorp afzetten. Ik haat zeilen! Clarence fluisterde in mijn oor dat ik de lelijkste trut was die hij ooit gezien had en dat hij me wel zou krijgen als we thuis waren.'

'Dan zou hij zijn ogen toch eens moeten laten nakijken', meende Hartman. 'Hoe laat was het ongeveer toen u aan land werd gezet?'

'Acht uur misschien.'

'Hebt u nog anderen gezien daar op het strand?'

'Gustav Hägg en zijn vader. Ze zouden netten uitzetten. Ik heb even met Gustav staan praten. Dat is zo'n schat. Hij had een boeket grasklokjes geplukt en deed er een in mijn haar. Sommige steeltjes waren geknakt. Hij was gevallen met dat boeket in zijn hand. Gustav weet precies wat een vrouw graag wil horen. Hij begrijpt ons vrouwen.' Rosmarie glimlachte flauwtjes.

'Ja, misschien kunnen we nog wat van hem leren', gaf Hartman toe. Maria dacht dat je al een heel eind op weg was als je tot dat inzicht gekomen was.

'Hebt u gezien of er nog meer mensen in die boot zaten?

'Ik weet het niet. Ik heb daar niet aan gedacht. Ik ben zo moe en ongeconcentreerd. Moet die bandrecorder aan?'

'Die opname helpt ons om dingen te onthouden. Als ik hier met de hand aantekeningen moet maken, duurt het veel langer en bovendien wordt het dan mijn interpretatie van wat u zegt, dan zijn het niet uw eigen woorden. Weet u hoe hun boot heet?'

'De Maria II, Marta II misschien. Nee, ik weet het niet. Het is een gewone vissersboot.'

'Wat gebeurde er toen?' Hartman leunde achterover om met lichaamstaal te laten zien dat hij bereid was langdurig te luisteren. Hij zette zijn bril af en wroette zorgvuldig met een van de pootjes in zijn haar, zodat dit rechtop kwam te staan.

'Ik zat op de steiger te bedenken wat het leven voor zin had. Waar je het voor doet. Voor mijn vader ben ik een grote zorg en voor mijn man een blok aan zijn been. Ik had het gevoel dat het allemaal volstrekt zinloos was.' Rosmarie staarde door het raam naar buiten naar de Japanse esdoorn, die in de wind stond te zwaaien en onrustig met zijn bladeren heen en weer bewoog in een voortdurend schimmenspel. 'Ik bedacht hoe het zou voelen om te verdrinken. Hoe lang het duurt voordat je buiten bewustzijn raakt en wat voor gevoel het geeft als je spijt krijgt, maar het te laat is.'

'Wanneer bent u daarover gaan nadenken?' Hartman bestudeerde Rosmaries gezicht met hernieuwde intensiteit.

'Niet de eerste keer dat Clarence me sloeg, toen dacht ik dat het een ongelukje was, dat hij zich niet kon beheersen. Hij heeft in zijn kindertijd een hoop slaag gehad. Het is moeilijk om aan zo'n jeugd niets over te houden. Ik wilde begrijpen en vergeven. Dat hij me sloeg, was bijna een reflex, dacht ik. Dat wilde hij helemaal niet. Hij verloor de controle; kon het niet aan. Ik wilde een normale relatie, iemand om mijn leven mee te delen. Ik dacht dat als ik voldoende om hem gaf, als ik hem de warmte gaf die hij in zijn jeugd zo gemist had, dat het dan allemaal wel goed zou komen.'

'Maar dat gebeurde niet?'

'Nee, het werd steeds erger', fluisterde Rosmarie en haar stem ging verloren in het geluid van de regen die tegen de ruit sloeg. Maria zag hoe ze tegen haar tranen vocht. 'Ik denk dat ik het laatste jaar ben gaan nadenken over de dood. Hoe je over de grens kunt gaan met zo min mogelijk pijn. Ik heb een tijdje over digitalis gedacht. Maar ik weet niet welke dosis je nodig hebt. Het zou afschuwelijk zijn om gevonden te worden, in het ziekenhuis wakker te worden en dan te horen te krijgen dat het gewoon aandachttrekkerij was. Clarence zou de zorgzame echtgenoot gespeeld hebben en ze allemaal voor de gek hebben gehouden. En dan zou ik weer alleen met hem geweest zijn in die hel. Hij zou me mijn verraad nooit vergeven hebben.'

'We zullen zorgen dat u iemand krijgt om mee te praten, iemand die u serieus neemt en voldoende ervaring heeft op het gebied van wat u hebt doorgemaakt. Het blijf-van-mijn-lijfhuis kan een goede psycholoog aanbevelen. Dat weet ik.'

'Dus u denkt dat ik een psychisch geval ben? Een lastige hysterica?'

'Ik denk dat u het onmenselijk zwaar hebt gehad en dat u hulp kunt gebruiken bij de verwerking van dit alles. Gezien de omstandigheden waaronder u geleefd hebt, is het niet verwonderlijk dat u er wel eens over denkt om er een einde aan te maken. Ik denk dat u iemand nodig hebt die u helpt om de weg terug te vinden naar de zin van het leven, om uw eigenwaarde opnieuw te ontdekken. Monnikskap en gevlekte scheerling zijn uit uw tuin verdwenen, heb ik gehoord?' Ongewild bewonderde Maria Hartmans rust en souplesse.

'Ja, maar gevlekte scheerling schijnt afschuwelijk te smaken en monnikskap geeft een langzame, pijnlijke dood met angsten en uiteindelijk verlamming van het ademhalingsorgaan. Die planten zou ik nooit gebruiken.'

'Wat dacht u toen die planten verdwenen waren? Was er iemand die u verdacht? Tegen Himberg hebt u gezegd dat het u verontrustte dat die planten waren opgegraven en dat u bang was dat degene die ze meegenomen had wist wat het voor planten waren. Ze stonden immers niet naast elkaar.'

'We hebben een voortdurende stroom van klanten in de kwekerij. Ik geloof niet dat die planten overdag zijn opgegraven zonder dat iemand het zou hebben gemerkt.'

'Is het eerder gebeurd dat er planten verdwenen zijn?'

'Nee, soms kun je zien dat iemand ergens een scheut afgeknipt heeft of zo, maar dat er iets opgegraven is, nee, dat is nooit eerder gebeurd.'

'Zou Clarence die planten hebben herkend?'

'Absoluut niet. Zoals ik al tegen uw collega heb gezegd, kan Clarence bij daglicht niet eens een roos onderscheiden van een tulp. Nee, ik geloof niet dat Clarence het gedaan heeft.'

'Wat gebeurde er daarna, toen u een tijdje op de steiger gezeten had?'

'Ik zag die junk, zij het op afstand. Hij was op weg naar de steiger en het leek me onplezierig als hij daarnaartoe kwam als ik daar alleen zat, dus ik ben opgestaan.'

'Hoe wist u dat hij dat was? Had u elkaar eerder ontmoet?'

'Nee, maar Gustav had gezegd: "In die hut woont die junkie." Zo werd hij blijkbaar genoemd bij de familie Hägg. Ik zou hem niet kunnen aanwijzen als ik hem weer zag. Hij was ver weg en ik ben vrij bijziend. Clarence wil niet dat ik een bril draag. Hij heeft mijn bril doormidden gebroken.'

'U bent dus opgestaan van de steiger. Hoe laat was het toen?'

'Ik heb geen idee. Ik kon de boot van de Häggs heel ver op zee zien. Ze waren nog niet op de terugweg. Ze voeren steeds verder weg. Ik besloot naar huis te gaan en ben naar de provinciale weg gelopen. Daar kreeg ik een lift van een oude dame in een rode Renault. Ze heeft me helemaal naar huis gebracht. Ik heb gedoucht en toen ben ik naar bed gegaan.'

'Kunt u iets meer zeggen over de dame die u een lift gaf?'

'Ze zal vijfenzeventig zijn geweest. Ze had kortgeknipt grijs haar en een rode jas. We hebben bijna niets tegen elkaar gezegd. Ze probeerde het wel, maar ik kon niet over het weer en over de aardappelprijzen praten terwijl het huilen me nader stond dan het lachen. Ze had een heel smal gezicht. Haar ogen stonden vlak bij elkaar. Ze had een puntige neus en haar kin was gebogen als

een maansikkel. Ze had een grote, ouderwetse bril met een lichtblauw montuur.'

'Een uitstekend signalement. Hoe laat kwam Clarence thuis?'

'Dat weet ik niet. Ik heb tot de ochtend geslapen. Ik ben niet
voor achten wakker geworden en toen was hij thuis.'

'Was het niet moeilijk om in slaap te komen terwijl u wist dat
hij thuis zou komen en u misschien pijn zou doen?'

'Ik heb wijn gedronken tot ik in slaap viel. Ik kan nooit uit
mezelf in slaap komen.'

'Gebruikt u slaappillen?'

'Nee, dan zou ik naar een dokter moeten. En dan misschien
afhankelijk worden van slaapmiddelen en overgeleverd zijn aan
de beoordeling van een arts. Nee, dan hou ik liever zelf de
touwtjes in handen voor wat betreft de inname van kalmerende
middelen. Ik drink elke avond thee van sint-janskruid en duizendblad.'

'Bent u nog iemand anders tegengekomen toen u naar huis
ging?'

'Nee.'

'Ook uw vader niet?' Rosmarie aarzelde even. 'Nee, dat geloof
ik niet.' Ze werden onderbroken door een luide bons op de deur.
Erika werd zichtbaar in de deuropening.

'Ik wil even met je praten, Hartman.' Ze liepen een eindje de
gang op, buiten gehoorsafstand.

'We hebben een bijl gevonden onder de tegels van Rosmarie
Haags terras. Er zaten bloed en grijze haartjes aan. De bijl zat in
een gewone plastic zak.'

30

'Zo'n boot moet toch voor veel geld verzekerd zijn?' meende Himberg.

'Dat moeten we controleren.' Hartman veegde wat grofkorrelige suiker uit zijn snor en wreef in gedachten over zijn oor. 'We hebben Odds secretaresse te pakken gekregen. Volgens haar zou hij vanochtend naar Stockholm afreizen. Hij heeft om twee uur een bespreking. Odd zou niet naar kantoor komen, maar van huis uit vertrekken. Dat wist ze zeker. We hebben de klant in Stockholm gevraagd om onmiddellijk contact met ons op te nemen als Odd Molin arriveert', rapporteerde Maria.

'Niets duidt erop dat hij in Stockholm was toen die boot ontplofte', constateerde Hartman en hij zocht bevestiging bij Arvidsson.

'Hij zou vanochtend vertrekken, om vijf uur. Zijn auto staat nog op de parkeerplaats. Hij kan met de trein gegaan zijn. We zijn bezig die mogelijkheid te controleren.' Arvidsson maakte een aantekening in zijn blok.

'Ik heb gezien hoe zuinig hij was op zijn boot. Ik kan me niet voorstellen dat hij hem zelf in de lucht heeft laten vliegen. Hij kookte daarentegen op flessengas. Dat kan geëxplodeerd zijn. Ik bedoel dat het een ongeluk kan zijn geweest', zei Maria.

'Dat is logisch, als de slang lekt, als je vergeten bent hem dicht te draaien, dan hoopt het gas zich op in de tegenkiel. Dan kun je de hele zaak opblazen', meende Arvidsson.

'Verder moest ik aan die teckel denken. Ik geloof niet dat Odd die hond alleen zou laten. Het is trouwens wel merkwaardig dat ze zo'n explosie heeft overleefd. Zat die hond misschien niet op die boot? Als dat niet het geval was, moet iemand haar op Kronholmen hebben afgezet of haar in het water hebben gegooid. Wat er weer op duidt dat het geen ongeluk was. Misschien hebben we te maken met een dierenvriend?' Maria keek Arvidsson vragend aan en ergerde zich een beetje aan zijn lauwe respons.

Op hetzelfde moment viel Storm de kamer binnen en hij plofte neer op een stoel, zijn haar en kleren druipend van de regen.

'Het leven is hard voor ons rokers', mompelde hij met zijn peuk nog steeds in zijn mondhoek. 'Dit weekend is zoals jullie weten het evenement van het jaar, de Ronde van Kronholmen. Hoe gaan we dat doen?' Hebberig greep hij naar het laatste broodje en maakte een wanhopig gebaar met zijn hand naar Hartman. 'De jachthaven zal krioelen van de mensen. We krijgen te maken met dronkenschap en vechtpartijen, daar kun je op wachten. Het publiek houdt er uiteraard geen rekening mee dat we met een moordzaak bezig zijn. Als we de wedstrijd afblazen, dan zie ik de krantenkoppen al voor me en als er iets ernstigs gebeurt en wij niet in staat van opperste paraatheid verkeren, krijgen we alleen nog maar meer commotie. Wat zeg jij ervan, Hartman?'

'Ten eerste moeten we lak hebben aan de druk van de media en onze middelen zo slim mogelijk inzetten. Ik zal mijn vakantie uiteraard verschuiven en ik zou het fijn vinden als meer mensen dat zouden willen doen. In eerste instantie vrijwillig.'

'De pers vraagt of we de algemene veiligheid kunnen garanderen.'

'Geef maar het gebruikelijke antwoord, dat we de standaard van díé bewaking, waar we de middelen voor hebben, aanhouden.'

'Is het risico voor het publiek groter? Is er een algemeen vijandbeeld of lijkt het een soort interne afrekening waar we mee bezig zijn?' Storm schonk een restje koude koffie in, nam een slok en trok een zure grimas.

'De enige gebeurtenis die ik me kan indenken die de openbare orde in gevaar brengt, is als iemand de hotdogkraampjes wil opblazen. Ik zie geen algemene bedreiging, maar het evenement vereist middelen die we voor dat doel eigenlijk niet kunnen missen.'

De officier van justitie heeft de huiszoeking bij Rosmarie Haag goedgekeurd, heb ik gehoord? Denken we dat zij alléén schuldig is? Ik heb gehoord over die bijl, en dat die witte zakdoek die op de parkeerplaats van De Vergulde Druif gevonden is ook van haar was. Dat heeft ze volgens het rapport toegegeven.'

'Ik ben er niet zeker van dat zij schuldig is.'

'Wat bedoel je in hemelsnaam? Natuurlijk is ze wel schuldig. Ik heb net aan de pers verteld dat we een verdachte hebben aangehouden.'

'Ik ben er niet van overtuigd. De vrouw lijkt ook de ernst van de situatie niet in te zien. Ze huilde van opluchting toen ze te horen kreeg dat ze vannacht hier moest blijven. Ze was blij dat ze kon slapen zonder dat haar vader op moest blijven om op haar te passen.'

'Wat een onzin! Die vrouw krijgt vochtige ogen en Hartman, de gentleman, haakt af.'

'We zullen zien', zei Hartman rustig en verbeten.

'Ik geloof ook niet dat ze schuldig is', zei Maria. 'In elk geval niet aan de moord op Jacob Enman. Mogelijk aan doodslag op haar man, maar niet aan de moord met die bijl.'

'Hoezo geloof je ook niet dat ze schuldig is? We houden ons hier aan de feiten. Alles wijst er immers op dat ze schuldig is. Zij heeft gelegenheid gehad om Mårten Norman en Jacob Enman om zeep te helpen. En het lijk van haar man komt vast een dezer dagen ergens uit een kast rollen. Ik zal je zeggen dat het een enorme opluchting is om tegen de pers te kunnen zeggen dat we een verdachte hebben opgepakt. De vraag is alleen of ze het alléén heeft gedaan of dat ze hulp had van die ouwe?'

'Ze heeft een lift naar huis gekregen van een dame in een rode Renault. Als we die getuige te pakken krijgen, komt de zaak in een ander daglicht te staan.'

'Als die dame überhaupt bestaat. En dat betwijfel ik! Ze was blijkbaar naamloos.' Storm zocht verontwaardigd in zijn zak naar zijn aansteker, tot hij bedacht dat hij binnenshuis niet meer mocht roken.

'Ik heb niet gezegd dat ze geen reden had om haar man te vermoorden, helemaal niet. Zoiets wordt "motief" genoemd', zei Storm met een zoetzure glimlach die zijn lange, kale tandhalzen ontblootte, waardoor Maria ongewild weer aan veldmuizen en hantavirose moest denken.

'Zeg nog niet te veel tegen de pers. Het is jammer als je er later op terug moet komen. Dat geeft minder vertrouwen in het werk van de politie.' Hartmans gezicht was als van cement. Erika, die voelde dat ze in een patstelling terechtgekomen waren, probeerde ze verder te helpen.

'Heeft Rosmarie Haag een alibi voor vannacht, voor de tijd van de explosie?'

'Ze zei dat ze op was en die knal bij Kronviken rond tweeën gehoord had. Pa sliep. Als ze iets te verbergen hadden gehad, had ze kunnen zeggen dat ze allebei aan tafel hadden gezeten. Verder vind ik het vreemd dat je een moordwapen begraaft in een plastic zak. Het lijkt of iemand tegen elke prijs vingerafdrukken en bloedsporen wil geven.'

Hartman pakte zijn colbert en liep in de koele avondlucht naar huis. De geur van regen hing nog tussen de bomen. Maar de lucht was opgeklaard. De maan scheen rond en geel over de daken, alsof hij slechts een spelletje deed en de ernst van het moment niet inzag. Hij verborg zich vol en speels achter de toren van de Santa-Maria en volgde met matige interesse Hartmans stappen toen hij afboog over het plein.

Hartman dacht aan Rosmarie Haag. Ze leek zich niet te kunnen of zelfs maar te wíllen verdedigen. Zijn hele intuïtie zei hem dat ze onschuldig was, terwijl de bewijzen voor haar schuld zich op zijn bureau opstapelden. Stel dat Clarence Haag in leven was. Rosmarie had absoluut alle reden om zich te bevrijden van haar kwelgeest, maar dat was niet hetzelfde als dat ook daadwerkelijk dóén. Misschien had Clarence de hele zaak in scène gezet, of Odd Molin? Wie weet had Odd wel een hekel aan zijn compagnon, of andersom. Zeker als Odd een oogje had gehad op Clarence' vrouw. Het was haast klassiek. Of was het Konrad misschien? Waar is een vader niet toe in staat als het zijn dochter slecht vergaat? Wat zou hij zelf doen als zijn dochter mishandeld werd? Vertrouwen op de gerechtigheid of het heft in eigen hand nemen? Hartman huiverde bij de gedachte. Hij wilde niet te veel over het antwoord nadenken.

Hongerig en doodmoe opende Hartman de voordeur van zijn huis, een klein stenen huis, centraal gelegen tussen de kerk en de bibliotheek. Er brandde licht in de woonkamer. De tafel was gedekt voor één persoon, met een kristallen glas en een gevouwen servet. Marianne had vermoedelijk een paar uur geleden al gegeten, constateerde hij met een blik op de klok. De maan keek nieuwsgierig naar binnen toen Tomas Hartman wijn in het mooie, handgeslepen glas schonk. Het schaakspel stond klaar. Zijn vrouw had een witte pion verplaatst naar C3 voordat ze naar bed ging, iets minder stoutmoedig na haar verlies van de vorige keer. Hartman dacht even na, deed een zet en wekte vervolgens zijn vrouw met een kus op haar voorhoofd. Peggy zat geïnterneerd in een kooi op de grond. Het gezinsleven had die avond een nieuwe en bijzondere glans gekregen. Marianne nam plaats achter het schaakbord en plukte besluiteloos aan haar witte paard.

'Ik moet erachter zien te komen hoe het ook alweer ging', zei ze koppig.

'Het gaat net als laatst, je laat jezelf gewoon weer in een hoek drijven, je metselt jezelf als het ware in.'

'Zou iemand dat ooit gedaan hebben?'

'Hoe bedoel je?'

'Nou, zichzelf ingemetseld?'

'Geen idee. Ik heb die uitdrukking wel eens gehoord.'

'Of de stoelpoten onder zich vandaan hebben gezaagd?'

'Niets menselijks is mij vreemd.'

'Het lijkt wel het *Guinness Book of Records*, een stommiteit uithalen die zo uniek is dat hij een eigen gezegde krijgt. Een soort bewijs dat het absoluut het stomste was in zijn soort.'

'Op het werk hebben we het over "verrukkelijk eten" en dan weet iedereen dat de kans op voedselvergiftiging latent aanwezig is.'

'Je bedoelt van die keer toen Ek die "leverschotel van de kalief" gemaakt had. Nu moet je niet overdrijven, Tomas. Iedereen heeft wel eens last van zijn maag. Trouwens, dat is geen landelijk begrip.'

'Nog niet.'

'Weet je zeker dat je je vakantie moet uitstellen, Tomas? Dat is heel vervelend. Wat doen we dan met ons geplande tripje naar de westkust? Moet jij altijd degene zijn die het laatst op vakantie gaat?'

'Ik vind het ook niet leuk, maar ik heb nu gewoon geen andere keus. Zo is het nu eenmaal. Kun je je zus zo lang niet meenemen op een lastminute, en dat wij later samen iets doen?'

'Ik wil het liefst met jou op vakantie, en zo ging het de vorige keer ook. Het is niet zo eenvoudig om samen te leven met inspecteur Hartman, moet ik zeggen. Maar gedane zaken nemen geen keer.'

'Beken nu maar dat je me genomen hebt voor het geld, voor mijn vette salaris', zei Tomas met gespeelde ernst.

'Nee, ik heb je genomen om je lijf', glimlachte Marianne en ze klopte haar echtgenoot op zijn buikje.

Ze deden de rolgordijnen in de slaapkamer omlaag en stapten in bed. Inspecteur Hartman, die helemaal op was na de gebeurtenissen van die dag, viel bijna meteen in slaap. In een toestand tussen waken en slapen hoorde hij heel ver weg de stem van zijn vrouw. Eerst als een zwak gemurmel, vervolgens steeds indringender.

'Tomas, hoe denk jij eigenlijk dat het met Lena gaat?' Hartman werd naar de oppervlakte getrokken als een vis aan de haak. 'Wat zei je?' kraste hij slaapdronken.

'Je luistert helemaal niet. Ik vraag me af hoe het met Lena gaat, met vrienden en zo. Denk je dat ze tevreden is met haar huidige leven?' Tomas Hartman dacht koortsachtig na. Was Lena op de een of andere manier in gevaar? Wat was het dat hij moest begrijpen? Wat verwachtte Marianne dat hij zou doen?'

'Gaat het niet goed met haar? Heeft ze iets tegen je gezegd?'

'Nee, niet echt. Ik lag er alleen aan te denken.'

'Dus er is niets gebeurd?' vroeg Tomas gelaten.

'Niet dat ik weet. Nu gaan we slapen, welterusten.' Marianne draaide zich op haar zij en sliep al snel, met een rustige, diepe ademhaling. Maar Hartman kon zich niet ontspannen. Zo ging het vaak. Net als hij in slaap viel, begon zijn vrouw de dag samen te vatten met al zijn geneugten en gevaren. Bij voorkeur met een of twee vragen aan het eind, die zijn hele onderzoeksmachinerie in werking zetten. En dan lag hij daar maar te piekeren terwijl zij zich bevrijd had van haar overpeinzingen en lekker sliep.

Hij stond geruime tijd verstopt achter de jasmijnstruik en zag de schemering invallen. De witte bloemen geurden niet meer. Ze klampten zich vergeeld en levenloos vast aan de takken, of vielen in een bloemenregen op de grond. Nu was het zover. Spoedig zou alles volbracht zijn.

Hij kende haar gewoonten. 's Avonds zat ze in het donker aan de keukentafel. Hij was wat voorzichtiger geworden sinds Konrad in het hoofdgebouw getrokken was. Maar vanavond was alles anders. De oude man was in zijn eigen huis gebleven. Rosmarie was niet langer op haar hoede. Geluidloos sloop hij door het vochtige gras naar het huis. Het maanlicht was vernietigend sterk. De ogen van de sterren gloeiden. Hij drukte zijn rug tegen de schaduw van het huis en keek omhoog. Een andere sterrenhemel dan hij vanuit zijn gevangenis gezien had. Hij deed de buitendeur van het slot. Een

nauwelijks hoorbare klik. Hij drukte de deurkruk omlaag. Het huis
ademde leegte. De geuren waren niet die van overdag, van versge-
zette koffie en het klaargemaakte eten. Hij spande zijn zintuigen tot
het uiterste. Maar de stilte lag zwaar en onbeweeglijk in de kamers.
Ze was niet in de keuken, maar er stond nog een wijnglas op haar
plaats bij het raam. Pruimenwijn, zoals in de tijd van de onschuld.
Hij kon de afdruk van haar lippen zien en bracht het glas met zijn
gehandschoende handen plechtig naar zijn mond. Liet zijn lippen de
rand van het glas beroeren in een kus, even dood als het geluk dat hij
eens gevoeld had. Voorzichtig streek hij met zijn vinger over de plaats
op de voet van het glas waar ze haar hand gehouden had.

Bijna geluidloos gleed hij door de kamers, door de zee van engelen
naar de slaapkamer. Hij drukte haar geur tegen zijn gezicht. Haar
lakens tegen zijn huid. De gevoelens waren sterker dan hij vermoed
had. Dreigden zijn bedoeling te vertroebelen. Als een gewond dier
kroop hij in elkaar, om zijn pijn heen. Hij ademde diep. Het takje
rozemarijn was verdwenen. Ze had de boodschap ongetwijfeld be-
grepen. Met een razende greep om het mes sneed hij een groot stuk uit
de matras, op de plaats waar haar hart zat. Ze zou hem niet weer in
de steek laten, die hoer. Ooit zouden ze elkaar ontmoeten in afzonde-
ring. Dan zou alles volbracht worden. En dan zou de begerens-
waardige rust zijn rechtmatige beloning zijn.

31

'Hup, het veld weer in. Dit is geen kinderpartijtje!' brulde Mayonaise. Maria, die een vrije dag had voor ze aan een enorme werkweek begon, was met haar vijfjarige zoon meegegaan naar voetballen. Blijkbaar had Kronviken geen betere leider weten te strikken dan Mayonaise. Manfred Magnusson ging tegen de kleine vijf- en zesjarigen tekeer alsof het verdere lot van de wereld door deze veldslag tegen Kronköping moest en zou worden beslist. Het kleine donkerharige ventje dat dorst gekregen had en even uit het veld gerend was om een slokje water te drinken, gehoorzaamde met tranen in zijn ogen en met een mokkende blik.

'Dit is verdomme geen kinderpartijtje!' herhaalde Mayonaise alsof hij zelf erg tevreden was met die formulering en hem nog een keer wilde horen.

'Nu moet je je een beetje gedeisd houden, Mayo. Je bent kínderen aan het trainen. Die zijn hier omdat ze plezíer willen hebben', riep Maria en ze priemde haar ogen in die van haar buurman.

'Bekijk het maar! Ze zijn hier om die luitjes van Kronköping een lesje te leren. Om ze in te maken. Kolere, pak die bal dan! Sta daar niet te pitten! Geef ze ervan langs! Waar is de doelman? Waar is Bieflap, verdomme?' Een heel klein en heel gelukkig spelertje van Kronköping zag zijn kans schoon voor het geheel verlaten doel. Na twee of drie missers kreeg hij het voor elkaar en de bal rolde over de doellijn. Het publiek juichte! Bieflap stond vijftien meter verderop in het gras met zijn broek omlaag. Mayonaise werd afwisselend knalrood en lijkbleek van de gemengde gevoelens.

'Waarom deed je dat nou?' piepte hij helemaal gebroken toen de jongen weer terugkeerde naar het veld.

'Ik moest plassen, snap je dat dan niet?!' Na dat doelpunt

kalmeerde Mayonaise enigszins. Het schaamrood brandde lange tijd op zijn kaken. Maria kon het duidelijk zien, hoewel zijn baard het meeste ervan verborg. Er kwam geen woord over zijn lippen. Zelfs niet toen een ventje zijn ene knie openhaalde en de hele wedstrijd werd stilgelegd omdat iedereen het blóéd wilde zien. Daarna duurde het nog eens vijf minuten voordat iedereen weer op de juiste speelhelft stond en zijn oorspronkelijke positie had ingenomen. Emil was nergens te zien. Maria vond hem pas na een hele tijd. Hij zat verderop in het gras naar een vlinder te kijken waar hij achteraan was gerend.

'Voetbal is niks voor mij.'

'Misschien wel, misschien niet. We kunnen het met zijn drietjes spelen als we thuis zijn, papa, jij en ik. Het is in elk geval ook niks voor Mayonaise. Dat is wel duidelijk!'

Krister stond te wachten op de parkeerplaats voor het clubhuis. Linda zat op zijn schouders en bewerkte zijn kapsel met haar kleine plakkerige knuistjes.

'Ik heb een picknickmand bij me, dus we kunnen meteen door. Heb je die kaart van Erika Lund in de auto?'

'In het handschoenenkastje.'

'Waar gaan we heen? Gaan we zwemmen?' vroeg Emil.

'We gaan proberen om de weg door het bos te vinden naar Sandåstrand. De plek die Gustav Trollets bro noemt, de brug van de trol. Daar is die duif van Gustav, Arrak, vandaan gevlogen toen we hen bij de wedstrijd hielpen, weten jullie nog?'

'Wat leuk!' Emil sprong op één been rond in een cirkel.

'Ja, maar er zijn daar nu geen duiven. Er is wel een strandje met zand zo zacht als cakemeel.'

'Zeg dat maar niet. Linda eet zo al zand genoeg, dat hoef je niet nog eens aan te moedigen!'

De weg over het schietterrein slingerde en zat vol kuilen. Linda werd wagenziek en moest overgeven, ook al reden ze met de raampjes open. Meer dan eens moesten ze stoppen om haar eruit te laten voor een beetje frisse lucht.

'We hadden misschien beter thuis kunnen blijven en in Kronviken kunnen gaan zwemmen', zei Maria mistroostig.

'Het is toch leuk om iets te zien? Ik dacht dat je er niet heen wilde omdat je je dan misschien niet echt vrij zou voelen.' Krister glimlachte opmonterend en gaf Linda een klopje op haar wang. 'Als we er zijn, gaan we konijnenholen graven in het zand.'

De kaart was moeilijk te ontcijferen en de weg door het bos, die soms niet meer was dan een paar wielsporen over gras en kleine boompjes, verenigde zich met andere paadjes naar onbekende bestemmingen. Eén keer sloegen ze te vroeg af bij een beek en moesten ze een heel stuk achteruit terugrijden. Dit was geen weg voor tegenliggers. Alle verrassingen op dat gebied zouden slecht zijn. Linda zat te jengelen op de achterbank. Uiteindelijk kwamen ze bij een open plek in het bos en zagen ze de zee. Daar stond het huisje, een afgebladderd bord getuigde van het feit dat hier ooit de kwekerij van Gideon geweest was.

'Kijk, pappa, daar in het weiland zit een heuvel, het lijkt wel een soort grot.'

'Dat is een bunker.'

'Wat is een bunker?'

'Daar zochten militairen beschutting tijdens de oorlog. Ze konden dan naar buiten kijken door de openingen en schieten zonder zelf getroffen te worden.'

'Wat stom. Ik ga er opklimmen.' Emil rende zo hard als zijn korte beentjes hem konden dragen en Linda sukkelde erachteraan. Ze bleven even op de stenen brug staan en keken gefascineerd omlaag naar het zwarte water dat in de richting van de zee stroomde. Emil gooide er een takje in. De wind was zwoel en vol geuren; gagel en munt, veldbloemen en zout zeewier. Hij aaide voorzichtig het gras en speelde tussen de grasklokjes en de margrieten in het weilandje bij het strand, als een siddering in de bladeren van de elzen en de stengels van het trilgras. De zee glinsterde, als verborg hij een overvloed aan edelstenen, met vele facetten en kleurrijk in zijn kabbelende deining. Ver weg aan de horizon was Kronholmen door de lichte nevel nog net zichtbaar. Het uitkijkpunt op de rots steeg op uit zee, donker en machtig.

'Ik hou van je', fluisterde Krister met zijn mond in Maria's haar.

'Ik hou ook van jou', zei ze en ze liet haar hand de contouren van zijn lichaam volgen onder zijn overhemd, langs zijn rug, omlaag over zijn billen. Hij boog zich naar haar toe en kuste haar. Hij kuste haar hals en haar oorlelletjes. Ze gingen liggen achter een jeneverbesstruik, verblind door gepassioneerde, wilde kussen. Ze voelden de gele ruigheid van het gras niet en evenmin de prikkende naalden die vorig jaar waren afgevallen. Krister schoof haar rok over haar heupen, streelde de bruine dijen. Een korte seconde vocht hij voordat zijn verstand werd overmand door lust. Mompelend smeekte hij zijn betere ik om absolutie. Maria glimlachte plagerig en drukte zich dichter tegen hem aan. Bevrijdde hem van zijn steeds strakker zittende broek. Hij zocht zijn weg naar binnen, voelde zich welkom en was niet in staat om aan de eventuele consequenties te denken. In een paar tellen was het voorbij. Krister kuste hijgend haar voorhoofd en haar ogen.

'Was dit wel verstandig?'

'Dat weet je pas achteraf. Veilige periodes zijn net een loterij. Gelukkig win je niet elke keer, maar je kunt nooit weten.'

'Het wordt vast een tweeling', zei hij met gespeelde somberheid.

Innig gearmd liepen ze naar het strand. Emil stond boven op de bunker, trots en blij alsof hij de Mount Everest beklommen had.

'Je kunt die bunker gebruiken als gevangenis. Daar kun je de boeven in opsluiten, mama.'

'Wat goed', lachte Maria.

'Maar je kunt er niet in, want er zit een slot op de deur.'

'Alleen de gevangenbewaarder heeft de sleutel.'

'Ja, en hij heeft al een boef opgesloten', zei Emil en hij keek door de planken naar binnen.

'Is het Donder-Karel of Blom*?' grapte Maria.

'Het is vast Blom', zei Emil en hij gluurde weer naar binnen.

Ze liepen naar het strand en gingen zwemmen. Krister en Linda groeven konijnenholen, lange gangen onder het zand, waar hun handen elkaar tegenkwamen als konijnen. Linda lachte hikkend en klaterend, zoals alleen kinderen kunnen lachen, voordat het leven te volwassen en te gecompliceerd wordt.

'Bieflap kan met zonder handen fietsen, en zijn vader heeft een geweer dat héél gevaarlijk is.'

'Wat is er zo goed aan fietsen met je handen van het stuur? Dat hoef je echt niet te kunnen, hoor', zei Maria troostend toen ze een spoor van minderwaardigheidsgevoel in de stem van haar zoon hoorde.

'En papa, weet je, Bieflap heeft iets héél smerigs gezegd!'

'Wat dan?' vroeg Krister nieuwsgierig. Dat verbaast me geen steek, dacht Maria.

'Zeg dat het niet waar is, papa. Je moet zeggen dat het niet waar is!'

'Wat dan?'

'Hoe baby'tjes worden gemaakt. Dat is héél smerig!'

'Maria, help!'

'Niks ervan. Dat knap je zelf maar op. Ik ga zwemmen.' Linda, die de spanning in de lucht voelde, begon te lachen, te schateren. Ze moest zo hard lachen dat haar benen onder haar vandaan gleden en ze in het zand bleef liggen als een spartelende slak op zijn rug en alleen maar kon giechelen. Hoe opgelatener Krister en Emil keken, hoe harder ze ging lachen.

'Zeg dat het niet waar is, papa. Dat doe je toch niet? Dat

---

* Personages uit Astrid Lindgrens *Superdetective Blomkwist*.

hebben jullie toch ook niet gedaan? Toch?' Emils ogen stonden vol wantrouwen en beschuldigingen.

Maria liep de ondiepe baai in en moest een behoorlijk eind lopen voordat het water dieper werd en ze kon zwemmen. Een eind uit de kust was het water veel koeler. Haar haar volgde haar hoofd schoksgewijs bij elke slag, als een uitgevouwen waaier. Hoe het voelt als je verdrinkt? Hoe lang het duurt voordat je je bewustzijn verliest? Rosmarie Haags bleke gezicht met de grote, verdrietige ogen stond op Maria's netvlies toen ze haar ogen sloot en naar de bodem dook. Een paar stevige slagen en toen opende ze ze weer. Een scharretje zocht zijn toevlucht in het zeegras. Stel dat je spijt krijgt als het te laat is. Als je niet meer kunt vechten. Als de zin om te leven dáár juist is, op de grens van leven en dood. Maria zwom naar de oppervlakte en haalde adem. Ze voelde instinctief dat Rosmarie Haag onschuldig was. Maar wat gaf Storm voor primitieve functies als instinct? Geen jota. Instinct was iets voor lagere wezens in de hiërarchie die geen verstand hadden, meende hij. Maria vond dat net zo intelligent als het afzien van je gehoor, omdat je ook kunt zien. Ze moesten Clarence Haag zien te vinden. Dood of levend. Hij moest toch érgens zijn. En met hem zouden ze zeker de verklaring vinden van een groot aantal gebeurtenissen die de laatste tijd in Kronviken hadden plaatsgevonden. Maria kwam huiverend uit het water en liep in de lichte tegenwind het strand op om zich in haar badjas te wikkelen.

'Mijn papa heeft een zak met zaadjes, babyzaadjes', deelde Emil mee terwijl hij op de ronde stenen langs de vloedlijn balanceerde.

'Gefeliciteerd', zei Maria en ze maakte een beleefde buiging voor haar man, die uitgeteld en als een gestrande zeehond op zijn badjas lag, met een uiterst merkwaardige gezichtsuitdrukking. 'Kom, dan gaan we kijken of er aardbeien zijn. Erika zei dat ze aardbeien hadden gevonden in het gras bij het huis.' Maria liet haar lange, kletsnatte haar over Kristers rug glijden en de zeehond kwam in beweging. De kinderen renden door het hoge gras. Af en toe waren ze verdwenen, dan kwamen ze weer bij elkaar en renden ze nieuwe rondjes. Op plaatsen waar de zon kon komen, groeiden kleine, zoete aardbeitjes. Emil reeg de zijne aan een strootje, maar dat knapte al snel door de zware vruchten. In de buurt van de restanten van een schuur die ingestort en gedeeltelijk vermolmd was, vond Maria diverse kleine kruidenplantjes die om ruimte vochten met kweekgras, akkerwinde en melde. Citroenmelisse en oregano herkende ze direct. Maar ze aarzelde over een op fluitenkruid lijkende bloem met een kruidige geur. Misschien komijn of anijs? Er zijn een heleboel planten die op fluitenkruid lijken, sommige giftig als gevlekte scheerling.

'Is dit een spookhuis?' vroeg Emil en hij keek tegen de zon in naar het huis van Gideon.

'In dat huis heeft een tuinman gewoond.'

'Waar is hij nu?'

'Hij is dood, maar zijn huis is er nog. Hij wilde het aan niemand verkopen, dus het is er nu voor wie hier wil zijn.'

'Wat lief. Dan is hij een aardig spook. Ik wil binnen kijken.' Emil galoppeerde voorop en hinnikte als een paard.

De trap naar het oude huis was kapot en vergaan. De wilde takken van de ongesnoeide fruitbomen overschaduwden de ingang met hun gebladerte. De stammen waren bedekt met mos en klimop. Onrijpe vruchtjes, poppenappeltjes, zaten ver uit elkaar aan de vele loten. Langs het huis slingerden violen aan lange ranken omhoog naar het licht, samen met door bladluis aangetaste Pinocchio-rozen. Stokrozen verhieven zich majestueus tegen de muur op het zuiden en overal groeiden brandnetels en kweekgras. Krister liep voorop en voelde aan de buitendeur. Het slot was weg en de deur was aan de buitenkant afgesloten met een haak. Het slot zou wel verroest zijn geweest en vervangen door de haak zodat de deur niet kapot zou waaien. Maria glimlachte om de nieuwsgierige gezichten van de kinderen. Je kon de draden van

228

de fantasie zien samenklitten tot een web. Krister moest vroeger hetzelfde gevoeld hebben, want hij had een onbedwingbare lust om zijn fantasie de vrije loop te laten.

'Hier in dit huis woonde ooit een zeerover die Gideon Wilhelm IJzervoet heette.' Linda snakte naar adem en staarde als betoverd naar haar vaders gezicht. 'Hij had zijn hele leven op de zeven wereldzeeën gevaren en goud geroofd. Ik weet dat hij zijn schat hier in huis heeft verstopt.'

'Hoe weet je dat?' fluisterde Emil aandachtig.

'Dat heb ik een vogel horen fluisteren. Een betoverde vogel in de appelboom buiten.'

'Ik heb niks gehoord', fluisterde Linda. 'Wat zei die vogel?'

'Dat we in het huis moesten zoeken. Het was op rijm. Ik geloof dat het een hexameter was', zei Krister met een blik op Maria.

Binnen rook het vies en bedompt. Onder de ramen had het condenswater vochtvlekken gevormd in het behang. Een doordringende muizenlucht steeg op van de vloer en Maria vreesde dat ze ieder moment oog in oog konden staan met een overvolle muizenval.

'Heeft Gideon IJzervoet zijn schat misschien op het strand begraven?' stelde ze voor.

'Nee', zei Krister zelfverzekerd. 'De schat moet hier in huis zijn.'

Voor het raam in de woonkamer hing kapotte, bruine vitrage. De vensterbank was stoffig en lag vol dode vliegen. Op de lichtgroene bank vol vochtvlekken lag een opgerolde slaapzak.

'Het lijkt wel of meneer Zeerover een modernere uitrusting heeft aangeschaft.' Maria wees, maar Krister had zijn expeditie al de keuken in geleid.

'Stel dat het Gideon-spook komt vragen wat we in zijn huis aan het doen zijn?' Emil wierp een haastige blik op de buitendeur. 'Misschien sluit hij ons wel op en moeten we doodhongeren.'

'Dat zal wel meevallen.' Krister opende de deur naar de voorraadkast. 'Er is hier een hoop blikvoer.' Op het aanrecht stond een grote kunststof bak met de tekst 'Coöperatieve Slachterij', en er lagen een ouderwetse zaag en een roestige bijl. Het aanrecht was opvallend schoon vergeleken met zijn omgeving. Het glom aan alle kanten!

'Krister, ik vind dat we hier weg moeten gaan. De gemeente kan het huis aan iemand verkocht hebben zonder dat Erika dat weet. Ik wil geen proces aan mijn broek krijgen voor insluiping en huisvredebreuk.'

'Bij nader inzien zei de vogel dat hij de schat op het strand verstopt had', zei Krister en hij volgde met zijn vinger de potloodlijn op Erika Lunds kaart. 'Ja, dat moet het strand betekenen.' Emil rende vooruit en Krister tilde Linda van de vermolmde trap, zodat ze er niet doorheen zou vallen. Maria deed de deur weer zorgvuldig op de haak. Het zou erg vervelend zijn geweest om in de keuken oog in oog te hebben gestaan met de eigenaar van het huis. Krister zou zich er wel uitgekletst hebben, maar toch.

Krister rende als een eland over het gras en was vóór de kinderen op het strand. Hij wierp zich over de picknickmand en begon als een uitgehongerde hond in de konijnenholen te graven.

'Hier, hier ergens was het. Voel eens, Linda en Emil, als jullie je hand er van de andere kant insteken.'

'Ik heb iets', zei Emil en hij trok een rol koekjes uit het binnenste van de aarde.

'Ik ook', zei Linda en ze trok Kristers ene sok uit haar hol en begon te schaterlachen.

'Maar dit is toch geen schat', zei Emil verbolgen.

'Er staat "Goud Maria" op de verpakking, misschien had hij op de zeven wereldzeeën wel zulk goud geroofd, en dat is een geluk, want koekjes kun je eten. Ik zal jullie vertellen over een koning die Midas heette. Hij wenste ooit als cadeau dat alles wat hij aan zou raken zou veranderen in goud, en weten jullie wat er gebeurde?'

'Hij werd rijk', zei Emil.

'Nee, hij vroeg of hij zijn cadeau weer terug kon geven. Hij wilde het niet hebben. Als hij een boterham vastpakte, werd die keihard en was hij niet te eten. Álles wat hij vastpakte werd goud. Hij zou doodgehongerd zijn.'

'Wanneer zal de blanke man leren dat je goud niet kunt eten?' citeerde Maria Sitting Bull.

Linda begroef haar tenen in het zand en vond het prachtig om ze vervolgens als paddestoelen uit de grond te laten komen. Krister dommelde in de zon en Maria had spijt dat ze haar aquarelverf niet meegenomen had. De schitterende kleuren van het weiland en strand baadden in het warme licht en het licht gaf ze een nieuwe verzadiging en intensiteit. De glinsterende zee stak groen af tegen het geelwitte zand. Maria keek omhoog naar het warmgroene dennenbos en zag opeens de smalle, diepe baai waar het water van de beek in zee stroomde. Goed verborgen tussen het riet lag een steiger. Het moest mogelijk zijn om de monding van het beekje binnen te komen met een kleine jol. Er rende een eekhoorn over het gras. Maria moest aan Odd Molin denken, maar verdrong die gedachte. Vandaag was ze vrij.

'Zullen we weer eens opstappen?' vroeg Krister.

'We moeten eerst die boef vrijlaten', zei Emil serieus en hij trok zijn moeder aan haar arm.

'Nee, het is het veiligst als hij daar vannacht blijft zitten, dan kan de cipier hem er morgen uit halen. Kom nu, e-mail', lachte computerfreak Krister en hij woelde door het haar van zijn zoon.

'Ik zal het even tegen hem zeggen, dan weet hij dat', zei Emil en hij galoppeerde over het gras. Gedachte en handeling waren één. De tijger was weer los!

'Ging het goed?' vroeg Maria toen ze elkaar weer zagen bij de stenen brug.

'Hij ligt daar maar te slapen. Hij hoort helemaal niets', zei Emil.

32

Hartman zag er vermoeid en grauw uit toen hij van het Openbaar
Ministerie kwam. Zonder te groeten liep hij naar zijn kamer en
deed de deur achter zich dicht. Maria liep peinzend naar haar
eigen kamer en pleegde een paar telefoontjes. Voortdurend met
het gevoel dat er iets niet pluis was. Er was iets niet goed met
Hartman. Maar als hij zijn deur dichtgedaan had om niet gestoord te worden, dan moest je dat respecteren. Maria nam
contact op met het Openbaar Ministerie om een fiat te krijgen
voor een huiszoeking bij Odd Molin. Volgens Arvidsson was
Odd niet op zijn afspraak van 14.00 uur in Stockholm verschenen. De laatste die hem gisteravond gezien had, was Mayonaise,
of all people. Toen Odd er door Krister min of meer was uitgegooid, nadat hij had geprobeerd het onroerend goed van de
familie Wern in Kronviken te taxeren, was Mayonaise een eindje
met hem meegelopen om zich ervan te vergewissen dat Odd niet
naar Jonna ging om haar rare ideeën aan te praten. Dat was nu
niet het juiste moment. Verlangend had Mayonaise door het
raam naar binnen gekeken. Daar zaten Jonna en Bieflap met een
hamburger voor de tv. Haar zus was er ook, dat reptielachtige
wezen. Als zij zou blijven slapen en het conflict zou aanwakkeren,
wist Mayonaise met grote stelligheid dat hij de hele nacht niet
binnengelaten zou worden. Odd had hem op de rug geslagen.
'Zulke dingen gebeuren, knul. Mocht het zover komen dat jullie
je huis moeten verkopen, dan kan ik kijkers regelen. Jullie komen
niet met lege handen te staan met zo'n huis.' Mayonaise had hem
iets horen mompelen over uitzicht op zee en Duitsers. Daarna
had niemand Odd meer gezien. Geen van de eigenaren van de
plezierjachtjes had bij navraag gemerkt dat Odds boot 's nachts
uit de haven verdwenen was en in de richting van Kronholmen
was gevaren. Pas 's morgens ontdekten ze dat zijn aanlegplaats

leeg was. Velen hadden de explosie rond tweeën gehoord, sommigen hadden zelfs het schijnsel gezien toen de boot de lucht in vloog. Alle pogingen ten spijt was er nog steeds geen lichaam gevonden. Niet in zijn geheel, maar ook geen brokstukken, zoals Arvidsson meende het te moeten uitdrukken. De duikers waren volop bezig. Het was nog onzeker waardoor de explosie veroorzaakt was. Misschien dat een huiszoeking daar een aanwijzing voor kon opleveren.

Maria had 's morgens met Odds secretaresse gesproken. De vrouw was helemaal aangedaan. Ze was met name bevreesd voor haar eigen baan, die op de tocht leek te staan. Ze zou na de lunch langskomen voor een verhoor. Maria had haar gevraagd te controleren of een van de objecten die in de verkoop zat, leegstond. De mogelijkheid bestond dat de heren Clarence en Odd zich op een dergelijke plaats schuilhielden. Het was een wilde gok, maar niet helemaal onwaarschijnlijk. Maria liep met een aantal zaken naar het Openbaar Ministerie.

De bloemenwinkel schuin aan de overkant had grote bakken met petunia's en lobelia's buiten gezet. Ze hingen slap en waren half verwelkt, maar gingen dan ook weg voor een prikje. De viooltjes leken op sterven na dood en zouden vast hun genadeklap krijgen van de zomerhitte, die door het zwarte asfalt waar de bakken op stonden geabsorbeerd werd als stonden ze op een immense bakplaat. Verder was het aanbod aan planten mager. Maria moest zich inhouden om geen bak petunia's te kopen en liep de trap op naar het kantoor van officier van justitie Stefan Berg.

Officier Berg was altijd gekleed in een donker kostuum, maar vandaag had hij zijn kleding wat verluchtigd met een zomerse das in lichtgroen. Een minuscule golfspeler onderop duidde op de grote passie van de eigenaar. Maria legde haar zaken voor, maar voelde dat de officier er niet helemaal bij was met zijn gedachten – alsof die zich elders bevonden. Zijn houding was iets koeler en geslotener dan normaal. De schelmse blik was weg. Niet dat je officier van justitie Stefan Berg ooit zou kunnen betichten van luidruchtigheid, zulke uitwassen bood zijn persoonlijkheid niet. Hij was correct en duidelijk, ook privé. Maar vandaag was er iets mis. Dat kon Maria voelen. Net zo goed als ze intuïtief wist dat ze bij Hartman binnen moest lopen om met hem te praten.

Maria ging terug naar haar kamer en begon aan een zaak waarbij de beschuldigde volgens de berichten parkeerbonnen had gedrukt met daarop zijn eigen gironummer en die overal op auto's in de stad had geplakt op plaatsen waar het vrij parkeren was. Vindingrijk, maar weinig lucratief aangezien een van de eerste bonnen op de voorruit van de vice-voorzitter van de Dienst Wegbeheer beland was. Ze klopte de aangifte in in de computer, terwijl ze voortdurend aan Hartman dacht. Toen hij niet met de anderen in de koffiekamer verscheen, werd ze echt ongerust. Daarom ging ze naar haar kamer en belde hem via de intercom. 'We gaan koffiedrinken.' Geen antwoord. Voorzichtig klopte ze aan. Geen reactie. Ongevraagd stapte ze binnen. Hartman lag voorover op het bureau, met zijn hoofd op zijn armen, en in dezelfde pose als waarin ze de oude Jacob gevonden hadden. Haar hart stond stil. Maria voelde de adrenalinestromen in haar vingertoppen prikken. Haar stem wilde niet gehoorzamen. Een hijgende klank was het enige wat over haar lippen kwam. Toen bewoog hij zich een beetje. Tilde zijn hoofd op.

'Ik wil alleen zijn', zei hij met grote aarzeling in zijn stem.

'Als je me niet uitdrukkelijk verzoekt weg te gaan, ga ik even zitten.' Er kon een glimlachje af bij Hartman, dat nog het meest leek op een grimas.

'Dat is goed, ga zitten.' Maria ging naast hem zitten en zocht zijn blik.

'Wat is er?' Tomas Hartman schudde zijn grijze lokken en zuchtte diep.

'Vertel het me. Ik zie toch dat je ergens mee zit. Als collega's moeten we het samen zien te redden. Je hebt mij zo vaak gesteund, nu is het mijn beurt om te luisteren. Wat is er gebeurd?'

'Mijn dochter Lena...' Hartman pauzeerde even om zijn stem de baas te worden. 'Mijn dochter zit vast. Ze riskeert gevangenisstraf.' Een golf van angst overviel Maria.

'Waarom? Wat heeft ze gedaan?'

'Ze wil überhaupt niet met me praten.' Hartman kneep in zijn wang zodat zijn huid wit werd. 'Ze is vanochtend opgepakt met een spuitbus in haar hand. Zij en haar vrienden waren bij Kronköpings Lederwaren binnen. Ze hebben voor meer dan honderdduizend kronen aan kleding bespoten. Ze heeft ook bekend dat ze bij die nertsfarm is geweest. Hoe de eigenaar heet, ben ik vergeten.'

'Ivan Sirén.'

'Ja, inderdaad, mijn dochter schijnt zijn muur volgespoten te hebben. Ze heeft bekend toen bleek dat Erika Lund vingerafdrukken had genomen van die spuitbus die jullie daar in de bosjes gevonden hadden.'

'Vernieling en graffiti, dat kan een dure grap worden, maar daar krijgt ze toch geen gevangenisstraf voor? Ze is toch ook nog geen achttien?'

'Jawel, ze is negentien. Maar ik ben niet zo ongerust over deze vernieling, hoewel dat natuurlijk een kwalijke zaak is. Het ergste is die explosie bij het kantoor van de Coöperatieve Slachterij met oud en nieuw. Dat weet je vast nog wel.'

'Ja, was zij daar ook bij?' vroeg Maria ongelovig. Ze zag Hartmans Lena voor zich zoals ze er op Hartmans verjaardag uitgezien had, een intelligente en goed aangepaste jonge vouw met een groot zelfvertrouwen en veel humor.

'Ze weigert om daar iets over te zeggen. Óf omdat ze schuldig is, óf omdat ze haar vrienden wil beschermen. Ik vrees het ergste. Als ze heeft meegedaan, wordt dat gezien als brandstichting. Dan zijn ondertoezichtstelling en een taakstraf, oftewel maatschappelijke dienstverlening, niet voldoende. Het enige wat ik met zekerheid weet, is dat zij niet degene is die die vossenklem heeft gezet. Dat heeft ze gezegd. En ik denk dat ze de waarheid spreekt. Ze heeft me nog nooit voorgelogen. Deze acties hebben te maken met moraal. Afstand nemen van de cultuur waarin we leven. Ik had naar haar moeten luisteren en haar standpunten serieus moeten nemen toen ik de kans had om met haar in discussie te gaan. Ik had vandaag niet naar het werk moeten komen. Er komt niet veel uit mijn handen', zei Hartman en hij stond resoluut op. Maria gaf hem een vriendschappelijke omhelzing.

'Bedankt dat je het me verteld hebt.'

Op dat moment vloog de deur open, zonder voorafgaand klopje.

'O, o, o. Je moest je schamen, Hartman. Een oude bok als jij lust blijkbaar wel een groen blaadje!' Storm grijnsde van oor tot oor, een van zijn uiterst zeldzame uitbarstingen van – in dit geval – leedvermaak, en probeerde zijn toch al platte haar met idiote beweginkjes van zijn handpalm nog platter te maken.

De woede spoot door Maria's aderen. In een fractie van een seconde deed ze de deur achter Storm dicht en drukte ze op het bezet-lampje. Voor hij het wist, werd de verbaasde Ragnarsson-Storm in de bezoekersstoel omlaaggeduwd.

'Door zichzelf leert men anderen kennen. Hartman heeft thuis de vrouw die hij nodig heeft en zoekt geen compensatie op de werkplek, zoals een aantal mannen van middelbare leeftijd hier wél doen. Als jij niet zo'n emotieloze minkukel zou zijn, zou je kunnen begrijpen wat vriendschap en aardigheid zijn!'

Storm leek volkomen verbluft, zoals hij daar dubbelgevouwen in de stoel geperst zat. Waar was dat brigadiertje van vroeger gebleven? Durfde ze een toon aan te slaan nu ze bevorderd was tot inspecteur? Vroeger moest je je bevordering verdienen! Tegenwoordig kon iedereen inspecteur worden. Tien jaar in dienst en ze sloegen een toon aan...

'Mijn dochter zit vast. Ik ben niet helemaal mezelf', verklaarde Hartman.

Storms versteende gezicht wankelde even voordat het zijn normale gelaatsuitdrukking terugkreeg. Hij ging rechtop zitten en zag Maria de deur uit lopen.

'Hoezo minkukel? Wat bedoelde ze daarmee? Begrijp jij dat, Hartman? Zijn vrouwen überhaupt te begrijpen? Vroeger, toen een vent nog een vent was en een politieagent een man, was het een stuk beter!' morde hij en hij verliet de kamer zonder de tijding van zijn collega te becommentariëren.

Odd Molins secretaresse was van het razendsnelle soort dat discussies rap weet af te breken en mensen to the point laat komen. Een uitstekende secretaresse en een waakhond voor iemand die met rust gelaten wil worden. Absoluut niet het type minnares. Eerder een oude vrijster. Het was Maria een raadsel hoe zo'n kleine vrouw zo waanzinnig kon transpireren. De persoonlijke geur van de vrouw bleef nadat ze verdwenen was nog lang hangen. Haar woorden ook, als zaten ze vastgeniet met een nietpistool. De liquide middelen van Haags Makelaardij waren verdwenen. De rekeningen waren geplunderd! Clarence was spoorloos. En Odd was ook opgegaan in rook, maar het gekste van alles was de ring, de ring van Odd, die rinkelend op het bureau was beland.

'Als er iets met Odd zou gebeuren, moest ik hiermee naar de politie gaan. Dat zei hij toen we gisteravond uit elkaar gingen. Die verslaafde die verdronken is, had een ring in zijn maag, zei Odd.'

'Hoe kwam hij aan die informatie? Weet u dat?'

'Misschien van een van zijn vlammen, ik geloof dat ze Erika heette. Odd zei dat hij naar de politie zou gaan en de waarheid zou vertellen. Ik heb geen idee wat hij daarmee bedoeld kan hebben. Hij wilde met u spreken, zei hij.'

'En nu zijn de rekeningen van de firma leeg?'

'Ik rook eergisteren al onraad. Toen Clarence verdween, ontdekte ik dat hij een grote som geld had opgenomen. En vervolgens moet Odd gisteravond de rest van de rekening hebben gehaald. Ik kan geen enkele betaling doen! De firma staat op het randje van een bankroet en ik sta binnenkort op straat. Ik heb mijn hele leven voor deze makelaardij gewerkt! Wie neemt er nu nog een vrouw van vijfenvijftig aan?' Ze barstte plotseling in snikken uit. Maria vond dat het tenminste leek op huilen. Maar er kwamen geen tranen.

'Misschien zijn ze allebei wel dood! Voor wie moet ik dan werken?'

'Van wie is het bedrijf als Odd en Clarence niet meer in leven zijn?' vroeg Maria, alhoewel ze bijna kon gissen wat het antwoord was.

'Zijn vrouw, Rosmarie Haag. Officieel gaat Odd Molins deel ook naar haar. Hij heeft geen familieleden in leven.'

'Maar de firma is insolvent, zegt u?'

'Ja, daarom heb ik niet gisteravond al iets van me laten horen. Ik kreeg de mededeling dat de rekening overgedisponeerd was en dacht dat het een vergissing was. Ik heb de hele nacht zitten rekenen. Toen ik Odd vervolgens niet te pakken kreeg, vond ik dat een ernstige zaak. Toen bedacht ik dat hij van plan was om naar de politie te gaan, en toen belde u.'

'Hebt u gecontroleerd of er onbewoonde objecten in uw portefeuille zitten?'

'Ja, maar al het onroerend goed is momenteel bewoond.'

33

Arvidsson en Himberg hadden nogmaals een bezoek gebracht aan Videvägen. Deze keer niet op jacht naar inkopers van ether, maar om eventueel een of meer van Mårten Normans medeverslaafden te spreken. Geen vrienden, zoals Per Trägen benadrukt had toen Norman bij een eerdere gelegenheid opgehaald was voor verhoor. 'Alle junks besodemieteren elkaar, ze hebben geen andere loyaliteit dan hun drugs.'

'Het laatste jaar gebruikte hij bruin, dus ongeraffineerde heroïne', vertelde Arvidsson. 'Mårten Norman keek wel uit voor spuiten. Om zijn verslaving te financieren, dealde hij.'

'Dat tuig heeft zich zelfs in Kronköping gevestigd. Juist dat soort klootzakken als Mårten Norman zoeken de schooljeugd op en zorgen dat die kinderen in de shit komen. Je durft je kinderen bijna niet meer naar school te sturen! Ze denken dat ze volwassen zijn als ze daar met hun aluminiumfolie en aanstekers zitten. Chinezen is sterk in opmars. Volgens de narcoticabrigade is de beschikbaarheid van heroïne groter dan ooit. Volgens mij is het een goede daad als je een dealer vermoordt!' Himberg sloeg met zijn vuist op tafel zodat de koffiebekers rinkelden.

'Als ze al zover in hun verslaving gekomen zijn, hebben ze eigenlijk geen keus. Die grote jongens, die over lijken gaan om geld te verdienen, maar die zelf niet verslaafd zijn, die zou je willen pakken', zei Hartman. Hij huiverde toen hij aan zijn dochter dacht en aan de kennissen die ze in de gevangenis zou kunnen krijgen.

'Waar komt die rotzooi vandaan? Zuidoost-Azië?'

'Ja, vroeger kwam het uit de Gouden Driehoek in Zuidoost-Azië. Nu zijn andere regio's belangrijker. De Gouden Halvemaan, Iran, Afghanistan en Pakistan, is in opkomst, en wat te denken van Latijns-Amerika', deelde Arvidsson mee.

'Hebben jullie nog meer uit ze gekregen dan dat Norman heroïne gebruikte? Wisten zij of hij enige binding had met Odd Molin? Molin ontkende dat immers.'

'Ik moet zeggen dat het niet zo eenvoudig was om met ze te communiceren. Per Trägen lag laveloos op de grond in de woonkamer terwijl zijn vriendin op de bank ernaast ongegeneerd met een kennis lag te copuleren, met als doel in het gelukkige bezit te komen van een fles zelfgestookte, slecht smakende rode wijn.'

'Copuleren?' vroeg Maria, en Arvidsson die in algemeen beschaafd Zweeds had gerapporteerd om zijn verlegenheid überhaupt de baas te kunnen, liep knalrood aan. Himberg vond de situatie ontzettend komisch.

'Ze lagen te wippen', zei hij met een grote grijns. 'De anderen waren zo stoned als wat. We hebben er een paar meegenomen voor verhoor. Onder andere Per Trägen. Hij werkt altijd wel mee als het snel gaat en als hij een lift krijgt. Soms kan hij best iets zinnigs zeggen. Ik was net bij hem, en toen dacht hij dat Arvidsson Robert Redford was, dus we moeten nog maar even wachten. Vermoedelijk heeft hij ook heroïne gesnoven. Hij zit beneden het vel van zijn lijf te krabben als een aap met luizen.'

Odd Molins appartement lag op een schitterend punt, met uitzicht over de rivier, vlak bij Het Park. Maria Wern en Erika Lund hadden ervoor gekozen om met de bus te gaan en het laatste stukje te lopen. De koelte na de stortbui van vanochtend had niet lang geduurd. De zon scheen al een paar uur vanuit een strakblauwe hemel. De gedachte om in een snikhete auto te gaan zitten, was niet bepaald aanlokkelijk. Het openbaar vervoer was hopelijk een luchtiger alternatief. Dachten ze, totdat bleek dat de halfvolle bus geen plaatsen aan de schaduwkant bood. De geplastificeerde bekleding van de bus brandde tegen hun benen toen ze gingen zitten. In de rugleuning van de stoel voor hen had iemand een diepe inkeping gemaakt met een mes en er stonden diverse schuttingwoorden op geschreven. Boven de eerste stoel, precies achter de chauffeur, had iemand met ongeremde creativiteit het verboden-ijs-te-eten-bordje veranderd in een fallussymbool. Erika Lund was nog steeds boos op Maria, omdat die geëist had dat ze Hartman zou vertellen over de ongepaste informatie die ze Odd Molin verstrekt had. Het niet kennen van alle feiten zou het onderzoek kunnen bemoeilijken. Het was belangrijk om te weten dat Odd van Mårten Normans ring wist vóór hij de zijne inleverde. Dat begreep Erika wel, maar ze vond het gênant. Maria daarentegen was onthutst. Erika was een zeer kundig en zorgvuldig technicus. Ze nam haar werk altijd uiterst serieus.

'Als jij het niet zegt, dan moet ik het doen.' Maria was op dat punt geen duimbreed geweken en uiteindelijk had Erika met de billen bloot gemoeten. Hartman was blij dat hij de waarheid te horen had gekregen en deed verder niet moeilijk. Toch was Erika chagrijnig. Ze hadden het wel eens gezelliger gehad dan deze middag, nu ze in de stadsbus in de richting van de rivier hobbelden. Ze stapten uit bij de grote brug en liepen langs het water. Langs de oever lagen vrije, vakantievierende mensen te zonnen in kleine, informele groepjes. Een enkele gelukkige ziel had een boek opengeslagen, zonder lastiggevallen te worden door kleine kinderen. Een stel tienermeiden lag topless te zonnen.

'Pas maar op. Voor je het weet, heb je hangtieten', mopperde Erika.

'Hoe is het afgelopen met dat golfen? Heb je je ex nog ontmoet?' Erika haalde haar schouders op en zag er plotseling heel onzeker uit.

'Ik weet niet of er nog wat van komt. Hij heeft niets meer van zich laten horen.'

'Heb jíj van je laten horen? Jij was immers degene die verhinderd was.'

'Ik durf niet. Stel dat zíj er is of dat hij mij helemaal niet wil ontmoeten. Ik voel me zweterig en nerveus als een tiener. Dat zul je vast niet geloven. Maar het voelt nog steeds precies zo als je vijftig bent en verliefd. Je wordt geen steek rijper en wijzer met de jaren. Hij zal me vast oud en lelijk vinden. Als hij me in de steek kon laten toen ik jonger en mooier was, dan zal hij me nu wel helemaal niet aantrekkelijk vinden.'

'Misschien gaat het daar helemaal niet om. Mogelijk verlangt hij naar jou als persoon. Verlangt hij naar wat jullie samen hadden, naar degene die hij was toen hij met jou was.'

'Dat was een mooi sprookje.'

'En dat met Odd, wat was dat dan?'

'Een manier om mijn eigen ik te versterken, denk ik. Een wederzijds profiteren. Ik had wat waardering en moed nodig voor de echte uitdaging. En hij wilde bevestigd zien dat hij een Godsgeschenk aan de vrouw is. Ik heb er geen spijt van, als je dat soms denkt.'

'Jij kunt goed zeilen. Ik dacht dat we allemaal zouden verzuipen.'

'Als je hier aan de kust bent opgegroeid, dan kun je dat wel. Bovendien verdrink je niet automatisch als je in het water belandt.'

'Wel als je zo zeeziek wordt dat je dood wilt. Ik wilde dat zwemvest van die hond nog bijna afpakken. Gebruik jij nooit een zwemvest?'

'Ik ga ervan uit dat ik wel blijf drijven op mijn vet.'

'Je moet niet zo gefixeerd zijn op je lichaam. Zit je naar complimentjes te vissen? Wil je dat ik zeg dat je zo mager bent als een berggeit met grasallergie?'

'Ja, graag. Heel graag, maar ik begrijp de hint. Heb je trouwens gehoord dat ze daar resten van explosieven gevonden hebben?'

'Nee.'

'De theorie over een gaslek kan worden uitgesloten. De explosie was goed voorbereid. Er zijn resten van een kneedbom en een ontstekingsmechanisme aangetroffen. De lading was gekoppeld aan een tijdschakelaar. Het was absoluut geen ongeluk. Ik vind het afschuwelijk. Als er lijkdelen van Odd Molin geanaly-seerd moeten worden, ben ik niet van de partij. Dat kan ik niet! Daar ligt voor mij de grens.'

'Dat hoef je echt niet te doen. Als Odd in leven is, denk je dan dat hij vanuit het buitenland aanspraak zou kunnen maken op zijn verzekering?'

'Niet zonder dat wij de mogelijkheid krijgen om hem te verhoren. Hij had jou iets willen vertellen, zei zijn secretaresse. Wat kan dat geweest zijn?'

Toen stonden ze voor de pas gerenoveerde façade van de flat van Odd Molin. Een appartement op de derde verdieping, met een groot balkon en een schotelantenne. Het trappenhuis was keurig schoon en rook licht naar citroen. Op een van de kersenhouten deuren stond een messing naamplaatje met de zwarte tekst 'Odd Molin'. Ze liepen naar binnen de ruime hal in, na binnengelaten te zijn door de voorzitter van de vereniging van eigenaren in hoogsteigen persoon. De hele inrichting in Odd Molins flat was kostbaar en maritiem, van de mahoniehouten keukentafel, de messing barometer en de messing scheepsklok, tot de lantaarns die de luidsprekers boven de stereo aan het zicht onttrokken. De ossenbloedkleurige leren meubels in de woonkamer pasten perfect bij een exclusief handgeknoopt tapijt en de tv met toebehoren was vast de nieuwste en duurste in zijn soort. Erika streek met haar hand over de boekenkast en floot zachtjes.

'Dat geloof je toch niet!'

'Wat?'

'Kijk eens naar die boeken, het zijn nepbanden!' Erika nam een set van zes ruggen uit de kast. De hele wand bleek namaak, behalve helemaal rechts bovenaan, waar de boeken over zeilen stonden. Het inschrijvingsregister van de Zweedse kruiserclub was aanwezig vanaf 1982.

Maria liep door naar de slaapkamer met het imponerende mahoniehouten bed, dat uiteraard gebouwd was als kooi. Het hout glom in de namiddagzon, die door de ronde patrijspoort naar binnen scheen. Maria liep naar het raam en keek op het balkon, dat pronkte met zijn Engelse pelargoniums in plantenhangers. Erika trok handschoenen aan en begon systematisch de was in de wasmand door te werken. Opeens slaakte ze een enthousiaste gil.

'Hij heeft geen fantasie, totaal niet. Er is geen andere plek, behalve onder de matras, die zoveel gebruikt wordt om geld te verstoppen als de wasmand.' Erika toonde een stapel bankbiljetten die in een zwarte onderbroek gewikkeld lag.

'Hoeveel is het?'

'Een paar jaarinkomens voor jou. Als we nou aan niemand vertellen dat we het gevonden hebben, kunnen we een lange cruise maken of ons helemaal laten liften door een plastisch chirurg, of waarom ook niet, baden in champagne.'

'De perfecte misdaad. Niemand die het geld mist. Maar goed dat we met zijn tweeën zijn', zei Maria met een grimas.

'En wat hebben we hier?' Erika trok een grijze, vierkante sok omhoog. 'Hier is zijn paspoort. Ik had toch wel wat meer vindingrijkheid verwacht van een man als Odd.'

'Hartman zegt altijd dat je dom wordt van stress. Odd had misschien haast. Hier hebben we een goedkoop poloshirt met een opgenaaid Lacoste-merkje. Waarom doet hij zo?'

Maria liet haar blik weer over de woonkamer glijden. Boven het bankstel hing een grote foto op canvas in een houten lijst met messing beslag. De foto toonde de schitterend mooie Viktoria, die naar gelukzaliger viswateren vertrokken was.

'Ik kan me haast niet voorstellen dat Odd zijn boot zelf heeft opgeblazen. Dat zou hij nooit kunnen. Je zag hoe ieder krasje hem aan het hart ging. Het was de boot met de meeste lagen vernis van heel Kronviken.'

'Mee eens. Ik dacht aan die teckel. Toch gek dat die het overleefd heeft.'

'Met die krachtige explosie kan ze nauwelijks in de buurt van die boot zijn geweest. Die hond vertoonde geen schrammetje.'

Erika nam systematisch de laden en kasten door, kroop rond op de vloer en voelde aan de vaste vloerbedekking in de slaapkamer. Ze tilde een stukje tapijt onder het tweepersoonsbed op, dat los lag.

'Je stelt me teleur, Odd.'

'Wat heb je gevonden?'

'Vieze boekjes, oftewel pornografische tijdschriften, zoals in het rapport komt te staan en een foto van Rosmarie Haag in bikini.'

'Die is zo te zien van lang geleden. Hij is helemaal verkleurd. Ze was een mooie vrouw.'

'Wat een geraamte!' repliceerde Erika terwijl ze de foto bekeek.

'Zo moet ze eruit hebben gezien toen haar geliefde naar Cyprus vertrok. Als ze zwanger was toen die foto werd genomen, dan is dat niet te zien', zei Maria.

'Wie was dat? Haar geliefde, bedoel ik?'

'Geen idee. In elk geval niet Clarence.'

'Dus hij heeft reden om jaloers te zijn met terugwerkende kracht?'

'Misschien.'

'Wat denk jij, heeft Rosmarie Clarence vermoord?'

'En Mårten Norman vergiftigd en Odd Molins boot opgeblazen, om nog maar te zwijgen over de moord op de oude Jacob. Nee, dat wil er bij mij niet in. Ze heeft volgens mij de kracht en de haat niet die nodig zijn om zoiets te doen. Ze is veel te slap en te ingehouden. Heeft ze Clarence gedood, dan gaat het puur om doodslag. Volgens mij is ze het type dat zelf de politie zou bellen om te vertellen wat ze gedaan heeft. Maar zeg dat eens tegen Storm, dan moet je kijken wat er gebeurt. Hij is helemaal gefixeerd op Rosmarie. Hij kan zich eventueel wel voorstellen dat ze een helper heeft gehad.'

'Of ze speelt theater en doet dat met verve', zei Erika en ze keek onderzoekend naar de jonge, lachende dame op de foto. Maria keek weer naar de grote foto die de kamer domineerde.

'Heb jij een vergrootglas, Erika?'

'Natuurlijk, alles wat u wenst, Sherlock Holmes.' Erika wroette in haar tas en gaf het vergrootglas aan Maria, die op de bank klom en haast in de immense foto kroop.

'Kijk eens, Erika!' Erika klom ook op de bank, maar trok haar schoenen uit, welopgevoed als ze was.

'Wie is dat?'

'Dat is Egil Hägg. Hij is loodgieter en heeft een zoon die Gustav heet. Ze hebben een vissersboot in Kronviken.'

'Wat is daarmee?' vroeg Erika.

'Ik was verrast iemand te zien die ik ken. Een beetje vreemd.'

'Het is toch niet zo gek dat ze wel eens samen hebben gezeild, als ze allebei hun boot in Kronviken hebben?'

'Nee, misschien niet. Jij of ik hadden ook op die foto kunnen staan. Wij hebben ook met Odd gezeild. Dat zal ik mijn hele leven niet vergeten', zei Maria met nadruk.

'Waar denk je dat Odd naartoe wilde met zijn geld en zijn pas?'

'De grote vraag is waar hij nu is, zonder geld en zonder pas.'

'We kunnen voor wat betreft die heren niets als vanzelfsprekend aannemen. Die kunnen net zo goed samen op een onbekende bestemming zitten, als overledenen.'

Maria liet het vergrootglas zakken en stapte van de bank. Erika's overdreven opgewektheid verbaasde haar. Die strookte niet met de omstandigheden. Misschien was het haar manier om grip op de zaak te houden. Wat beschaamd keek Maria naar de stoffige afdrukken die ze met haar versleten pumps op Odds glimmende leren bank had achtergelaten. Ze kon Odd haast horen schreeuwen: 'Schoenen uit, verdomme. Op míjn dek loop je op blote voeten.'

34

Maria Wern zat tegenover Per Trägen in de verhoorkamer. De man zag er erbarmelijk uit. Hartman had plaatsgenomen op het bureau, bij de bandrecorder. De inrichting van de verhoorkamer was eigenlijk niet erg doordacht. De bezoekersstoel stond vlak bij de deur en blokkeerde bijna de uitgang. Als degene die verhoord werd amok maakte, dan kon je ingesloten worden en had je geen mogelijkheid om te vluchten. Grote sterke kerels dachten misschien niet aan die mogelijkheid, maar Maria had zich meer dan eens in het nauw gedreven gevoeld. Ze zouden toch op zijn minst kunnen investeren in een alarmknop. Storm maakte vaak hatelijke opmerkingen dat zij overal beren op de weg zag. Maria gaf dan als antwoord dat er fantasie en inlevingsvermogen voor nodig zijn om risico's te voorkomen. Het was verstandig om ze een stap vóór te zijn. Een voorbeeld van gebrekkige fantasie was de nieuwe veiligheidsuitrusting die Storm besteld had, waarbij de kogelvrije vesten op geen enkele manier rekening hielden met de vrouwelijke vormen en veel te groot waren voor iemand die zonder schoenen maar een meter zestig lang was. Het vest dat Maria gepast had, was tot haar neus gekomen. Vermoedelijk leven mensen met fantasie langer, maar hebben achteroverleunende optimisten een comfortabeler leven. Dat was in elk geval de mening van Ek.

Per Trägen krabde aan zijn dij en aan zijn armen, en als hij werd aangesproken schokte hij over zijn hele lichaam van onbehagen. Zijn pupillen waren nog steeds zo klein als kopspelden.

'U kende Mårten Norman dus. Hij is eens opgehaald voor verhoor toen hij zich in uw flat bevond.'

'Ja, misschien wel', zei Per geïrriteerd.

'Kent u deze man?' Per Trägen knikte tegen de foto van Clarence Haag, die voor hem op tafel landde.

'Dat is Mårtens suikeroom.'

'Kunt u dat wat preciseren?'

'Mårten had die makelaar in zijn greep. Hij heeft nooit verteld hoe dat zo gekomen was, hoewel diverse mensen hebben geprobeerd dat uit hem te krijgen.'

'Weet u of Mårten nog op een andere manier aan geld kwam?'

'Zoals alle anderen. Dealen, inbreken. Maar daar heeft hij toch al eens voor gezeten?'

'Weet u of hij zich door iemand bedreigd voelde?'

'Hij had het soms over de Leeuwenridder.* Hij was bang voor de Leeuwenridder. Behalve als hij stoned was, dan waren ze vrienden.'

'Denkt u dat hij geld van de Leeuwenridder kreeg?'

'Nee, dat heeft hij nooit gezegd.'

'Hoe weet u dat hij bang was? Wat zei hij?'

'Dat kan ik me niet meer herinneren.' Per krabde met zijn lange nagels over zijn wang, zodat er rode, bloedige striemen ontstonden. Maria dacht aan hiv en geelzucht. 'Hij zei dat de Leeuwenridder hem zou doden. Hij zou in een ruimteschip door de hemel glijden met zijn leeuwen en de mensen met een radioactief schijnsel vernietigen. Daarna zouden hij en zijn beesten de doden met hun ijzeren tanden naar binnen werken. Hij werd doodsbenauwd van zijn hallucinaties.'

'Dat begrijp ik. Had hij het ook over de Leeuwenridder als hij niet hallucineerde?'

'Dat weet ik niet zo precies. Hij zat voornamelijk uit zijn nek te lullen. Mag ik even naar het toilet?'

'Zo dadelijk.'

'Had Mårten Norman vijanden? Iemand die hem kwaad

---

* Eufemia-liederen – Drie Zweedse hoofse ridderromans in knuppelvers uit het begin van de veertiende eeuw en vernoemd naar de Noorse koningin Eufemia: *Heer Ivan de Leeuwenridder, Hertog Frederik van Normandië* en *Floris ende Blancefloer.*

wilde doen? Was hij mensen geld schuldig?'

'Soms. Maar dat kwam altijd goed. Ik weet niet hoe hij dat deed. Ik weet niet of hij nog meer mensen geld afperste dan Clarence en zijn eigen moeder. Misschien was ze welgesteld. Mag ik even plassen?!'

'We houden een onderbreking en gaan over circa tien minuten verder.'

Storm zat ongeduldig op zijn stoel te draaien. Alle aandacht was op hem gericht. Hij nam eerst een slok koffie, trok een afkeurende grimas en keek in de vergaderkamer om zich heen.

'Wie wil beginnen?' Hartman wreef over zijn kin zodat zijn baardstoppels ritselden.

'Het verhoor met Per Trägen heeft niet echt iets opgeleverd. We hebben hem laten gaan. Wat hij kon vertellen, was dat Mårten bang was dat iemand die de Leeuwenridder genoemd werd hem zou doden. Hoe dit verankerd was in de werkelijkheid, weten we niet. Mårten had zijn hallucinaties.'

'Ik geloof dat een van de ridders aan het hof van koning Arthur de Leeuwenridder genoemd werd', meende Arvidsson. 'Hij verrichtte grote daden met behulp van leeuwen. Dat klinkt als goede stof voor een hallucinatie.' Erika streek met haar hand door haar donkere krullen en zette haar koffiebeker op tafel.

'De springstof die we bij het wrak van de Viktoria gevonden hebben, kan mogelijkerwijs in verband worden gebracht met een diefstal uit een wapenvoorraad van vier maanden geleden. Het zou ook verdwenen kunnen zijn van een of andere bouwplaats. Ik heb pas een artikel gelezen waarin ze beschreven dat er twintig kilo springstof kan verdwijnen van een grotere bouwplaats voordat de politie wordt ingeschakeld. Ze houden gewoon rekening met verlies. Het dynamiet gaat lang niet altijd achter slot en grendel als ze 's avonds naar huis gaan. De barakken hebben slechte sloten. Het is vrij eenvoudig om aan springstoffen te komen als je contacten hebt in die branche. We hebben ook de uitslagen van een aantal proeven. De substantie die Wern uit een blik bij een stookplaats op Kronholmen heeft meegenomen, is geanaly-seerd. Wat zeggen jullie van bier en gevlekte scheerling? Niet gekookt als een brouwsel, maar koud bier vermengd met plan-tendelen. Als de bladeren heel worden doorgeslikt, smaakt het misschien niet zo smerig. Mårten kan de drug vrijwillig hebben ingenomen, dat weten we niet. Als hij wanhopig behoefte had aan een roes, wilde hij misschien wel iets nieuws proberen. De vraag blijft echter hoe hij na zijn dood in het water beland is en waarom hij een ring had ingeslikt. We hebben ook 1,2 kilo heroïne in beslag genomen. Waar denk je? In het zwemvest van die teckel. Hoogstwaarschijnlijk is Odd daar ook de eigenaar van.'

'Kun je nog iets zeggen over die vingerafdrukken op de dorpel van het raam bij de familie Haag?'

'Nee, niets. Konrads afdrukken zitten erop. En die van Ros-marie. De derde afdruk hebben we niet kunnen identificeren. Konrad heeft verteld dat hij de stoel teruggezet had omdat het er slordig uitzag met die stoel onder dat raam. Nu we het toch over vingerafdrukken hebben, kan ik jullie vertellen dat op de bijl uitsluitend Jacobs eigen vingerafdrukken zaten. De haren en het bloed zijn ook van Jacob Enman. Voor wat betreft het bloed op de brug, dat was dierenbloed. Dat is alles wat ik te zeggen heb.'

'Ik heb met de duikers gesproken. Ze denken dat het wel even kan duren voordat ze Odd Molins lichaam vinden, als het daar al is. Het is zeer snel stromend water', wist Hartman.

'En een dame in een rode Renault heeft zich niet gemeld?' vroeg Storm en hij draaide zijn theelepeltje voor zich rond op tafel. Maria keek hem aan en zag een glimp van triomf op zijn gezicht.

'Nee, niets nieuws op dat front', moest Erika toegeven.

'Ik vraag me af of ze toch geen hulp heeft gehad van die ouwe.' Storm wreef zijn neus met de grote poriën tegen zijn handpalm en nieste luid. 'Misschien was Konrad wel degene die door het slaapkamerraam naar binnen keek.'

'Konrad Hultgren is zwaar hartpatiënt. Ik kan niet geloven dat hij zuiver lichamelijk iets met deze moorden te maken heeft. Hij kan evenmin de man met de pet zijn geweest, want dan had Clarence hem wel herkend', meende Maria.

'Hoe weten we dat hij hartpatiënt is? Hebben we met zijn arts gesproken? Of heeft Wern een medische opleiding waar wij niets van weten?'

'Nee, maar het was vrij duidelijk, zelfs voor een leek. Hij slikte nictroglycerinetabletten. Toen hij een klein stukje moest lopen, kreeg hij een hele blauwe mond.'

'Jij vond dat hij blauw werd om zijn mond. Dat kan natuurlijk komen door jouw eigen verwachtingen toen hij die pillen slikte, of niet?' Storm trok het zoetzure gezicht dat hij altijd opzette als hij Maria's werk bekritiseerde.

'Natuurlijk kunnen we met zijn arts praten, als je twijfelt', zei Maria loyaal. 'Maar dat is zonde van de tijd', mompelde ze tegen Erika.

'Waar was Konrad de nacht dat de moorden begaan werden?'

'Hij was bij zijn zus in de stad. Hij is daar blijven slapen. Dat bevestigt zowel de zus als haar vriendin op dezelfde trap. De nacht dat Odd Molins boot de lucht in vloog, sliep hij volgens Rosmarie op de keukenbank van de familie Haag.' Ek leunde voorover en bladerde in zijn blok. 'Hij steekt zijn aversie tegen zijn schoonzoon niet onder stoelen of banken. Als je daarop voortborduurt, zou je je nog kunnen indenken dat Konrad iemand heeft ingehuurd. Wat kost een moord op dit moment? Als hij een grote som geld betaald heeft, bewaarde hij die in zijn matras. Aan zijn rekeningen is niets geks te zien.'

'Wat zegt Rosmarie?' Storm snoot luidruchtig zijn neus in een matig schone zakdoek. Hij zag er niet helemaal gezond uit. Zijn ogen glommen en stonden vermoeid.

'Ze beweert net als voorheen dat ze onschuldig is. Ze heeft vanochtend een advocaat toegewezen gekregen. Als ze een lift heeft gehad van die oudere dame, kan ze op de avond van de moorden om elf uur thuis zijn geweest. Ze kan verslag uitbrengen van het nieuws van elf uur van die avond. Clarence en Odd kwamen om halftwaalf in de haven aan. Dat verklaren meerdere getuigen in de jachthaven. Clarence zou dus rond middernacht thuis geweest kunnen zijn. Twee getuigen zeggen dat hij direct nadat ze aan land waren gekomen zijn blauwe BMW pakte en in de richting van zijn huis reed. Dat Rosmarie thuis was toen Clarence thuiskwam, hebben we alleen van haarzelf. Maar we kunnen even filosoferen over het tegendeel. Wat had Clarence gedaan als ze niet in haar bed gelegen had? Had hij dan niet hemel en aarde bewogen? Contact opgenomen met Konrad in de stad, mogelijke en onmogelijke vriendinnen gebeld, alarm geslagen bij de politie of misschien was hij zelfs wel naar het huis van Odd gereden? Alles wijst erop dat ze in de nacht van de moorden allebei thuis waren.'

'Voorzover ze Mårten en Jacob niet samen vermoord hebben', snotterde Storm en hij verdween in een niesaanval. 'Misschien was het Clarence' idee? Misschien is Rosmarie wel medeschuldig, maar was ze banger voor haar man dan voor de juridische gevolgen?'

'Dan zijn we weer terug bij de oorspronkelijke vraag: waar is Clarence Haag?' Hartman schonk meer koffie in zijn beker en gaf de kan door aan Ek. Zijn maag protesteerde luidruchtig toen de bijtende vloeistof door zijn keel gleed. Hartman had geen tijd gehad om te lunchen en dat maakte hem lichtgeraakt en korzelig.

35

Krister had onder luide protesten de kinderen opgehaald van de crèche toen Maria had laten weten dat ze over moest werken. Toen ze vervolgens over negenen thuiskwam, zat haar schoonmoeder op de bank een kruissteekschilderijtje te borduren van een eland in het maanlicht. Ze had Ivans fleecejack, dat Krister vergeten had terug te geven, over haar schouders.

'Krister is bij Manfred. Hij helpt hem met verhuizen.'

'Gaat Mayonaise verhuizen? Echt waar?'

'Ja, hij gaat naar een flat in de stad. Ze gaan het huis verkopen. De jongen blijft bij zijn moeder wonen. Arme Manfred, hij wordt helemaal aan zijn lot overgelaten. Zijn vrouw is bij haar zus terwijl Manfred zijn spullen pakt. De jongen is alleen van haar, wordt er gezegd. Wat moet er van Manfred terechtkomen? Zijn vrouw heeft blijkbaar een flat voor hem geregeld aan Grönsångargaten, zei hij. Ja. Ze moet daar dus al geruime tijd mee bezig zijn geweest, dat akelige mens. Bah!' Maria vroeg zich af wat Ek zou vinden van zijn nieuwe buurtgenoot, Mayonaise. Wie weet werden ze wel naaste buren?

'Ga er maar even heen. Ik blijf hier tot tien uur, dan komt Astrid me halen.' Gudrun hervatte haar werk aan de rechterachterpoot van de eland en Maria nam een kijkje in de kinderkamer. Ze streek Linda over haar haar en stopte Emil opnieuw in, want hij had zich helemaal blootgewoeld, voordat ze het door de maan verlichte pad opliep dat naar het huis van Mayonaise leidde. Arme man, het was vast ondraaglijk om met hem samen te leven, maar dat was het met Jonna waarschijnlijk ook, vermoedde Maria.

'Ik moest de dingen meenemen die ik nodig had. Eigenlijk heb ik niets anders nodig dan Jonna en Bieflap. Wat moet ik verdomme met al die rotzooi?' snotterde Mayonaise. 'Zeg dat ze terugkomt, Krister.'

'Een bed en een paar pannen heb je in elk geval nodig.'

'Kregen jullie ruzie over die auto's?' vroeg Maria en ze voelde zich op de een of andere manier schuldig aan het onheil dat ze voor zich zag. Aan de andere kant was het natuurlijk onredelijk dat er sloopwagens in háár tuin moesten staan om het huwelijk van de buren te redden.

'Nee, ze heeft een ander. Een vent die haar alles kan geven wat ze aanwijst. Een bleke accountant met een brilletje. Ik heb me kapot gelachen toen ik hem zag. Jezus, wat een zacht ei! Ze mag wel oppassen dat hij niet breekt. Maar het is blijkbaar menens. Ze wil de jongen meenemen en bij hem intrekken.'

Krister droeg de laatste doos naar buiten en spande het zeil over de boedelbak. Maria voelde dat dit niet het juiste moment was om Mayonaise te vragen of hij nog foto's had van zijn tijd op Cyprus. Maar in het voorbijgaan kon ze toch een vraag stellen: 'Met z'n hoevelen vertrokken jullie van hier naar Cyprus?'

Mayonaise keek verbaasd. Zijn gedachten moesten van ver komen. Je hoorde het haast kraken.

'Clarence, Odd, Mårten, de Leeuwenridder en ik. We maakten er gekheid over dat we de ridders aan het hof van koning Arthur waren. Wij hieven onze zwaarden voor de dames.' Mayonaise maakte een niet mis te verstaan gebaar.

'De Leeuwenridder?'

'Ja, ik weet even niet hoe hij heette. We noemden hem de Leeuwenridder. Leuke vent!'

'Hij is niet tegelijk met de anderen afgezwaaid, hè?'

'Nee, ik weet niet waar hij gebleven is. Ik geloof dat hij vastgezeten heeft voor drugs. In Turkije! Dat zei een vent die ik bij Engelen tegenkwam. Maar dat is lang geleden. Waarom vraag je dat?'

'Gewoon nieuwsgierigheid.'

'Ik heb nu geen zin om daarover te praten.' Mayonaises gezicht hing, zoals bij een bloedhond. 'Shit, wat voel ik me klote!'

'Dat begrijp ik. Als je morgenavond tijd hebt, dan kom ik even langs.'

'Ik heb alle tijd van de wereld, lijkt me.' Mayonaise sjokte weg en stapte in. Krister draaide en al spoedig waren ze uit het zicht verdwenen.

'Daar komt Astrid.' Gudrun Wern schoof de vitrage opzij en boog zich over de parapluplant op de vensterbank. Maria wierp ook een blik door het raam en zag een rode Renault op het huis afkomen. Ze onderbrak haar bezigheden met het lunchpakket voor morgen, droogde haar handen af aan haar broek en verwelkomde de vrouw in de hal. Ze had kort grijs haar en een rode katoenen jas, net als de vrouw die Rosmarie beschreven had. Maria voelde het bloed naar haar gezicht trekken. IJverig bood ze een hangertje aan en verwees ze de vrouw naar de woonkamer.

'Hebt u wellicht een roodharige vrouw een lift gegeven in het vissersdorp, de zondagavond van het midzomerweekend?'

'Ja, ja, dat klopt', zei Astrid verbaasd.

'Weet u dat de politie naar u op zoek is?'

'Nee', zei de vrouw verschrikt. 'Is er iets met haar gebeurd?'

Ze namen plaats op de bank in de woonkamer. Gudrun Werns ogen straalden van opwinding. Ze was een en al oor. De eland lag moederziel alleen in het naaimandje. Zo gezellig was het bij haar schoondochter in tijden niet geweest! Maria noteerde de signalen en voelde de spieren in haar schouders en nek verkrampen. De spanningshoofdpijn was er weer.

'Vertel mij zo gedetailleerd mogelijk over die gebeurtenis. Hoe laat het was, enzovoorts.'

'Het zal halfelf zijn geweest toen ik de roodharige vrouw met mijn auto heb opgepikt. Ik heb haar afgezet bij de kwekerij. Dat ritje duurt hoogstens een halfuur. Ze zag er zo eenzaam en ongelukkig uit, de stakker. Ik neem nooit lifters mee. Nee, maar ik heb ook geen hart van steen. Ik heb geprobeerd een beetje met haar te praten. Maar ze gaf nauwelijks antwoord. Eerlijk gezegd vond ik dat wat ondankbaar. Het is wel zo beleefd om antwoord te geven als je iets gevraagd wordt. Ze heeft me niet eens bedankt.'

'Waar was u zelf naar op weg toen u langs het vissersdorp kwam?'

'Ik zou mijn zus ophalen. Die was op een feest bij de familie Turesson in Björkavi.'

'Bent u later die avond dezelfde weg teruggereden, langs de kwekerij?' vroeg Maria en ze voelde hoe de spanning onder haar huid kroop.

'Ja, om een uur of twaalf. Ik ben langzaam langs de kwekerij gereden, zodat mijn zus kon zien waar ik haar had afgezet, die roodharige. Op de begane grond brandde nog één lamp.'

'Hebt u nog iemand anders gezien?'

'Er stapte een man uit een auto, vlak bij het huis. Hij ging naar binnen. Ik vond het prettig te weten dat ze niet alleen was. Ze had echt iemand nodig om mee te praten, dat arme mens. Gelukkig reed ik heel langzaam, want anders had ik nog een jongeman aangereden die met zijn fiets over de weg slingerde in de richting van het strand. Hij had een plastic tas in zijn hand. Zeker bier. Er stond daarbeneden een tent, zo'n militaire tent. Ik kende die jongen wel. Het was de kleinzoon van Vera. Hij zit daar dan met een stel vrienden bier te drinken, dat heeft Vera wel eens verteld. Vera, die naast me woont, weet je wel. Ze is daar niet erg gelukkig mee, zegt ze vaak. Kan de politie de jeugd er niet van weerhouden om daar bij het strand te pierewaaien?'

'Kunnen we zijn telefoonnummer krijgen, nu meteen? Dit is uiterst belangrijk.'

'Maar zeg nou niet tegen Vera dat ik dit verteld heb.' Astrid staarde ontzet naar Gudrun en kreeg bijval. Het was immers niet de bedoeling dat wat Vera haar in vertrouwen had verteld algemeen bekend zou worden, en al helemaal niet dat het de basis zou vormen voor een politierapport.

'Ik hoef helemaal niet met Vera te praten. Ik heb alleen de hulp nodig van haar kleinzoon. Hij wordt nergens van verdacht, maar hij kan ons enorm helpen. Net zoals u, doordat u mij dit verteld hebt. Dat heeft ons bijzonder geholpen', benadrukte Maria om de vrouw – de eigenaresse van de rode Renault – gerust te stellen.

Hartman wilde net zijn ogen dichtdoen en gaan slapen toen de telefoon ging. Het was Maria Wern. Ze vertelde kort en bondig over haar gesprekken van die avond met de jonge kampeerder en met Astrid van de rode Renault. Vera's kleinzoon had het hele midzomerweekend in het wild gekampeerd op het strand onderaan de kwekerij, tot maandag. Zondagnacht had hij tot vier uur bij het vuur gezeten en naar de sportuitzendingen geluisterd. Hij had, net als Astrid, de blauwe BMW opgemerkt die tegen middernacht naar het huis was gereden. Daarna had hij de hele nacht verder niets in het roze huis gezien of uit het huis gehoord. De lamp voor het raam was uitgedaan nadat de man was thuisgekomen. Om een uur of zes was de jongen naar buiten gegaan om te plassen. Toen had de auto er nog gestaan.

'Eigenlijk had dit wel kunnen wachten tot morgen. Ik ben misschien wat overijverig', gaf Maria toe.

'Het is goed dat je gebeld hebt', zei Hartman vriendelijk. 'Rosmarie Haag heeft dus een alibi, behalve tussen vier en zes uur. Maandagochtend om vijf uur waren Hägg en co op het strand. Toen lag Jacob al over de tafel in de houding waarin hij later gevonden is. Dat Rosmarie of Clarence tussen vier en vijf uur twee moorden heeft kunnen plegen en vervolgens weer tegen zessen thuis was, acht ik uitgesloten. Ik ben blij dat dat mijn opvatting sterkt, maar ik ben ook bang dat we weer terug bij af zijn. Bedankt dat je gebeld hebt. Ik neem contact op met Ragnarsson.'

Maria nam een douche terwijl ze op haar hurken in de vierpotige badkuip zat en ging vervolgens naar bed. Ooit zouden ze misschien kunnen investeren in een douchecabine. Alhoewel zo'n ding niet echt noodzakelijk was. Van veel zaken waarvan je denkt dat ze onmisbaar zijn, blijkt dat je er uitstekend zonder kunt als de nood aan de man komt. Krister zou wel laat zijn. Ook al had Mayonaise geen uitgebreide inboedel, hij zou vast tot in de kleine uurtjes morele steun nodig hebben. De kater sprong op het bed en wandelde heen en weer over Kristers dekbed. Hij sloop als een leeuw en sloeg tegen een vlieg, die een vrijplaats gevonden dacht te hebben op het kussen, voordat hij spinnend aan Maria's voeten ging liggen. Op dat moment bedacht Maria dat ze vergeten was Hartman te vertellen wat Mayonaise gezegd had over de Leeuwenridder. Maar ze kon hem nu niet wéér bellen. Dat moest maar wachten tot morgen. Nu had ze slaap nodig. Maria sloot hoopvol haar ogen, maar haar gedachten bleven om het onderzoek heen cirkelen. Het was warm. Maria gooide haar dekbed op de grond en verlangde naar de koele decembernachten.

Het maanlicht danste tussen de takken van de appelbomen en ademde zilver in het bedauwde gras, glom in het zwarte water van de beek in ontelbare donkere spiegels en gebroken beelden. Zijn stappen waren zwaar van de last die hij droeg, zwaar van het verlangen naar de dood. Wat was zijn leven waard geweest? Wie had met hem willen ruilen? De tocht van een wrakstuk in de storm onder een koele en onverschillige sterrenhemel. Voortdurend gekweld en in constante onzekerheid verkerend. Vernederd, maar zonder eerherstel. Het woord 'gerechtigheid' vond hij een te groot woord om in de mond te nemen, maar met de gedachte aan wraak had hij weten te overleven. Wanneer alles voltooid was, zou hij de laatste stap over de grens zetten, daar waar de golven inslapen en de vragen voor altijd hun betekenis verliezen.

Een fractie van een seconde had hij het paradijs mogen beleven, een ogenblik, zodat hij altijd zou begrijpen welk leven hij verloren had. Had hij moeten buigen voor zijn lot? Zich met minder tevreden moeten stellen en zijn beulen niet moeten wreken? Die gedachte was voor hem net zo weerzinwekkend als het menselijke kadaver dat hij in de witte kunststof bak van de Coöperatieve Slachterij met zich meedroeg. Met een bijl in stukken gesneden, in hapklare brokken die zo de vleesmolen in konden. Het speet hem dat zijn vijand er niet bij kon zijn om zijn eigen einde te zien.

De valse ogen van de nertsen glommen in het donker. In het licht van de maan kon hij de kleurnuances in hun vachten onderscheiden wanneer de dieren zich onrustig bewogen in hun kooien. Sissend als boze geesten. In gevangenschap, zoals hijzelf gevangen had gezeten. Maar met het grote verschil dat zij zich vol konden vreten.

36

De wekker liep veel te vroeg af. Maria viel weer in slaap en werd door Krister hardhandig in haar zij gepord. Met veel tegenzin liet ze haar dromen los.

'Moet jij er niet uit?' vroeg hij geïrriteerd.

'Kun jij de kinderen vandaag wegbrengen, dan kunnen ze wat langer blijven liggen?'

'Oké', zei Krister en hij zette de wekker opnieuw. 'Ik heb geen uitslaapbonnen meer, hè?'

'Nee, helaas.' Maria lachte om Kristers verlepte verschijning. Hij was een uitgesproken avondmens en Maria was echt een ochtendmens; zij was 's avonds vaak afgepeigerd. Dat ze elkaar ooit gevonden hadden, was een typische speling van het lot.

De keukendeur stond wijdopen. Maria ging op de trap staan en keek de tuin in. Daar in het aardbeienveld stond een hele kleine Linda in Emils grote kaplaarzen en een roze nachthemd. Ze zwaaide met haar hele hand vol aardbeien.

'Reuze goeiemorgen', zei ze.

'Jij ook een reuze goeiemorgen', zei Maria en ze stapte in haar klompen en slenterde naar de weg om de krant te halen. Een snelle blik op de voorpagina en Maria wist dat Storm een zware dag zou krijgen. Rosmarie Haag te moeten laten gaan na stellig naar buiten gebracht te hebben dat de moord met de bijl in principe was opgelost en de dader was gepakt, zou Storm doen blazen als een orkaan. Het zou voor hen allemaal een vermoeiende dag worden. De jonge kampeerder kwam langs met zijn vrienden om verdere vragen te beantwoorden, net als Astrid. De afloop stond vast: Rosmarie zou worden vrijgelaten.

Maria wierp een blik op de keukenklok. Ze zou voldoende tijd hebben om op de fiets naar de stad te gaan, zoals ze van plan was. Als een onderzoek opperste concentratie vergde, bleef er geen tijd over voor fysieke training. Fietsen naar het werk was dé manier om haar verloren conditie weer op te vijzelen. Nu ze erover nadacht had ze sinds eind mei niets meer gedaan. Ze hadden toen op het werk zaalbandy gespeeld. Maria was doelvrouw geweest en had de ene bal na de andere doorgelaten. Storm was aanvaller bij de tegenpartij. Elke keer dat hij met een wrede blik aan kwam rennen, maakte hij een doelpunt. Maar niet om de reden die hij zelf dacht. Storm had gewoonlijk zijn dunne haar van links naar rechts op ooghoogte over zijn schedel gekamd liggen. Hoe hij zijn haar in bedwang hield, daarover waren de meningen verdeeld, maar toen hij voorbij de verdediging was gedribbeld, was alle stevigheid verdwenen. Zijn haar viel over zijn linkerschouder, terwijl zijn schedel de vorm kreeg van een keurig opgepoetst ei. Met zijn agressieve houding en zijn unieke kapsel zag hij er onweerstaanbaar komisch uit. Elke keer dat hij in de aanval ging, moest Maria zo hard lachen dat ze vergat haar stick te hanteren. Storm was ook blij geweest dat hij had weten te scoren, dus zo hadden ze elkaar blij gemaakt, elk door eigen onvolmaaktheid.

Conditie moest je opbouwen en daarom moest ze kiezen: óf bewegen óf stoppen met het eten van chocola. Dat was duidelijk. Omdat chocola een eerste levensbehoefte was, koos ze voor beweging. Ze zou zelfs tijd hebben voor de langere weg door het bos in plaats van de kustweg, en daardoor ruimte creëren voor verdere consumptie van chocola. Een ander voordeel was dat ze geen last zou hebben van de wind. Ivans fleecejack lag slordig over de bank in de woonkamer gesmeten. Ze zou het mee kunnen nemen. Het was hoogst ergerlijk dat Krister het niet mee had genomen naar de postduivenwedstrijd. Ze kon het maar beter zelf terugbrengen, dan was dat gedaan. Ze kon het niet maken om Ivan op dit vroege uur te wekken, maar als ze het aan de deurkruk hing, zou hij begrijpen dat zíj langs was geweest. Misschien had Ivan zijn jack wel gemist. Maria klemde het jack op de bagagedrager, gaf Linda een kus en vertrok.

De lucht was fris. De zon verwarmde haar rug. Het briesje uit zee droeg de geur van zeewier met zich mee. De meeuwen cirkelden laag over het land. Maria boog af naar het bos. De koelte van de rijwind bezorgde haar huid kippenvel. Het dichte naaldbos filterde de ochtendzon en gaf het mos een stralend-groene kleur op de plaatsen waar de zonnestralen doorheen kwamen. Het terrein was behoorlijk geaccidenteerd en ze moest flink trappen. Haar conditie was slechter dan ze gedacht had. In gedachten was ze goedgetraind. Er was niet veel verkeer. De afstand tussen de huizen werd steeds groter. Maria liet haar gedachten de vrije loop. Ze vlogen onophoudelijk naar Rosmarie Haag. Vandaag zou ze vrijgelaten worden. Nou ja, vrij? Ze zou de ene gevangenschap verruilen voor de andere. Het beste zou zijn als ze contact opnam met het blijf-van-mijn-lijfhuis, zodat ze daar kon wonen tot ze Clarence gevonden hadden. Ze had steun nodig van anderen die hetzelfde hadden meegemaakt. Als je het zelf niet hebt meegemaakt is het moeilijk te begrijpen dat vrouwen accepteren dat ze geslagen worden. Vermoedelijk wordt het voorafgegaan door langdurige psychische mishandeling en harde controle, waarbij het zelfvertrouwen uiteindelijk verdwijnt en alle constructieve contacten worden afgekapt. Hoeveel mishandelde vrouwen denken niet dat het hún fout is dat ze geslagen worden? Dat het komt door hun eigen onmacht om te functioneren in hun relatie, dat de mishandelingen zullen ophouden als ze hun kwelgeest maar terwille zijn. In het begin zijn ze gek op zo'n man en leggen ze alles in zijn voordeel uit. De mentale band maakt ze kwetsbaar en kneedbaar.

Maria dacht aan haar eigen leven. Het had maar een haartje gescheeld of ze was zelf ook in zo'n situatie beland. Vóór Kristers tijd was ze verloofd geweest met een man die het ongeluk van haar leven kon zijn geworden als het nog even was doorgegaan. Hij had haar bewaakt als een border collie. Het was aan Karin te danken dat ze met de schrik vrijgekomen was. Stel dat ze zwanger was geweest? Hoe zou haar leven er dan uit hebben gezien? Maria schudde de gedachte van zich af. Hoe vaak had ze niet in verhoor gezeten met mishandelde vrouwen, die dachten dat alle vrouwen door hun mannen geslagen werden? Dat dat erbij hoorde? Maria zag een vrouw voor zich die haar wantrouwend en recht in haar gezicht uitgelachen had toen ze verteld had dat Krister haar nog nooit een haar gekrenkt had. Dat was gewoon geklets en hooghartigheid in de ogen van die vrouw.

Tussen de bomen langs de weg glinsterde een diep bosmeer. Toverachtig zwart water onder dichte sparren. De bosbessenstruiken breidden zich uit over de heuvels en stroomden samen met golven van heldergroen mos. Maria zag dat de bessen al blauw begonnen te kleuren. Het landschap opende zich in koolzaadvelden en omheinde weiden. In de verte kon ze de rode schuren met de nertsenkooien al onderscheiden. De beek die in het meer ontstaan was, liep een eindje mee langs de weg om vervolgens een grote bocht te maken naar het huis van de Häggs. Een vlucht duiven cirkelde boven het dak van Ivans huis en de duiven vlogen toen achter elkaar in zuidelijke richting. Er waaide een zwak briesje over de vlakten. De krant zat in de brievenbus. Die kon ze alvast meenemen en aan de deurkruk hangen. Dan hoefde hij niet naar de weg te lopen met zijn pijnlijke voet. Maria trapte stevig de heuvel op en sloeg af naar het huis van Ivan. Ze zette haar fiets tegen de muur en nam het jack van de bagagedrager. Ze hing het over haar schouders en liep de hoek om naar de hoofdingang. Daar bleef ze als aan de grond genageld staan. De trap was bezaaid met glas. Veelkleurige glassplinters als in een caleidoscoop. Alle ruiten waren ingeslagen. De deur stond op een kier. Er waren bloedsporen op de drempel. Enkele eenzame, angstaanjagende druppels op het donkere eikenhout.

'Ivan, ben je daar? Ivan?!' Was hij slachtoffer geworden van een nieuwe aanval van dierenrechtenactivisten? Maria stapte de hal binnen en keek om zich heen. Geen verdere sporen van geweld. In het afdruiprek stond een eenzaam kopje. Het roestvrijstalen aanrecht blonk. Een zwak geluid uit de slaapkamer trok haar aandacht. Maria liep stil langs de muur naar de gang. De deur stond half open. Het bed met zijn bruine badstof sprei was slordig opgemaakt. Een schot gevolgd door een hese vrouwengil deed de lucht vibreren. Maria zocht dekking achter de deur. Met bonkend hart en met de adrenaline prikkend in haar hoofdhuid, drukte ze zich tegen de muur. Ze was ongewapend en had geen telefoon bij zich. Haar hart bonsde in haar keel. Haar mond werd kurkdroog. Maria werd zich bewust van haar ademhaling. De lucht kreeg niet voldoende plaats in haar longen. Het gegil ging door en werd op een wonderlijke manier vermengd met andere stemmen, muziek en motorgeluid. Pas toen een diepe mannenstem zei: 'Dit was een uitvoering van het radiotheater met...' durfde Maria om de deurpost heen te kijken. De afkondiging werd gevolgd door het lokale nieuws. Dat programma was verlengd en ging grotendeels over de moord met de bijl in Kronviken alsmede over het feestelijke spektakel dat dit weekend van stapel zou gaan: de Ronde van Kronholmen. Er waren veel speculaties en er was maar weinig nieuws.

Maria verliet het woonhuis en ging naar de schuren met de nertsen. Ze grinnikte bij zichzelf dat ze zich bang had laten maken door een hoorspel. De deuren naar de schuren waren zorgvuldig afgesloten. Iets anders was niet te verwachten na datgene waar de onvrijwillige nertsfarmhouder aan bloot was gesteld. In het achterste gebouw zag Maria een snelle beweging achter het witgetinte raam, gevolgd door een huilend metaalachtig geluid.

'Ivan! Ivan!' Geen antwoord. De deur was op slot. Maar het slot was gammel. Maria kon de bout van de grendel met de nagelvijl uit haar rugzak terugduwen. Het ging gemakkelijker dan ze gedacht had. Maria duwde de deur open, de doordringende geur van dierenuitwerpselen kwam haar tegemoet. De nertsen sisten in hun kooien en staarden de indringer met hun gemene zwarte ogen aan. De scherpe tanden glommen in het zwakke daglicht, dat binnenviel via de weinige raampjes aan de lange zijde van het gebouw, aan de kant van het erf. Het duurde even voor haar ogen gewend waren aan het donker. Maria bleef in het midden van het gangpad en liep voorzichtig naar een meer open deel van de ruimte, waar Ivan gestaan had toen hij stukken vlees had vermalen tot nertsenvoer. Ze kon in gedachten nog steeds horen hoe de bandzaag zich huilend door de beenderen heen had gewerkt en nog steeds zien hoe het vlees in de roest-vrijstalen emmer bij de vleesmolen omlaag was gekronkeld. De stank was ondraaglijk. Maria probeerde te ademen door de mouw van Ivans grijze fleecejack. Haar lichaamswarmte begon na de fietstocht af te nemen. Ze had het koud in haar vochtige kleren en stak haar handen in de zakken van het jack. Haar hand stootte op een koud metalen voorwerp. Maria haalde het tevoor-schijn en hield het in het licht. Het was een grote sleutel, mis-schien van een schuur of een hut. Waar kon Ivan zijn? Er lag bloed op de grond. Er lag een rode pluk haar doelloos naast een plastic zak in de hoek tegen de kooien. Maria deed de tas open en zag dat deze vol rood mensenhaar zat. Met een sterk gevoel van onwerkelijkheid staarde ze in de roestvrijstalen emmer. Boven op het bloederige gehakt lag een bovenkaak. Wit glazuur tegen het roodbruine. Haar adem stokte in haar keel. Schrik maakte zich van haar meester en verlamde haar met zijn zenuwgas. Een halve voortand was van goud. Clarence?! Maria probeerde naar de deur te komen, maar haar lichaam was log en ongelofelijk zwaar. Die sleutel! Een grote roestige sleutel. Was het de sleutel van Jacobs strandhut? Jacobs sleutel in Ivans zak. De nertsen sisten. Vlucht! Ze moest hier weg. Weg van het gevaar. Maria wilde net in paniek naar buiten rennen toen ze een arm om haar hals voelde en de onmiskenbare druk van koud metaal tegen haar slaap.

'Vervloekte kutsmeris, hou je rustig. Rustig, verdomme!' siste een donkere stem. 'Wat heb je hier te zoeken?' Maria had moeite met antwoorden toen de arm steeds steviger tegen haar keel geduwd werd. Haar oren suisden, een toon van onwerkelijkheid.

Ze had moeite om haar blik te fixeren.

'Ik was bezorgd om jou, Ivan', wist ze met horten en stoten uit te brengen.

'Dat is verdomme niet nodig', zei Ivan en hij verslapte zijn greep, maar duwde het pistool harder tegen haar slaap. 'Ongelofelijk stom!' Maria kon zijn voeten zien, geitenwollen sokken met gaten erin. De blote arm die tegen haar hals geduwd was, vertoonde lange, donkerrode, bloederige striemen. Een kat, de kat van Rosmarie? Gewurgd en opengesneden! Clarence' vermalen lichaam, de gouden tand die glinsterde in het witte gebit! Het beeld van het gehakt dat uit de vleesmolen kronkelde. Maria voelde zich duizelig worden en wankelde.

'Ik kwam alleen maar je fleecejack terugbrengen, Ivan. Laat me los! Je herkent me toch wel – Maria?'

'Hou je niet van de domme. Ik weet wat je gezien hebt. Hou je armen achter je rug en loop naar de koelruimte. Lopen, verdomme! Anders knal ik je kop eraf, verdomd serpent.'

Achteraf kon Maria voor zichzelf niet helemaal uitleggen wat er gebeurd was, alleen maar dat de grepen die ze geleerd had op de cursus zelfverdediging automatisch naar boven kwamen toen de adrenaline naar haar vingers stroomde. Misschien zou ze erin geslaagd zijn zich los te wurmen als ze het geluk aan haar kant had gehad en als Ivan niet zo beresterk geweest was. Maria viel als een luciferhoutje over zijn uitgestoken been en kreeg een trap in haar buik, zodat ze dubbelklapte; ze probeerde haar hoofd te beschermen.

'Stop, Ivan!' Zijn donkere ogen glommen van haat. 'Ik ben Maria, ik heb je niets misdaan. Kijk me aan!' Maria kreeg een klap tegen haar kaak en proefde de smaak van bloed in haar mond. Ze werd gebonden aan handen en voeten. Toen het afplakband haar mond tot zwijgen had gebracht, probeerde ze Ivan te vangen met haar blik, maar tevergeefs. Ze zag even zijn brede rug en het samengeklitte witte haar, daarna ging de deur dicht en werd het donker. Koud en donker als in het dodenrijk.

Haar vingers begonnen te slapen. Maria probeerde met haar tong te voelen of haar tanden nog vastzaten. De tape dwong haar om het bloed dat zich in haar mond verzameld had, door te slikken. Zonder het jack van Ivan zou ze het stervenskoud hebben gehad. Maria ergerde zich aan het klapperende geluid dat de ruimte vulde, totdat ze begreep dat zij dat zelf veroorzaakte, dat ze klappertandde. Ongecontroleerd tandenknarste. Voordat het totaal donker werd, had ze heel even iets meegekregen van haar omgeving. Een paar lichtrode dierenlijken die aan slachthaken hingen. Ze hoopte tenminste dat het kadavers van diéren waren!

Zou iemand ooit weten wat er met haar gebeurd was of zou ze even spoorloos verdwijnen als Clarence? Maria boog voorover over haar gebonden voeten. Ze peuterde haar schoenen uit en slaagde er op acrobatische wijze in haar tenen onder haar ketting te wurmen en gaf een ruk. Het deed pijn in haar nek. Haar buik deed eveneens pijn. De ketting hing nu alleen nog aan het veiligheidskettinkje. Een laatste rukje en het sieraad lag aan haar voeten. Met twee voeten tegelijk springend werkte ze het in een hoek. Ze sloeg met haar gezicht tegen koud vlees en verloor haar evenwicht. Misschien dat iemand de ketting zou vinden en zou begrijpen wat er gebeurd was.

Hoeveel tijd er verstreken was voordat Ivan terugkwam, wist ze niet. Verblind door het licht probeerde ze de donkere gestalte in de deuropening te fixeren. Haar spieren waren krampachtig gespannen ter verdediging van kou en angst. Haar tanden klapperden ongecontroleerd. Ivan kwam dichterbij en rukte de tape van haar mond.

'Ik ga het touw om je voeten losmaken. Haal geen geintjes uit. We gaan naar de auto.' Een stroom aan gedachten golfde door Maria's hoofd. Waar zou hij haar heenbrengen? Waarom had hij haar tot nu toe laten leven? Zou hij haar naar een verlaten plek brengen? Haar ondervragen over wat de politie wist en haar vervolgens laten verdwijnen?

Het was aardedonker buiten. Het licht van de maan slaagde er niet in om door de bewolking heen te dringen. Het motregende licht. Maria hief haar gezicht op naar de regen en wankelde op onvaste benen naar de wachtende auto. Ze zag een glimp van een licht jack, een mens. Was dat Gustav niet, daarbeneden bij de provinciale weg? Ivan liep vlak achter haar. Met de concentratie van een kogelstootster tijdens de uitval bleef ze plotseling staan en sloeg met haar gebonden handen recht in zijn kruis. Aan het geluid te horen, was het een voltreffer. Maria rende, rende voor haar leven, struikelde, kwam overeind en rende op haar slapende benen verder. Langzaam als in diepe klei, stap voor stap naar de redding. Haar schouders gespannen ter verdediging tegen het schot dat ieder moment kon komen. Ivans zware ademhaling, die steeds dichterbij kwam – tot ze de klap op haar achterhoofd voelde en alles donker werd.

37

Langzaam viel de schemering in met zijn onbetrouwbare gele gloed. De lucht in de bunker was zwaar om in te ademen. Niet nóg een nacht in deze stinkende hel! dacht Maria. De muren werden geleidelijk donkerder en slopen naderbij. Het dak viel langzaam over haar en de dode, wiens hand ze had vastgehouden, heen. Ze had hem herkend. Het beeld werd stukje bij beetje helderder. De man naast haar was makelaar in onroerend goed Odd Molin. Hij had een groezelige, vuilgele huid en zijn glimlach was verstild als bij een showmodel voor kunstgebitten. De muren persten hen samen tot een eenheid. Maria en de dode. Ze voelde de angst in haar borst. Het koude zweet plakte onder haar oksels en haar borsten. Haar keel was schor van het urenlang tevergeefs om hulp roepen op het verlaten strand. Hoe lang kan een mens zonder water? Haar tong voelde als schuurpapier in haar mond. Haar longen kwamen omhoog uit hun holten en vormden een groot brok in haar keel. Maria ging op de grond zitten, probeerde haar krachten te bundelen. Haar gedachten vlogen heen en weer als opgeschrikte vogels. Misschien was ze te bang om zich te concentreren of werd de onscherpte veroorzaakt door de klap op haar achterhoofd.

Maria gluurde weer naar de dode en voelde een nieuwe golf van misselijkheid opkomen. Ze was nog nooit alleen geweest met een dood mens. In het mortuarium, waar ze af en toe naartoe moest voor haar werk, was er altijd personeel bij geweest. Nu was ze alleen met de dood. 'Kijk niet zo bang, mevrouwtje. Hij blijft heus wel liggen', had de patholoog-anatoom gezegd de eerste keer dat ze in de buurt kwam van een overledene, gespannen en onzeker over haar eigen reacties. Ze hadden een bepaald jargon daar bij pathologie. Begrafenisondernemers waren wat dat betreft correcter. Hoewel die natuurlijk ook hun vakjargon hadden.

Odd Molin bleef netjes liggen waar hij lag. Maria had zich nooit ontspannen gevoeld in zijn nabijheid. Dat hij dood was, veranderde daar niets aan. Zou het zo eindigen? Haar leven? Doodgaan doe je alleen, in je eigen eenzaamheid, waar niemand anders bij is. Maria dacht aan haar kinderen en ze kreeg tranen in haar ogen. Zou ze ze niet kunnen zien opgroeien? Nooit meer enthousiaste armpjes om haar hals voelen of met haar handen door een stekelig jongenskopje kroelen, kleine warme voetjes tegen haar wang kunnen drukken? Nooit meer vol wellust mogen liefhebben? Helemaal worden opgeslokt door een hijgende ademhaling? Vastberaden worden bemind, spontaan gewild en begeerd? Ze liet haar gedachten de dierbare momenten opzoeken in het vochtige gras, op het strand in het sensuele licht van de maan, in het mos onder jubelende naaldbomen, zelfs in de houtschuur van haar schoonmoeder in de ongeduldige begintijd van hun verliefdheid, toen ze gewoon voortdurend aan elkaar móésten zitten. Midden in haar huilbui moest ze lachen. Haar gedachten joegen het heden weg. Als ze haar leven moest overdoen, zou het weer met Krister zijn. Niet omdat dat zo eenvoudig was. Maar het eenvoudigste en meest conflictvrije maakt het leven niet het levendigst. Met Krister was niets vanzelfsprekend. Iedere dag had zijn eigen verrassingen, zijn eigen geluk en zijn eigen conflicten. Maria hield haar armen om haar lichaam en huilde in haar eenzaamheid. Haar mond was zo droog dat ze moeite had met slikken. Begerig stak ze haar hand door de spleet om te proberen een paar regendruppels op te vangen. Het was gestopt met regenen. Maria likte haar handen, die het vochtige beton hadden aangeraakt, af. Waarom had ze daar niet eerder aan gedacht, ze had water moeten verzamelen terwijl het regende – kostbaar water had ze moeten opvangen in haar handen. Zoveel mogen drinken als ze wilde en douchen in de blauwe badkuip, leken hemelse luchtspiegelingen. Haar tanden te mogen poetsen. Maria ademde in haar handen. Ze stonk. Haar tanden voelden stroef aan tegen haar tong. Haar gedachten tolden. Ze had moeite om zich te concentreren. Het was veel eenvoudiger om weg te vluchten in herinneringen dan de werkelijkheid in zijn huiveringwekkende helderheid onder ogen te zien.

De man met de pet had behalve zijn hoofddeksel ook een bril en handschoenen gehad. Een uitrusting die bijna net zo volledig dekkend was als een bivakmuts. Een signalement zonder haarkleur, kleur van de ogen of vingerafdrukken. Maria bekeek haar handen, haar afgekloven nagels. Alleen Ivans nagels hadden er erger uitgezien, bijna afwezig, als de uitgetrokken nagels van iemand die slachtoffer is geweest van martelingen. Handschoenen! Ivan zag eruit als een oude man met een jong gezicht. Een gesloopt lichaam, wat Maria deed denken aan oude zwart-witfilms waarin galeislaven roeiden op het tempo van de tromslagen. De Leeuwenridder? Hoe zie je eruit na twintig jaar in een Turkse gevangenis? Overleef je dat? Narcotica, had Mayonaise gezegd. De omstandigheden in Turkse gevangenissen waren Maria niet helemaal onbekend. Behalve zichtbare mishandeling kwamen ook seksuele mishandeling met elektrische schokken of batons voor, klappen tegen teenkootjes, onder de voetzolen, brandplekken van sigaretten, honger wanneer je geen eten kreeg van familieleden of geld had om het zelf te kopen. Maria had er op de middelbare school over gelezen, toen ze actief lid was van Amnesty International. Als je twintig jaar onder dergelijke omstandigheden wist te overleven, moest je gekozen hebben voor het leven. Om koste wat het kost te overleven, sterk gemotiveerd door een doel in het leven. Om iemand terug te zien die je liefhebt? Rosmarie Haag? Of om een opdracht te vervullen?

Maria zag Clarence' overblijfselen voor zich en balde haar vuisten als weerstand. Het witte gebit in het rode gehakt, de gouden tand. Was Ivan na twintig jaar teruggekeerd om zijn verloofde terug te vinden bij zijn wapenbroeder Clarence? Misschien had hij in de tuin rondgeslopen om een glimp van haar op te vangen. Door het slaapkamerraam naar binnen gekeken, hun geslachtsdaad gezien en die verkeerd opgevat als teken van liefde en wederzijdse lust. Maar dat gaf geen verklaring voor de maskerade bij De Vergulde Druif. Waarom ontmoette hij Clarence bij daglicht op een openbare plek? Had dat met ridderlijkheid te maken? Kun je je ridderlijkheid veroorloven na twintig jaar in het dodenrijk? Waarom nam hij zo'n risico? Het lichaam van Clarence vermalen tot nertsenvoer en de dieren het bewijs laten elimineren was weldoordacht en koelbloedig. Misschien stond Odd hetzelfde lot te wachten. En haar! Maria dempte een schreeuw met haar hand. Ze voelde haar maag zich samentrekken en werd overweldigd door een gevoel van duizeligheid. Ze moest hier weg! Dat moest op de een of andere manier toch lukken! Misschien dat Odd iets in zijn zakken had wat ze kon gebruiken om het slot open te peuteren of om de planken te verwijderen. Maria kroop op handen en voeten naar de dode toe. De stank deed haar ogen tranen. Haar handen en knieën beefden. De misselijkheid nam weer toe. Als iemand haar een week geleden verteld had dat ze een lijk zou plunderen, had dat net zo onwerkelijk geleken als een wandeling op de maan. Maar nood breekt wet. Het zijn altijd de omstandigheden die een verklaring geven voor de meest absurde daden. Maria liet haar handen in de zakken van Odds colbert glijden, eerst in de ene, vervolgens in de andere. Ze dacht aan Krister en de kinderen, aan de prachtige zonnige dag die ze op Sandåstrand hadden doorgebracht. 'Een bunker! Mama, er zit een boef in.' 'Is het Donder-Karel of Blom?' 'Het is vast Blom.' 'Hij ligt daar maar te slapen. Hij hoort helemaal niets.' Hoe had ze zo blind en doof kunnen zijn? Kinderen en gekken zeggen de waarheid. Had hij Odd zien liggen? Verdómme! Maria haalde diep adem en doorzocht Odds broekzakken. De stof was vochtig. Maria probeerde er niet aan te denken wat dat kon zijn.

'Wij mensen verschillen niet zoveel als puntje bij paaltje komt.' Maria draaide haar hoofd in de richting van de doffe stem en zag twee zwarte ogen in de opening.

'Ben jij dat, Ivan? Alsjeblieft, laat me eruit. Ik heb twee

kinderen die me nodig hebben. Ik heb je niets misdaan. Laat me eruit!!'

'Ik zou ook een kind hebben gehad dat me nodig had als die hoer geen abortus zou hebben gepleegd en zich vervolgens in de armen van Clarence had gestort.'

'Ze kreeg een miskraam, Ivan.'

'Helemaal niet. Ik heb haar status gelezen. Een witte jas en een zelfverzekerde houding openen alle deuren. Toen ze te horen kreeg dat ik niet thuis zou komen, dat ik aan de Turks-Cypriotische kant was opgepakt, heeft ze een abortus ondergaan. Er stond "spontane abortus".'

'"Spontane abortus" betekent een miskraam. Dat heet zo', zei Maria en ze voelde dat dit een schakel was in de argumentatie voor haar vrijlating. De ogen verdwenen voor de opening. 'Ivan, ben je er nog?' Ze hoorde buiten een merkwaardig geluid. Er raspte een lach als verdorde bladeren in de wind tegen de betonnen muur. 'Ivan! Ga niet weg, Ivan! Je mag me hier niet achterlaten. Vertel Ivan, vertel wat er op Cyprus is gebeurd!'

38

'Ik was jong en vol vertrouwen in de mensheid. De wereld zat op mijn dappere daden te wachten. Om de mooie Rosmarie waardig te zijn, begaf Ivan de Leeuwenridder zich in het heetst van de strijd. We waren eigenlijk nog kinderen destijds. Het leven was een spel en wij speelden mee. We kochten allemaal een puzzelring in Kyrenia, de eerste keer dat we aan de Turks-Cypriotische kant waren. We maakten grapjes; dat we de ridders van koning Arthur waren, de ridders van de ronde tafel. Eén voor allen, allen voor één. En zo ging het ook. Eén voor allen! Mijn leven in ruil voor dat van hen, mijn leven voor hun vrijheid.

We waren al zo'n drie maanden op Cyprus toen Clarence voorstelde om weer naar Kyrenia te gaan. We hadden weekend-verlof en ik was van plan geweest om naar Pafos te gaan. Ik was in die tijd zeer geïnteresseerd in vogels. De Cyperse zwartkop en de Cyperse tapuit zijn inheemse vogels. Ik had me op dat uitstapje verheugd. Als je geluk had, kon je de Eleonora's valk, de grauwe gors en de zwarte franklijn zien. Maar ik had geen geluk. De enige vogels die ik dat weekend zag, waren de dronken kraai en de zuiplijster. Clarence was de onweerlegbare leider. We gingen naar Kyrenia; Clarence, Odd, Mårten en ik. In een bar bij de haven vierden we het weekend. Clarence trakteerde. Hij was jarig. Hij zat trouwens altijd goed in de slappe was. Ik zei geen nee. Hij zat tegenover me. We gingen gelijk op. We dronken bier uit grote pullen. Uit een slechte installatie tetterde de muziek het rokerige lokaal in. Clarence raakte niet aangeschoten. Hij voerde het tempo op. Ik probeerde hem bij te houden. Er hing een wed-strijdstemming in de lucht. De anderen kwamen om ons heen staan. De muziek zweeg. Ik herinner me dat het heet en benauwd was. Clarence' scheve lach. Het meisje dat met haar grote, schommelende boezem over zijn schouder hing. De bloedrode mond. Ze lachte naar me. Er hing een zweetdruppel aan Clarence' wenkbrauw. Zijn ogen waren smalle spleetjes geworden. Ik werd duizelig. Ik zag de vloer op me afkomen. Mijn schouder deed pijn. Mijn gezicht belandde in een grote plas. Clarence had zijn bier op de grond gegoten zonder dat ik het gemerkt had. Wat een verspilling! dacht ik en ik probeerde een kroonkurk te fixeren met mijn blik. Verder kan ik me niets meer van die avond herinneren.

De volgende ochtend werd ik wakker in een cel met kale muren. De enige faciliteit was een gat in de grond waarin je kon pissen. Geen stoel, geen brits, geen losse onderdelen om stuk te slaan. Kakkerlakken zo groot als luciferdoosjes kropen over de muren. Ik had niemand om mee te praten. De bewaker was überhaupt niet geïnteresseerd in communiceren. Ik geloof dat het veertien dagen duurde voordat ik overgeplaatst werd en te horen kreeg dat ik vast zat op verdenking van handel in verdovende middelen. Mijn kameraden waren niet opgepakt. Waarschijnlijk waren die dezelfde avond de grens bij Nicosia alweer gepasseerd.

In de gevangenis heb je tijd om te denken en het duurde niet lang voordat ik een beeld had van wat er gebeurd was. Kleine fragmenten hier en daar, een onbezonnen woord, een snel opgekomen stilte. Clarence' voortdurende overvloed aan geld. Ze handelden in drugs. Wie controleert VN-soldaten die de grens passeren? Het was hoegenaamd een onderneming zonder risico's. Clarence had waarschijnlijk zijn contactpersoon zullen ontmoeten in de bar bij de haven waar we zaten. Maar er is iets misgegaan. Hij moet een waarschuwing hebben gekregen. Ik was als enige over en moest de rekening betalen. Stomdronken en gemakkelijk te belazeren.'

'Heb je die scène nagespeeld bij De Vergulde Druif?' fluisterde Maria en ze voelde hoe de droge stijfheid van haar tong de woorden vervormde.

'Dus dat weet je. Ik had er een tijdje op zitten broeden en het idee sprak me wel aan. Het had ook een praktische reden dat we elkaar ontmoetten terwijl het nog licht was. Clarence hield zich op de hoogte van mijn toestand. Hij betaalde wat geld om te weten hoe het mij in de gevangenis verging. Toen ik een erfenis kreeg na het overlijden van mijn opa, had ik geld voor een advocaat. Ik kwam erachter dat ze hier dachten dat ik dood was. Dat Clarence hen geïnformeerd had en ze in zijn oneindige goedheid getroost had. Clarence wist dus dat ik was vrijgelaten. Maar hij wist niet waar ik was. Ik zag al spoedig in dat hij nooit risico's nam, dat hij nooit alleen was. Het vleide mij dat hij mijn woede serieus nam. Hij hoopte vast dat ik ergens zou opduiken en een misstap zou begaan. Eens gestraft, altijd verdacht. De enige manier om hem te ontmoeten, was in te spelen op zijn hebberigheid. Hem een schitterende deal aanbieden en een ontmoeting bij daglicht regelen. Ik trakteerde hem op wijn. De beste die er was. Hij mocht zelf betalen. Het ene glas na het andere, terwijl ik dezelfde hoeveelheid in de plantenbak goot. Het zien van zijn gezicht toen hij me herkende, was een onbetaalbare ervaring. Een déjà vu-ervaring met omgekeerde rollen. Deze keer was het zíjn beurt om de heilige graal tot de bodem te legen.'

'Hoe kreeg je het voor elkaar dat hij bleef?'

'Plezierig gezelschap, je loopt niet zomaar weg bij een scherpgeladen wapen.'

'Een browning verstopt in een zakdoek?'

'Weer correct. Niet slecht.'

'Heb je hem doodgeschoten?' Maria vroeg het zonder te kunnen beslissen of ze dat weten wilde of niet. Het antwoord was op ongelukkige wijze gekoppeld aan haar eigen mogelijkheden om te mogen leven.

'Nee. Wat veroorzaakt een langzame, pijnlijke dood? Heeft Rosmarie het verteld? Wat ik in haar tuin heb opgegraven?'

'Monnikskap?' Maria had om iets te drinken willen vragen, maar zag ervan af. 'Je nam het risico herkend te worden.'

'Wie zou een jonge, dode man zoeken in de gedaante van een

oude vent? Het duurde even. Ik zat hier buiten naar hem te kijken, die klootzak, hoe hij in zijn eigen kots rondkroop. Hij was tot op het laatste moment bij zijn volle verstand en is uiteindelijk gestikt. Een paar uur pijn tegenover mijn twintig jaar in de hel. Dat was hij waard. Elke minuut pijn had hij eerlijk verdiend. Als hij gevonden zou zijn voordat ik hem in stukken had kunnen hakken en het lichaam had kunnen elimineren, zou alle verdenking op Rosmarie zijn gevallen. Vergiftiging is een vrouwenspecialiteit. Een paar moorden op enkele goede bekenden en tenslotte zelfmoord als uitsmijter was wat ik voor haar in gedachten had.'

'Heb jij Mårten Norman vermoord?'

'De ridder van de treurige gedaante? Hij kreeg gevlekte scheerling, maar dat weet je inmiddels ook wel. Ik had niet gedacht dat hij zo snel zou opduiken. Een paar maanden later was optimaal geweest, dan zouden de verbanden vervaagd zijn. In principe was hij al bezig zichzelf te vermoorden. Maar het risico bestond dat hij zou gaan praten. Daarom heb ik hem een handje geholpen. Ik heb het eruit laten zien als een verdrinkingsgeval.'

Maria wilde de puzzelring ter sprake brengen, maar besloot er niet over te beginnen. Als je over bepaalde informatie beschikt, kan dat een overwicht geven, ook als je dat niet meteen inziet.

'Odd Molin? Heb jij zijn boot opgeblazen?'

'Nee, dat is niets voor mij. Hij mocht uiteraard zélf zijn prachtig mooie Viktoria laten exploderen. Eén nummer op de gsm en het vuurwerk was een feit.'

'Hoe kwam je aan die explosieven?'

'Je vraagt te veel. Zonder die verdomde nieuwsgierigheid van je had je vast een lang en gelukkig leven gehad', siste Ivan. 'Maar ik zal niet onwelwillend zijn. Waarom zou ik de dorst naar kennis van een terdoodveroordeelde niet lessen? Ik heb ingebroken bij een wapenvoorraad, de rest heb ik gekocht via de terroristenshop op internet.'

'Odd?'

'Ik heb hem in het donker opgewacht voor zijn prachtige woning, die verdomde drugsbaron. We hebben een tochtje gemaakt in mijn Audi, nader bepaald: hierheen. Hij moest ook de heilige graal legen, niet zoals Clarence met monnikskap, maar met gevlekte scheerling. De strafmaat moet in verhouding staan tot het misdrijf. Hij mocht kiezen tussen nertsenvoer worden mét of zonder verdoving, en hij koos mét verdoving.'

'Is je wraak nu voltooid?'

'Nee.'

'Manfred?'

'Manfred Mayonaise Magnusson.' Ivan lachte zijn krassende, droge lach. 'Met zulke hersens geboren zijn, is al een straf op zich. De anderen konden hem er niet bij hebben, begreep ik. Als we ook maar drie stappen van de legerbasis afgingen, deed hij het al in zijn broek. Een klein beetje spanning en hij werd een levende latrine. Hij werd bijna meteen naar huis gestuurd. Dat was het beste voor de algemene moraal.'

'Hoe heb je twintig jaar in een Turkse gevangenis kunnen overleven?'

'Dat wil een net meisje als jij niet weten.'

'Ik kan wel tegen een stootje.'

'Tja. Ik verkocht mijn lichaam voor een stuk brood, om antibiotica te krijgen als ik lag te rillen van de koorts, om verdere mishandeling te voorkomen. Achteraf heb ik gehoord dat men van de kant van de VN veel moeite heeft gedaan om me te laten overplaatsen naar een Zweedse gevangenis, maar tevergeefs. De soldaten op de legerbasis werden stuk voor stuk vervangen en ik werd vergeten, en doodverklaard.'

Maria probeerde haar stem rustig en zakelijk te laten klinken. 'Als je weet hoe verschrikkelijk het is om opgesloten te zitten, om honger en dorst te hebben, waarom doe je mij dat dan aan? Ik ben net zo onschuldig als jij was. Wat wil je nog doen, Ivan? Wat ben je met me van plan? Laat me eruit. Ik kan geld regelen, alles wat je nodig hebt om te vluchten.'

De ogen verdwenen voor de opening. Stille voetstappen in het gras.

'Ivan! Ivan! Kom terug, Ivan! Ivaaaaan!' De eenzaamheid in het donker was afschuwelijk. In een huilbui zonder tranen boog ze haar hoofd naar haar knieën. In het gras ritselde iets en ze zag een driehoekig kopje voor de opening. Een bosmuisje. Het snuffelde aan hun stinkende hol en verdween weer de nacht in. Misschien waren er grenzen aan de geurtolerantie van kleine beestjes. Als muizen de weg naar de bunker konden vinden, was er geen enkele belemmering voor echte ratten om hen te bezoeken. Waren knaagdieren aaseters of gaven ze de voorkeur aan levend voedsel? Ze zette de gedachte met wilsinspanning van zich af.

Maria dacht na over Ivans hopeloze situatie. Zelfs als hij kon bewijzen dat hij onschuldig in de Turkse gevangenis gezeten had, zou hij nooit zijn straf kunnen ontlopen voor de moorden die hij in Zweden had begaan. Ivan zou haar nooit levend laten gaan met de kennis die ze bezat. Hij zou zich vast liever van het leven beroven dan het risico lopen weer in de gevangenis te belanden. Hij wist misschien nog niet hoe hij te werk zou gaan. Waarom zijzelf nog in leven was, was een raadsel. Hij had het afplakband verwijderd en de touwen wat losser gemaakt. Misschien had hij iemand nodig om mee te praten, iemand die wist welk onrecht hem was aangedaan. Dat gaf wat hoop, een kleine kans om te overleven.

Rosmarie Haag kroop in elkaar in haar rieten stoel in het groene prieeltje en vulde een blauwgeglazuurde stenen mok met pruimenwijn. De schemering viel langzaam over de tuin, legde zich te ruste in het gebladerte en gleed met onhoorbare stappen over het water van de vijver. De witte waterlelies straalden als sterren in het duister. De bessenstruiken, die verrast waren door de slagregen en nu tot hun wortels in het water stonden, strekten hun takken als voelsprieten naar de avondhemel. Luisterden naar het gerommel van het onweer.

Ze had geen licht aangedaan. Het donker was geen vijand. De eenzaamheid evenmin. De regen spoelde over de hoge, puntige ramen en glom in het schijnsel van een krachtige bliksemschicht. De petroleumlamp die aan kopergroen uitgeslagen schakels aan het plafond hing, schommelde zachtjes heen en weer. Rosmarie veranderde van houding in de krakende stoel. Ze trok de groene katoenen plaid strakker om haar schouders. Ze hadden haar ondervraagd over de Leeuwenridder. Of zij wist waar hij was. Of ze zijn naam gehoord had. Eerst had ze willen vertellen dat hij dood was. Dat hij al bijna twintig jaar dood was. Clarence had op een koude oktoberdag op de trap gestaan in een regen van gele herfstblaadjes. Hij had hen rustig en heel duidelijk toegesproken. Overduidelijk. Herhaald dat Ivan… Dat hij nooit meer… nooit meer. Wat ziet een mond die zich beweegt zonder zinvolle geluiden er vreemd uit, als een slecht nagesynchroniseerde film, waarbij de woorden hun scherpte en hun samenhang in de tijd hebben verloren. Clarence had zijn haar in een scheiding opzij. Hij zag er ouder uit met een scheiding opzij. Hij zag er lachwekkend uit, als een naamloze komiek, een clown. Had ze gelachen? De gouden tand ging op en neer als de naald van een naaimachine. Hij hield niet op met praten. Dat was zo irritant. Alles was irritant. Er kroop een worm over de door vorst verstijfde bladeren. Een levende worm. Haar gedachten verstijfden in de vorst. Iemand had haar warmte geboden voordat de duisternis intrad.

Vandaag hadden ze haar ondervraagd over de Leeuwenridder. Haar hoofd was verdoofd geraakt van die enorme gedachte. Toen ze thuisgekomen was en bescherming had gezocht in het prieeltje, was de verdoving langzaam weggeëbd – ze was in haar eigen stoel gekropen en had de wijn zijn werk laten doen. Ze had niets tegen hen gezegd. Alleen de gedachte laten rusten in de aarde waar spoedig een zaadje zou gaan groeien. Kon hij in leven zijn? Ivan de Leeuwenridder? Ivan met de vrijpostige handen en de vurige blik. Ivan die haar wellust opgewekt had en beloften had gedaan. Als hij in leven was, was er dan een verband met de verdwijning van Clarence? Volgens de mythe verafgoodde Ivan de Leeuwenridder de vrouw van een andere ridder. Hij doodde de ridder in de strijd en verenigde zich vervolgens met zijn geliefde, zo werd het gezongen in de Eufemia-liederen. 'Maar de liederen zijn kleine sibillen.'

Een nieuwe bliksemschicht sneed door de hemel, gevolgd door een geweldige knal. Wat maakte het uit of hij hen allemaal gedood had, als hijzelf maar in leven was. Ze konden samen vluchten. Hij had beloofd te komen om erbij te zijn als het kind geboren zou worden. Dat was zijn heilige belofte. Als hij vrij was, als hij in leven was, dan zou hij komen. Rosmarie streek met haar handen over haar lege schoot. Ze voelde de foetus bewegen. Ze pakte het hieltje vast dat bij haar navel uitpuilde. Hij zou terugkomen als ze moest bevallen. Dat had hij beloofd.

Ze moest denken aan Manfred Magnusson. Zou hij iets gehoord hebben? Ze was in weer en wind naar hem toe gefietst, maar ze was eruit gegooid door dat chagrijnige wijf van hem.

'Je stinkt naar drank! Ik laat je echt niet binnen.' Rosmarie had gesmeekt, geschreeuwd en gedreigd. Ze moest weten waar Manfred was. Ze móést het weten!

'Wat een haast! Veel geluk ermee. Ik zal je zeggen dat hij niet veel voorstelt als minnaar, hij heeft verdomme net zoveel fantasie als een zak aardappelen. Maar als je iemand wilt hebben om mee te zuipen, dan is hij de beroerdste niet. Hij is trouwens verhuisd.'

Pas veel later begreep Rosmarie dat Jonna gedacht had dat zij iets met Manfred had. Wat een bespottelijke gedachte.

39

Maria werd wakker in een compacte duisternis. Hoe lang ze zich al in de bunker bevond, daar had ze geen flauw idee van. Het geluid van een naderende auto werd steeds sterker. Ze had geen puf om te reageren. Of om hulp te roepen. Ze kon heel zwak twee mannenstemmen onderscheiden. De ene dof, de ander wat lichter.

'Nu moet je me bijschijnen met de zaklamp, Gustav. Ik moet een man hieruit helpen, begrijp je. Hij slaapt hierbinnen. Maria slaapt hier ook en die mag je niet wakker maken. Je moet dus heel stil doen.'

Maria werd verblind door het licht. Ze hoorde het geluid van iets wat over de grond gesleept werd. Het kon het lichaam van Odd zijn. Het kon haar eigenlijk niet schelen. Voordat ze gestoord werd door de stemmen, was ze in oma Vendela's grote warme keuken geweest. Omringd door liefde. Gewiegd in veiligheid. Vendela had haar bij de hand genomen en gezegd dat ze mee mocht naar het weiland, en naar de beek en dat ze daar van het heldere water mocht drinken. Dat ze net zolang mocht drinken tot ze geen dorst meer had. Dat ze in het glinsterende water mocht zwemmen. Vendela's gezicht was zo dichtbij geweest, dat Maria de geur van koffie en kaneel had kunnen ruiken. Ogen zo vol van liefde. In die welwillendheid had Maria zich gespiegeld als kind. En was ze gegroeid als mens. Maria had haar handen tot een kom gevormd, had zich voorovergebogen en had haar kom gevuld met kristalhelder water. Toen ze haar handen naar haar mond bracht om te drinken, zag ze dat ze leeg waren. Vendela's zachte rondingen werden mager en hoekig. De geur van kaneel werd vervangen door een ondraaglijke stank van uitwerpselen. In het duidelijkste beeld van de nachtmerrie streek Ivan zijn geelwitte haar uit zijn gezicht. Maria voelde een harde trap in haar zij.

'Wat doe je, Ivan?' Gustavs ogen versmalden van ontzetting. 'Laat Maria met rust!'

'Heb je je vader verteld dat je gezien hebt dat ik Maria naar de auto droeg? Heb je dat tegen iemand gezegd?' vroeg Ivan rustig maar dreigend.

'Nee, dat wilde ik doen, maar ik ben het vergeten. Papa heeft een nieuwe fiets voor me gekocht.'

'Weet je zeker dat je het tegen niemand gezegd hebt? Als je liegt, snijd ik je oren eraf.'

'Zeker weten!' Gustav hield zijn handen voor zijn oren en glimlachte. Ivan was een enorme grapjas. 'Ik heb dorst, Ivan. Je krijgt altijd dorst van popcorn. Mag ik het drinken dat je in de auto hebt? Getver, wat stinkt het hier naar stront. Heeft iemand hier gepoept? Is het een wc?'

'Nee, ga maar naar binnen. Ik geef je de fles aan door de opening.' Ivan verdween en kwam weer terug. Maria voelde dat Gustav naast haar zat. Hij was warm en rook fris.

'Waarom slaap je hier?' vroeg Gustav. Maria probeerde haar stem te laten gehoorzamen, maar haar tong zat aan haar gehemelte geplakt. Ze verlangde terug naar Vendela en het glinsterende water. De dorst was ondraaglijk. Haar ogen brandden bij gebrek aan traanvocht.

'Ivan! Wij willen thuis slapen! Het is hier niet prettig! Ivan!' Gustav stond op en voelde aan de deur. Die zat op slot. 'Laat ons eruit, Ivan! We willen hier niet zijn! Ivaaaaan!!' Ze hoorden een sloffend geluid buiten. Het klonk steeds onduidelijker en verder weg. Het geluid werd even onderbroken en Ivans ogen werden zichtbaar voor de opening.

'Het is je eigen schuld. Ik wilde je geen kwaad doen. Maar nu moet je hier een tijdje blijven zitten. Ik kan niet het risico lopen dat je gaat praten.'

'Ivan, laat me eruit, Ivan. Ik ga tegen papa zeggen dat je gemeen bent.'

'Daar heb je het al. Slaapt Maria?' Maria wilde haar hoofd

optillen en antwoorden, maar ze kon het niet opbrengen. Dan maar niet. Ivans stappen stierven weg en verderop startte een auto.

'Wil je wat drinken, Maria? We kunnen doen of dit onze eigen hut is, hoewel het hier stinkt als een beerput. Ben je ziek? Ik zal voor je zorgen. Ik heb eens een keer voor een klein poesje gezorgd dat ziek was. Maar later ging het dood. Ik heb al eerder tegen je gezegd dat je je warm moet kleden. Je wordt verkouden en kwakkelig als je je niet warm kleedt, zegt papa. We kunnen doen alsof het drinken medicijn is. Ik help je met drinken. Goed zo, nog een slokje. Oei, wat heb jij een dorst. Heb je al heel lang niks te drinken gehad? Zal ik voor je op mijn mondharmonica spelen? Je kunt je hoofd op mijn schoot leggen, dan leg ik het jack over je heen als deken. Lig je zo lekker?'

'Bedankt', fluisterde Maria en ze viel terug in haar nevelige toestand.

Vendela was daar in het niemandsland, als een zachte streling, als een geur van kaneel. Haar glimlach was als de zon. De regen viel in grote, lauwe druppels die versmolten met haar huid. Ze liepen over het weiland. Het bedauwde gras veerde zacht onder hun voeten. Toen ze bij de uiterste top van het uitkijkpunt op de rots kwamen, stegen ze op en gleden ze over de rand. Het was zo leuk om door de wind gedragen te worden, zo eenvoudig. Maria stak haar armen uit en liet het lauwe briesje door haar mouwen spelen. Daarbeneden in de bunker lag Maria's lichaam met haar hoofd op Gustavs schoot. Ze kon haar eigen gezicht zien, ze kon zien dat ze sliep. In gezelschap van Vendela vloog ze over mooie landschappen, over groene heuvels, over de beek waar ze haar dorst gelest had en haar lichaam blinkendschoon gewassen had. Ze hadden gespeeld in de kalme waterval van de rivier Silverån, tussen de spartelende forellen, en hun voeten in het zachte, witte zand geboord. Ze had zorgeloos gelachen naar Vendela, die met lange, zachte slagen haar haar gekamd had, net als toen ze klein was. Vendela lachte haar goede lach. Niets was nog gevaarlijk. Alles was mooi en simpel. Zie je hoe het daar verderop licht wordt? vroeg Vendela in de blauwe schemering. Daar zijn we naar op weg. Door de witheid. Hoor je de muziek? Hoor je hoe het knettert, net als wanneer je sterretjes afsteekt? Maria hoorde het en alles om haar heen smolt weg. Ze was midden in de muziek. Ze was er onderdeel van. Een trillende toon door het geruis heen deed haar lichaam vibreren als een aangeslagen snaar. In een regen van tonen stroomden de akkoorden. Een onweerstaanbare impuls trok haar naar het licht, verenigde zich met haar hartslag en tilde haar op als een blad in de wind. Steeds dichter naar een intensiteit zoals ze nog nooit ervaren had.

'Nee, Maria, kijk niet om!' Het gezicht van Vendela stond vriendelijk maar bedroefd.

'Waar zijn Emil en Linda?' Maria zocht haar kinderen in het niemandsland, maar kon ze niet vinden. Ze rekte zich uit naar het bewustzijn in haar verlangen naar hen.

Vendela verdween in het verblindend witte licht dat haar eenmaal van de aarde had weggevoerd. Maar Maria bleef achter in de muziek, in de eentonige muziek van een mondharmonica, vastgehouden door de te korte vingers van iemand met het Downsyndroom.

De tonen van de mondharmonica hielden haar bij bewustzijn in haar geradbraakte lichaam met zijn brandende maag en zijn pijnlijke hoofd. Toen de eerste stralen van het ochtendgloren door de smalle spleet naar zee hun weg naar binnen zochten, de betonnen bunker in, sloeg Maria haar ogen op. Ze wilde leven, overleven tegen elke prijs. Ze moest haar kinderen wéérzien. Ze in haar armen houden. Gustav aaide Maria over haar haar.

'Drink, Maria, ik heb het laatste restje voor jou bewaard. Ik heb hartstikke honger. Maar we hebben geen eten. Alleen hennepzaad. Mensen moeten oppassen voor hennepzaad, zegt papa. Het is een soort drug, maar Arrak is er gek op. Hè, Arrak?' Eerst dacht Maria dat ze droomde, dat het geluid was meegekomen met de reis met Vendela, maar uit Gustavs trui kwam een koerend geluid.

'Heb je je duif meegenomen?' slaagde Maria erin te fluisteren.

'Ja, we zaten samen tv te kijken, dat is zo harmonieus. Toen riep Ivan dat ik hem ergens mee moest helpen. Ik moest de zaklamp vasthouden terwijl hij onder de motorkap van zijn Audi keek. Toen ik hem daar bij stond te schijnen, vroeg ik waarom hij jou eerder in zijn auto getild had. Ik vroeg of je sliep en hij zei dat dat zo was. Hij klonk vriendelijk, maar ik zag aan zijn vingers dat hij boos was. Toen zei Ivan dat we een proefritje gingen maken met de auto. Ik wilde naar binnen gaan om aan papa te vragen of dat goed was, maar Ivan vond het niet slim om hem wakker te maken. "Dan wordt hij alleen maar chagrijnig", zei Ivan en dat is waar, dat weet ik. Heb je die duivenring nog die je van mij gekregen hebt?' Maria wees op een dun leren bandje om haar pols. Daar zat hij. Gustav trok een brede grijns.

'Dat heb je mooi gemaakt.'

'Als je die duif loslaat, vliegt hij dan naar huis?'

'Ja.' Gustav haalde Arrak onder zijn trui vandaan. De duif rekte zijn hals uit en zette een paar slaapdronken stappen in de richting van het licht. 'Hij heeft ook dorst. We moeten hem loslaten.'

'Wacht even! Ik moet nadenken. Kun je een briefje met de duif meesturen?'

'Arrak is een postduif! Natuurlijk kun je een briefje met hem meesturen. Maar het moet wel klein zijn.'

'Het etiket van de colafles, kun je daar een stukje van lostrekken?'

'Yes! Zal ik Trollets bro erop schrijven, de brug van de trol?'

'Kun je dat?'

'Tuurlijk. Papa weet precies wat ik bedoel als ik schrijf. Waar moeten we mee schrijven?'

'We hebben geen pen, niet eens lippenstift', zei Maria ontmoedigd.

'Je kunt schrijven met een duivenveer en met bloed, maar misschien dat ik dan flauwval. Ik val altijd flauw als ik bloed zie. En soms val ik flauw zonder dat ik bloed zie. Dat komt ook voor. Maar als het moet, moet het.' Gustav krabde een gaatje in een korstje op zijn been en staarde angstig maar verrukt naar het bloed. Zorgvuldig, met het puntje van zijn tong in zijn mondhoek, tekende hij een cirkel met twee puntige oren. Hij wurmde het briefje onder de ring van de duif en liet hem vlak voor de opening los. Op dat moment hoorden ze het geluid van een auto en enkele vlugge stappen, alsof iemand met logge stappen over het weiland rende.

'Vlug Gustav, verstop de duif weer onder je trui, en laat hem vooral niet aan Ivan zien, als dat degene is die eraan komt. Beloof je me dat? Hij pakt anders misschien het briefje, snap je? Kun je niet op je mondharmonica spelen, zodat je het niet hoort als de duif koert?' Gustav knikte en begon uit alle macht te spelen.

De zwarte ogen werden zichtbaar voor de opening. Maria slikte haar teleurstelling in. Even had ze gehoopt dat de redding nabij was.

'Geef mij die mondharmonica, Gustav.'

'Maar ik heb hem van jou gekregen, Ivan. Je bent toch mijn vriend? Je bent nu een beetje gemeen, maar ik vind je toch lief. Ik weet dat je aardig wilt zijn, maar dat je vingers soms boos worden. Een keertje toen je tegen de nertsenkooien schopte, was je been boos, maar dat maakt niet uit. We zijn vrienden, toch?'

'Hou je bek en geef hier die mondharmonica', siste Ivan met onvaste stem.

'Goed dan, je mag hem even lenen. Ik kan je laten zien hoe het moet als je dat wilt?'

'Hoe is het met Maria?'

'Die slaapt de hele tijd.' Gustav aaide Maria over haar wang.

'Wat ben je van plan, Ivan?' fluisterde Maria amper hoorbaar en ze tilde voorzichtig haar hoofd op.

'Ah, dus je leeft nog. Je bent taaier dan ik dacht.'

'Rosmarie heeft je geen kwaad gedaan. Ze hield van je, Ivan. Maar je kwam niet terug. Ze dacht dat je dood was.'

'Hou je bek.'

'Ze is mishandeld door Clarence. Hij heeft de tuin gered van een faillissement. Ze is afhankelijk van hem, maar ze houdt niet van hem!'

'Ik heb het zelf gezien toen ik in het heilige der heiligen naar binnen keek', zei Ivan en zijn stem droop van de verwijten.

'Ze werd verkracht, Ivan. Heb je de blauwe plekken op haar armen en hals niet gezien? Vraag haar om je die te laten zien!!'

'Je liegt, jij kreng', schreeuwde Ivan en zijn gezicht verdween voor de opening.

'Ivan, laat ons eruit!' Maria barstte in huilen uit.

40

Tomas Hartman werd na nauwelijks drie uur slaap wakker op de vloer van zijn kantoor, met een opgerold suède jack onder zijn hoofd. De vaste vloerbedekking rook naar stof en natte sokken, *socks in its own juice*, zoals Arvidsson gezegd zou hebben. Hartman kwam overeind, steunde op zijn ellebogen en vroeg zich af waarom hij zo lag. Zijn hoofd stond op knappen van vermoeidheid. Hij wierp een blik op de klok en zijn geheugen klaarde snel op. Op dit moment was Maria Wern al bijna twee etmalen verdwenen. De ongerustheid sloeg toe als een roofvogel. Het stak in zijn middenrif. Het welbekende branderige gevoel van te weinig slaap, stress en te veel koffie maakte zich kenbaar. Zijn vrouw had eens verteld dat de pillen die hij slikte tegen verstopte bijholten het effect van coffeïne wel viermaal zo sterk maakten. Ze had dat gezegd toen hij een keer een bijholteontsteking had en vier koppen koffie achter elkaar dronk om in vorm te komen. Vervolgens had hij als een vergiftigde rat rondgerend met een koffie-inname die overeenkwam met zestien koppen koffie, zonder zich op iets anders te kunnen concentreren dan rondrennen en plassen. Hij had trillende handen gehad en getranspireerd als een marathonloper met tegenwind. Daaarom dronk hij tegenwoordig koffie met beleid. Op die manier bracht hij de hoeveelheid looizuur omlaag, die in de telkens opnieuw opgewarmde filterkoffie haast vruchtafdrijvende concentraties kon bereiken.

Hartman voelde zich misselijk en leeg in zijn hoofd. Twee etmalen zoeken zonder resultaat. Maria Wern leek wel opgeslokt door drijfzand. Geen enkel spoor. Niet één getuige. Niemand had een blonde vrouw langs de kustweg zien fietsen op weg naar de stad. En haar fiets was ook verdwenen! Maria's echtgenoot was de instorting nabij. De hele provinciale recherche was een hel.

Hartman kwam overeind in zithouding. Zijn spieren deden

pijn van vermoeidheid en van de ongebruikelijke ondergrond. Zijn ogen voelden aan als na een rugbywedstrijd in zand. Hij ging naar het toilet en spoelde zijn gezicht en hoofd met koud water. Hij wreef bij gebrek aan beter met een paar papieren handdoekjes over zijn kruin en ging naar de personeelsruimte.

De eerste purperen stralen van het ochtendgloren zochten hun weg naar binnen door het raam en verlichtten de rode haardos van Arvidsson, die bij de tafel aan het raam over zijn koffiekop gebogen zat, bleek en ongeschoren.

'Ik heb ook koffie voor jou gezet. Het is net klaar.' Zwijgend deelden ze een paar droge beschuiten. Het was vreemd om Arvidsson aan tafel te zien zitten zonder zijn eeuwige krant.

Hartman dacht aan zijn dochter. Hij voelde zich enigszins opgelucht, maar niet vrolijk. Toen ze uiteindelijk de ernst van de situatie had ingezien, had ze schoorvoetend verteld over oudejaarsavond en de explosie bij de slachterij. Ze was gewoon met de anderen meegegaan zonder te begrijpen wat er zou gebeuren. Ze hadden haar gevraagd op gepaste afstand te blijven. Ze had zelfs bekend dat ze bang was geweest. Officier van justitie Stefan Berg had verklaard dat ze ervan uit kon gaan dat ze geen gevangenisstraf zou krijgen, maar dat ze wel moest rekenen op een boete of een vorm van maatschappelijke dienstverlening. Marianne had gehuild van opluchting, maar Hartman kon niet echt blij zijn nu Maria Wern verdwenen was. En tot overmaat van ramp had Storm zich ziek gemeld. Niemand vond dat erg. Hij was verkouden. Niet direct koorts, volgens zijn vrouw, maar hij voelde zich niet helemaal tiptop en had rust nodig, meende ze. Anderen waren van mening dat een paar rechtstreekse sportuitzendingen de boosdoener waren. Hartman hield zich in en gaf geen commentaar. Hij stroopte zijn mouwen op en werkte door. Soms mopperde hij geïrriteerd over al het schrijfwerk dat de wegbezuinigde secretaresses vroeger veel sneller deden. Wat is er zo rationeel aan een politieman die als tikgeit zit te werken terwijl hij daar niet voor opgeleid is? Hartman had een hekel aan schrijfwerk, hoewel hij moest toegeven dat het noodzakelijk was.

Arvidsson had het onderzoeksmateriaal dat Maria Wern de laatste week had samengesteld systematisch doorgenomen, de personen die zij verhoord had opgeroepen voor een nieuw verhoor, en de rapporten bekeken. Samen hadden ze Maria's laatste etmaal voor de verdwijning in kaart gebracht. Hartman had verschillende uren met Krister Wern gezeten, die telkens had geprobeerd zich de gebeurtenissen van de laatste dagen te herinneren. Arvidsson had gevraagd om zich niet met Maria Werns man te hoeven inlaten, en inspecteur Hartman had begrepen dat hij daar begrip voor op moest brengen, zonder commentaar te geven.

Krister Wern was vol zelfverwijt geweest. Gedetailleerd vertelde hij dingen die Hartman meer dan eens zijn wenkbrauwen deed fronsen, terwijl Hartman tegelijkertijd blij was dat hij de gegevens wat kon filteren voor ze in de computer werden ingeklopt. Omwille van Maria, en vooral omwille van de aversie die Storm leek te hebben tegen vrouwen in het algemeen en tegen Maria Wern in het bijzonder. Krister Wern had blijkbaar een korte affaire gehad, een scheve schaats gereden, zoals hij het zelf uitdrukte. Niets serieus, niet meer dan een flirt. Dat was stom. Volstrekt onnodig. Het ergste was eigenlijk niet wat er gebeurd was, want dat was eigenlijk niet zoveel. In niet geheel nuchtere toestand was hij tijdens de afsluiting van een cursus in een schoonmaakkast beland met een dame genaamd Ninni Holm. Ze hadden wat aan elkaar zitten frunniken. Ze kon absoluut niet tegen kietelen. Een bijkomende oorzaak dat er verder niets onoorbaars gebeurd was. Het ergste zou zijn als Maria de geruchten gehoord zou hebben. Als ze van iemand gehoord had dat zij samen, tegelijkertijd, in die schoonmaakkast gezeten hadden, en daar haar eigen conclusies uit getrokken had. Krister bezwoer dat het nooit eerder gebeurd was en dat het ook nooit weer zou gebeuren.

'In een schoonmaakkast?'

'Daar niet en evenmin ergens anders. Kan ze mij verlaten hebben vanwege kwaadwillende geruchten?'

'Wat denk je zelf?'

'Geen idee.'

Vertwijfeld had Krister Karin en Maria's ouders gebeld. Hun ongerustheid had nog verder bijgedragen aan zijn eigen hartzeer.

'We worden allemaal wel eens in de verleiding gebracht, maar je bent wel verantwoordelijk voor je eigen daden. Maria is een lieve vrouw. Zorg goed voor haar.' Hartman had een paar tips gegeven en voelde zich ongelofelijk bejaard. Als jong agentje had hij nooit gedacht dat seksuele voorlichting en maatschappijleer onderdeel zouden uitmaken van zijn taken als politieman. Maar in de loop der tijd was gebleken dat de werkzaamheden om mensen terecht te wijzen eigenlijk grenzeloos waren. Alles van het verschonen en pap voeren van in de steek gelaten kinderen tot de kinderbescherming ze kwam halen, tot het treuren met oude vrouwtjes over overreden mopshondjes, het zuiver fysiek overmannen van heetgebakerde misdadigers, het maatschappelijk werker spelen voor jonge meisjes onder invloed van drugs en het voorkomen dat alcoholisten stikten in hun eigen braaksel. Elke dag had zijn eigen last en deze vrijdag droeg een van de zwaarste.

'Ik zou naar Södertälje willen afreizen. Het kan gemakkelijker zijn om het juiste materiaal te pakken te krijgen als je daar daadwerkelijk bent. SWEDINT heeft een aantal herinneringsboeken en videofilms verzameld van de jaren waarin de operatie UNICYP plaatsvond. Die naam SWEDINT is ook wel eens verbasterd tot WEETNIET. Maar er zullen wel een hoop papieren zijn om door te bladeren', meende Arvidsson.

'Wat denk je daar te vinden?'

'Met zijn hoevelen ze van hieruit zijn vertrokken. Met wie Odd Molin en Clarence Haag omgingen. Ik heb de foto's bekeken die we van Clarence geleend hebben, maar die hebben niet veel opgeleverd. Clarence kan best dingen uitgeselecteerd hebben die anderen niet te weten mochten komen. Ik denk dat het te lang duurt als SWEDINT gaat zoeken en het materiaal dan opstuurt. Hoe was het trouwens met het personeel bij De Vergulde Druif, konden ze Odd of Mårten herkennen als de man met de pet?'

'Nee, dat heeft niets opgeleverd. We moeten zoeken naar nóg iemand. Ga maar naar Södertälje. Dat is misschien verstandig. Zorg ervoor dat je contact houdt voor het geval er hier iets gebeurt', zei Hartman.

Hartman nam een paar suikerklontjes bij gebrek aan beter. Zijn hersenen hadden glucose nodig om te kunnen werken. De kaart lag nog steeds uitgespreid over het bureau. Met zijn vinger volgde hij de weg van het vissersdorp Kronviken, langs de tuin van Rosmarie, naar de stad. Alle draden in het onderzoek leken op de een of andere manier naar of langs de kwekerij te leiden. Niemand had Maria daarheen zien fietsen. En ook niet daarvandaan.

De dag ervoor had Hartman Rosmarie Haag opnieuw verhoord. Iets in haar houding was veranderd vergeleken met de vorige keer. Ze was niet meer zo apathisch en gelaten. Onder de gespeelde onverschilligheid brandde een koortsachtig vlammetje. Ze wist iets wat ze niet van plan was te vertellen. Hartman was ervan overtuigd dat er iets gaande was. Wist zij wie de Leeuwenridder was? Of had ze misschien besloten uit het leven te stappen en had ze bedacht hoe ze dat wilde doen? Ondanks de beperkte middelen had Hartman besloten Rosmarie Haag vierentwintig uur per dag te laten bewaken. Er waren veel regels voor het afluisteren van de telefoon, dus voorlopig moesten ze het doen met een politieman ter plaatse.

Bezorgd dacht Hartman aan de regatta van dit weekend en aan de ondermaatse bezetting die ze konden bieden, hoewel er nog niemand op vakantie was. Je zou je kunnen afvragen of grote evenementen zelf de kosten voor bewaking niet zouden moeten ophoesten, dacht Hartman. De overuren die ze nu moesten maken, moesten ooit in tijd of geld worden opgenomen. Het budget zou verbruikt zijn voor de zomer om was, daarvan was hij overtuigd. Bezuinigingen afkondigen vlak voordat je met een omvangrijke reorganisatie gaat starten, heeft uiteraard consequenties. In Kronköping had dat geleid tot opzeggingen en ziekmeldingen in een omvang waar niet op gerekend was.

Hartman dacht aan Maria. Hij geloofde geen moment in Kristers verklaring dat ze om privé-redenen vertrokken was. Ze was niet het type dat dingen onopgehelderd achterliet. En vooral ook: ze zou haar kinderen niet in de steek laten. Ze zou eerder haar man de deur wijzen als ze zou weten wat hij had uitgespookt. Maar Hartman had toch gemeend dat het beter was Krister in die waan te laten. Aan de ene kant gaf het stof tot nadenken en aan de andere kant hield het de gedachte weg dat ze misschien niet meer in leven was. Hartman ging met zijn vinger langs de andere wegen die Kronviken passeerden. De mogelijkheid bestond natuurlijk dat ze een stukje over de provinciale weg gefietst had en vervolgens kriskras over de kleine weggetjes door het bos gegaan was. Niet zo eenvoudig te vinden als je niet een tijdje in dat gebied gewoond had. Als ze door het bos gefietst was, waren er vijf of zes alternatieve wegen die ze genomen kon hebben, met een aantal verbindingspunten die ze gepasseerd moest hebben. Welke reden kon ze gehad hebben om de weg door het bos te nemen? De kustweg was breed en geasfalteerd, een veel sneller alternatief. De wind? Had het niet hard gewaaid voordat het onweer was losgebarsten? Hartman markeerde de verschillende wegen en wilde net contact opnemen met de meldkamer toen hij een mededeling kreeg via de intercom. Het was Ek.

'Hartman, ik weet dat je tot je nek in het werk zit, maar ik heb hier iets wat van belang kan zijn', zei hij voorzichtig.

'Geen probleem, voor de dag ermee.'

'Een van de getuigen uit het vissersdorp, ene Egil Hägg, wil aangifte doen van een vermissing.'

'Je bedoelt nóg een vermissing?' vroeg Hartman wantrouwend.

'Ja, kan ik hem naar je toe sturen?'

41

De stevig gebouwde man leunde met zijn hoofd in zijn handen. Zijn schouders schokten van het huilen.

'Wanneer ontdekte u dat hij weg was?' Egil keek op. Zijn ogen waren roodomrand en gezwollen. Hij zat onafgebroken te draaien op zijn stoel. 'Vanochtend. Maar hij had niet in zijn bed gelegen. Dat was opgemaakt. Gustav heeft nog nooit zijn bed opgemaakt. Dat doe ik altijd. Ik was gisteravond zo moe dat ik naar bed ben gegaan. Gustav had een dutje gedaan na het eten, dus die was helemaal niet moe. Hij wilde een programma af kijken op tv en hij zou zelf het licht uitdoen en naar bed gaan als het afgelopen was.'

'Is hij wel eens eerder weggeweest, verdwenen zonder te zeggen waar hij van plan was naartoe te gaan?'

'Niet sinds hij klein was. Toen mijn vrouw overleed, was hij twaalf jaar. Toen is hij een hele dag weggeweest. Ik heb hem toen gevonden in de kerk. Hij lag te slapen voor het altaar. Hij vroeg zich af wat ze hadden gedaan met de kist waarin zijn moeder lag te slapen. Hij wilde dat ze mee naar huis ging. Ik kon het niet over mijn hart verkrijgen om te zeggen dat ze gecremeerd was. De dominee heeft hem toen uitgelegd dat het lichaam alleen maar een omhulsel is dat je aan de andere kant niet nodig hebt. Dat je dat omhulsel begraaft om de kleren die je van de aarde geleend had, om hier te kunnen leven, terug te geven. Dat begreep hij.'

'Weet u of hij momenteel ergens door geschokt is? Iets wat hij gezien of gehoord heeft? Waar had u het 's avonds over gehad voordat u naar bed ging?' Egil droogde onhandig zijn ogen en veegde zijn neus af met de mouw van zijn overhemd.

'We hadden het over Jacob. Daar hebben we het elke avond over. Gustav en Jacob hadden lange discussies over alle mogelijke onderwerpen: het leven, de dood en hoe het zal gaan met de pruimtabak als die EU-knakkers het voor het zeggen krijgen. Er zijn veel mensen die de oude Jacob missen, maar voor Gustav was hij een heel speciaal iemand. De opa die hij nooit gehad heeft. Waar zou Gustav kunnen zijn? Kan hij verdwaald zijn? Gustav heeft medicijnen die hij moet innemen. Hij heeft een hartafwijking en epilepsie. Misschien gaat hij wel dood! Ik heb vaak gedacht dat ik langer zou willen leven dan hij om voor hem te kunnen zorgen. De laatste tijd heb ik begrepen dat wij voor elkáár zorgen.'

Egil begon weer te schokken en Hartman ging een kop warme koffie voor hem halen.

'Waar woont u ergens?' Hartman wees op de kaart die hij uitgevouwen op zijn bureau had laten liggen. Met een brede en groezelige vinger volgde Egil de provinciale weg het bos in.

'Daar, daar wonen wij, precies bij de beek.' Hartman verborg een onwelkome geeuw in zijn hand en wreef in zijn ogen. Als Maria de weg door het bos genomen had, was ze langs het huis van de Häggs gefietst. Dat was de enige mogelijkheid om over de beek te komen als ze naar de stad wilde. Vanaf die kruising zou ze het laatste stukje naar de stad de provinciale weg hebben kunnen nemen. Dat was een voor de hand liggend alternatief.

Krister staarde naar een gestippeld dekbedovertrek dat hij nooit eerder gezien had. Het behang dat hem aan alle kanten omgaf, was lichtblauw met hysterische, witte wolkjes en giraffes. Absoluut niet het behang dat hij in hun eigen slaapkamer tegen de muur had geplakt. Hij kwam slaapdronken overeind en luisterde naar het snuivende geluid dat afkomstig was uit een rol met zo'n zelfde gestippeld dekbedovertrek als hij zelf over zijn knieën had. Hij zag een bos donkere krullen op het kussen. Krister begon te zweten. Het leek alsof zijn hoofd uit elkaar spatte als een abces. Misselijk en berouwvol zonk hij weer terug in de kussens.

Maria! De kinderen waren bij zijn moeder. De werkelijkheid

kwam als een fijnmazig net op hem af en liet hem niet ontkomen. Maria! Liefste! Wat had hij gedaan? Troost gezocht in al zijn ellende. Hij kon niet alleen zijn met de kinderen en hun vragen. Oma was gekomen, als een brief met de post. Zoals gewoonlijk met zakjes snoep. Goedkoop snoepgoed: gifgroen, knalrood en schreeuwend blauw. Schuimbeertjes! Taaie lippen! Hij had zijn moeder de les gelezen. Voor het eerst in zijn volwassen leven was hij een heftige, onaangename woordenwisseling met haar aangegaan zonder zich er onderuit te wurmen. Alle angst over wat er met Maria gebeurd kon zijn, werd gematerialiseerd in de felle substantie van het snoepgoed. Waarom had ze snoep gekocht terwijl ze wist dat Maria dat niet wilde hebben? Respectloos! Gudrun Wern was zo overrompeld geweest dat ze een tijdje moest gaan liggen. Daarna had ze Artur gebeld, haar ridder. Toen die er eenmaal was, was de stemming zo geladen dat Krister het geen seconde meer uithield. Hij had de auto gepakt en was naar de stad gereden.

'Doe geen domme dingen.' Een vaderlijke klap op zijn schouder. Hij was naar Mayonaise gegaan.

'Je hebt een borrel nodig!' Die behoefte was bodemloos geweest. Daarna waren ze de stad ingegaan om op verzoek van Mayonaise weduwen en gescheiden vrouwen te versieren. Krister herinnerde zich vaag dat hij jankend een biefstuk met patat naar binnen had gewerkt bij Het Park.

'Je móét eten!' Het eten was in zijn keel blijven steken. Meer bier. Een vrouw met een schelle lach en wallen onder haar ogen had haar borsten op zijn schouder laten rusten, terwijl ze over hem heen gebogen stond en had gevraagd of hij met haar mee naar huis wilde. Haar parfum zat nog steeds als een bedwelmende geur in zijn neus. Hij was bang geworden, was opgestaan en de dansvloer op gewankeld. Hij had overgegeven in het gedrang en was erin geslaagd een zekere afstand te creëren tussen de mensen om hem heen. Ninni Holm! Opeens was zij daar geweest, met haar lekkere ronde armen. Hij had gehuild tegen haar schouder, in haar haar. En ze had hem gewiegd op de muziek: '*Lady in red... never noticed this beauty by my side.*' Jezus, wat verlangde hij naar Maria!

'Krister, ben je wakker?'

'Het spijt me. Het was niet mijn bedoeling. Ik ben zo ongelukkig. Ik weet niet eens hoe ik hier gekomen ben.'

'We hebben een taxi genomen.'

'Bedankt dat je voor me gezorgd hebt toen ik in de hel was.'

'Geen dank. Als je weer op je poten kunt staan, mag je de badkamer dweilen.'

'Sorry.' Krister schaamde zich de ogen uit het hoofd.

'Ik had iets anders verwacht van vannacht dan je te bemoederen en je te helpen met kotsen. Ik had net een enorme stoot in het vizier', zei Mayonaise korzelig. 'Maar ja, wat je al niet doet voor een vriend.' Een ongeschoren gezicht werd zichtbaar boven het dekbed, en dat was bepaald geen fraai gezicht.

'Nu moet je je verdomme vermannen, Krister', zei Mayonaise toen ze tegen lunchtijd naar het gele huis aan zee waren gereden. Hij gaf zijn boezemvriend met zijn elleboog een por in zijn zij. 'Je kunt hier niet naar de muur gaan zitten staren. Alle vrouwen smeren hem een keertje. Dat is gewoon zo. Als je stopt met je voor ze uit te sloven en denkt dat je de hele situatie onder controle hebt, dan vertrekken ze. Dat overkomt mij steeds. Maar kijk naar mij. Je overleeft het wel. Ik voel me ontzettend slecht, maar ik kan nog wel eten als een vent. Eet je worst nu op als een grote jongen. Ze komt wel terug. Al is het maar om haar spullen op te halen.'

'Waar kan ze nou zijn? Ze moet toch wat van zich laten horen? Ik heb me nog nooit zo alleen gevoeld.'

'We kunnen samen alleen zijn. Weet je wat? Ik trek gewoon bij jou in. Dat scheelt een hoop geld.'

'Bedankt, maar dat was niet helemaal wat ik bedoelde.'

'Tja, je moet wat overhebben voor een vriend. Maar schoonmaken en de kinderen verzorgen mag je zelf doen. Misschien dat ik ze wel eens wil voorlezen. Ik las Bieflap altijd voor uit de Clas Ohlson-catalogus. Geen sprookjes en dat soort shit. Bieflap weet wat een klemringkoppeling en een tochtregulator zijn, in tegenstelling tot die ettertjes op de crèche. En ik kan eten koken', zei Mayonaise hoopvol.

'Natuurlijk, dat geloof ik graag', zei Krister met een blik naar de zwartgeblakerde stukken worst. 'Stel dat ze hem niet gesmeerd is. Ze kan wel doodgeslagen zijn door een of andere gek. Ze zijn op zoek naar een moordenaar met een bijl.' Krister sprak met zachte stem, hoewel de kinderen niet thuis waren. Dat ging gewoon vanzelf als er dingen gezegd werden die niet voor kleine potjes bestemd waren.

'Ja, Jezus', zei Mayonaise en hij haalde de koekenpan van tafel. 'Als jij die worst niet meer moet, vreet ik hem op.' Krister keek met een wat verwarde blik op en knikte.

'Stel dat ze dood is. Wat moet ik dan? Wat moet ik dan doen? Ik kan dit niet langer verdragen. Ik moet weten wat er gebeurd is.'

'Als ze dood is, dan is het simpel. Dan moet je haar begraven', zei Mayonaise, die van het praktische soort was, terwijl hij zijn mond volstopte met hardgebakken worst.

'Hou je bek!' zei Krister geïrriteerd. 'Zei ze niet iets over een graf met een plantje, een soort kruid. Het heette zo ongeveer als Rosmarie.' Krister stond snel op en ging naar de boekenkast, pakte de encyclopedie en las hardop voor: 'Rozemarijn, *ros marinus*, dauw van de zee, soort in de familie van de lipbloemigen. Altijd groene, winterharde heester die in vertakte bundels groeit. Smalle, naaldachtige, grijsgroene bladeren met een kamferachtige geur. In de Griekse oudheid was het kruid opgedragen aan de godin van de liefde, Afrodite. De plant versterkt het geheugen en bevordert de studie.'

'Kom, Mayonaise. We gaan naar het kerkhof.'

'Nu al? We weten nog helemaal niet of ze dood is. Rustig aan!'

Met een paar rasse schreden was Krister bij de auto en Mayonaise kwam erachteraan als een want aan een touwtje.

'Gaan we naar de kerk? Ben je religieus geworden?' vroeg Mayonaise onnodig toen ze vervolgens het grindpad naar de kerk op liepen. Hij was zich bewust van het feit dat de vreemdste dingen kunnen gebeuren als mensen na gaan denken over de zin van het leven en de dood. Jonna had een hele hoop kristallen aangeschaft en was op auradiagnostiek gegaan toen haar moeder overleed, en zijn vader was als weduwnaar lid geworden van het Leger des Heils.

'Is dit wel goed, Krister? Loop je niet wat te hard van stapel?'

Krister hoorde hem niet. Hij liep zelfverzekerd over het keurig gemaaide gras. De wind bracht een regen van witte kastanjebloesem met zich mee. De uitgebloeide seringen roken zurig.

'Hier is het. Een grafsteen die eruitziet als een omgehakte boom.'

'Is het niet wat vroeg om nu al een grafsteen uit te zoeken?' vroeg Mayonaise met een groot gevoel van onbehagen. Het ging niet goed met Krister. Toen die zich vervolgens over het plantje boog, een paar blaadjes tussen zijn vingers wreef en daarna de geur diep inademde, wist Mayonaise dat de waanzin in al zijn hevigheid had toegeslagen. Hij greep naar zijn voorhoofd en schudde zijn hoofd met hetzelfde enthousiasme als waarmee men een thermometer afslaat.

'Je hebt een borrel nodig.'

'Nee, ik heb een mes nodig of een schroevendraaier.' Mayonaise groef in de diepe zakken van zijn broek en haalde een grote spijker tevoorschijn. Hij had zijn oma horen zeggen dat je iemand die een beetje gestoord is, nooit moet tegenspreken. En dat je nooit iemand wakker moet maken die slaapwandelt, en nooit iemand uit zijn dwaasheid moet halen als diegene de werkelijkheid ontvlucht is.

'Is deze goed?' vroeg hij angstig.

'Ik denk van wel.' Krister schraapte het gele korstmos weg zonder acht te slaan op de oude vrouw met de bruine hoofddoek die geïnteresseerd naar hem keek. Mayonaise porde Krister met zijn elleboog in zijn zij. Hij voelde zich betrapt, alsof ze bezig waren met iets onwettigs. Krister groette met een knik en ging verder met zijn werk. De vrouw sloop dichterbij zonder de man, die op zijn hurken bij het graf zat, los te laten met haar blik.

'Weet u wie hier begraven ligt?' vroeg Krister. 'Ik probeer de inscriptie te lezen, maar dat is niet zo eenvoudig.'

'Herman Sirén. Hij is overleden in 1952. Daar moet meneer wel over gehoord hebben. Astrid Sirén ligt aan de noordkant, tussen de zelfmoordenaars en geweldplegers. Ze hadden één zoon.'

'Ivan Sirén?'

'Ja, zo heette hij.'

'Heette?'

'Hij nam dienst in het leger en bleef daar in het buitenland. Hij is daar gestorven.'

'U bedoelt niet degene met die nertsfarm?'

'Zijn opa kocht die nertsfarm toen hij al oud was. Maar hij is overgenomen door iemand van buitenaf. Hij is mensenschuw, zeggen ze. Ik weet het niet', zei de vrouw en ze verborg haar mond achter haar hand. Misschien had ze slechte tanden.

'Ivan Sirén, Ivan de Leeuwenridder, zo heette hij! Natuurlijk, dat was het', zei Mayonaise. 'Weet je dat Maria mij dat dinsdag vroeg en toen kon ik er niet opkomen. Hij heette Ivan. Als hij degene is van die nertsfarm kunnen we er wel even heenrijden voor een praatje, toch?'

Krister ging op het gras zitten. Hij moest nadenken. Ivan Sirén en Egil Hägg. Het jack dat ze thuis hadden, Ivans fleecejack, hing niet meer in de hal. Dat wist hij zeker. De laatste keer dat hij het gezien had, lag het over de bank gesmeten. Hij had het woensdagochtend mee willen nemen toen hij naar zijn werk ging. Maar toen was het verdwenen. Stel dat Maria het meegenomen had. Dat ze door het bos gefietst was om het aan Ivan te overhandigen. Als Ivan degene was naar wie de politie op zoek was, kon er van alles gebeurd zijn. Krister voelde zich duizelig en wiebelig.

Opgelucht dat ze het kerkhof konden verlaten, stapte Mayonaise in de auto en reed de provinciale weg op. Het was prettig dat Krister zijn ziekelijke fixatie voor graven had losgelaten en mee wilde naar een vriend. Voorzover Mayonaise zich kon herinneren, was Ivan altijd een geschikte peer geweest. Een goede vent. Dat hij zich ingelaten had met zoiets als narcotica had hem verbaasd. Maar je weet het nooit met mensen. Stille wateren hebben diepe gronden. De verleiding was misschien te groot geweest. Maar nu had hij boete gedaan. Ivan had zijn vrienden vast hard nodig. Niet zo gek dat je mensenschuw wordt als je gezeten hebt. Jammer dat Clarence en Odd niet thuis waren. Je kon je afvragen waar die uithingen, met een opsporingsbevel op tv en zo. Het zou leuk zijn om een biertje te drinken en herinneringen op te halen. Sommige herinneringen, niet allemaal. Het idee was misschien niet zo geslaagd als puntje bij paaltje kwam. Mayonaise deed de autoruit omlaag en liet zijn zwarte manen fladderen in de wind. Stel dat het Ivan was die weer thuisgekomen was. Krister pakte zijn mobiele telefoon. Hartman had hem diverse keren op het hart gedrukt dat hij moest bellen als hij op iets nieuws gekomen was. 'Denk niet dat iets onbelangrijk is. Dat weet je pas achteraf', had inspecteur Hartman gezegd. Krister zocht het papiertje dat hij in zijn zak had, een verfomfaaid memovelletje van het kinderdagverblijf met de paklijst voor een uitstapje dat Emil in mei gehad had. Op de achterkant stond Hartmans rechtstreekse nummer.

'Inspecteur Hartman is momenteel niet aanwezig. Wie kan ik zeggen dat er gebeld heeft?'

'Krister Wern.'

'Zal ik hem vragen u te bellen?'

'Graag. Hij heeft mijn mobiele nummer.'

Ze reden over stoffige grindwegen. De zon brandde op de voorruit en Krister zat te zweten. Telkens weer veegde hij zijn vochtige handen af aan zijn broek. Wat zou hij tegen Ivan zeggen als ze elkaar ontmoetten? Hallo Ivan, heb jij Jacob met een bijl op zijn hoofd geslagen?

Waarom belde Hartman niet terug? Ze passeerden het bosmeer met zijn zwarte water, half verborgen achter hoge, dichte naaldbomen. Tegen de bosrand stond een magere verschijning. Een man met wit haar en een baard.

'Stop, Mayo! Stop!!!' Mayonaise trapte op de rem en de auto raakte in een slip in het grind; ze waren bijna in de greppel beland.

'Wat is er?' schreeuwde Mayonaise met een hoog stemmetje.

'Ivan! We reden net langs Ivan!'

'We reden bijna de eeuwigheid in, weet je dat wel?'

Krister antwoordde niet. In een fractie van een seconde was hij de auto uit en stond hij oog in oog met de man.

'Ivan!' De magere man staarde Krister met een onderzoekende blik aan.

'Heb je nog meer auto's in de verkoop?' lachte hij. 'Wat goed dat jullie konden komen. Hoe meer mensen naar Gustav zoeken, hoe beter. Heeft Egil jullie net gebeld? Als jullie de andere kant van het meer nemen en naar de hoogspanningsleiding lopen, dan zien we elkaar daar.' Krister trok zich terug. Hij had maar één gedachte: contact krijgen met de meldkamer. Als Ivan de moordenaar was, mocht hij niet ontkomen.

'Hallo Ivan de Leeuwenridder. Dat is een tijd geleden! Naar wie zijn we op zoek? De moordenaar met de bijl?' Mayonaise lachte een bulderende lach die helemaal onder uit zijn bierbuik leek te komen.

Ivans ogen bliksemden zwart als het water van het bosmeer. Zijn gezicht maakte een totale verandering door. Een snelle beweging naar zijn riem en plotseling blonk er een pistool in zijn hand.

'Wat heb je daar voor speeltje, Ivan? Heb je dat op Cyprus gekocht? Wat een turkenblaffer!'

'Gooi de autosleutels en je mobiele telefoon naar me toe en ga op de grond liggen met je handen op je hoofd', siste hij. Krister gehoorzaamde onmiddellijk, met Mayonaise duurde het wat langer.

'Leuk, Ivan, maar nu moet je niet zo raar doen. Ken je me niet meer, je vriend Mayonaise?'

'Doe wat ik zeg, anders knal ik je vette kop eraf!!'

Ze zagen de Volvo wegrijden en achter de houtstapels van de zagerij verdwijnen. Krister stond het eerst op.

'We moeten een telefoon zien te vinden. Kom op! Sta op!'

Mayonaise krabbelde overeind. Moeizaam en omslachtig. De hele voorkant van zijn broek had een donkerder kleur gekregen.

'Zeker in een plas gelegen', verontschuldigde hij zich.

Hartman streek telkens weer met zijn handen door zijn wild krullende haar, een onbewuste manier om door middel van massage de doorbloeding en daarmee de zuurstoftoevoer te bevorderen, dat was Arvidssons theorie over het fenomeen. Arvidsson zelf bevond zich halverwege Södertälje en Kronköping toen Hartman zijn stem in de telefoon hoorde.

'Ze hebben een naam, laten we zeggen voorlopig: Ivan Sirén. Ik ben nu op de terugweg, dus dan moeten ze de rest van de papieren maar sturen. Ivan Sirén, veroordeeld voor handel in verdovende middelen, heeft tot vier maanden terug gevangengezeten op Turks-Cyprus.'

'We zijn al in de buurt. We zijn bij de buren. Ik heb een halfuur geleden met hem gesproken. Nu pakken we hem, Arvidsson. Dat beloof ik.'

Op hetzelfde moment dat Hartman het gesprek beëindigde, zag hij Krister over de akker aan komen rennen. Manfred Magnusson hobbelde een eind achter hem aan in een langzamer tempo. Het duurde even voordat Krister erin slaagde te vertellen wat hij op zijn hart had. Zijn conditie was niet best en zijn ademhaling was daar dan ook naar.

'Hoeveel voorsprong kan hij hebben?' vroeg Hartman toen hij de situatie enigszins helder voor ogen had.

'Ik heb niet op de tijd gelet.' Krister stond voorover geleund en hield zich met beide handen aan de keukentafel vast om lucht te krijgen. 'Hij is gewapend. Een pistool.'

42

Hartman zette zijn bril af en stopte die in zijn borstzak. Marianne was langsgekomen met een gehaktpastei. Toen Hartman de anderen er broederlijk in had laten delen, was er nog maar een zielig stukje voor hem over geweest, dat hij in twee happen naar binnen had gewerkt. Zijn maag schreeuwde uit protest. 'Je drinkt toch wel goed, hè Tomas? Niet alleen maar koffie?' had ze hem vermaand. Hartman voelde zich mat en trillerig, alsof hij elk moment flauw kon vallen. In een ogenblik van inzicht had hij een liter water naar binnen gegoten en hij voelde zich langzaam beter worden. Tomas Hartman drukte zijn vingertoppen tegen elkaar om het trillen tegen te gaan. Hij had ijskoude handen.

'Ze zeiden daar dat jullie Ivan nog niet te pakken hebben.' Egil wees naar de receptie.

'Nee, het duurde een tijd voordat de wegblokkades naar het zuiden gerealiseerd waren. Hij kan hier in de buurt zijn, maar het meest waarschijnlijk is dat hij naar het zuiden van het land is afgereisd. De auto wordt gezocht en er is een opsporingsbevel naar hem uitgegaan.'

'Gustav! Heeft hij Gustav bij zich als gijzelaar? Denkt u dat Ivan zo brutaal was dat hij meeliep in de zoektocht naar Gustav, terwijl hij wist waar Gustav was? Dat wil ik niet geloven over Ivan. Als hij Gustav wat aandoet, vermoord ik hem. Gustav kan niet zonder zijn medicijnen!'

'Ik ben geïnteresseerd in wat u allemaal weet over Ivan. Dat kan ons enorm helpen.'

'Ivan is opgegroeid bij zijn opa. Dat was een goede vent. Maar het kwaad is toch blijkbaar overgeleverd, ondanks het feit dat hij een veilige jeugd had. Als je postduiven grootbrengt, moet je met de juiste beesten fokken, willen er goede afstammelingen van komen, als je een nerveus en opstandig mannetje hebt...'

'Ivan! Wat wilde u vertellen over Ivan?' Hartman drukte zijn vingers tegen zijn slapen in de vage hoop zijn hoofdpijn te kunnen verzachten.

'Toen de moeder van Ivan met haar baby op de kraamafdeling lag, kreeg ze valse geruchten te horen over de vader van Ivan en Gekke Tilda.'

'Gekke Tilda?'

'Die heeft zelfmoord gepleegd. Ze is van de klip bij het uitkijkpunt gesprongen. Toen Ivans moeder dat hoorde, schoot ze zichzelf en haar man dood. Het waren de zenuwen. Het is een gevoelige periode als je net bevallen bent.'

'Waren de geruchten waar?'

'Dat weet niemand. Er wordt zoveel gekletst. De meesten dachten dat het een van de soldaten was die op de boerderij ingekwartierd lagen. Gekke Tilda was zwakzinnig. Ze kon zich gewoon niet verweren, ze wilde tegen iedereen aardig zijn. Ze was te goed voor deze wereld. Daarom werd ze al zo gauw naar huis gehaald. En wij moeten hier een lang leven slijten in dit tranendal. Ik was in die tijd knecht op Smedby, de boerderij ernaast, en ik heb Sirén toen nooit om de meiden heen zien draaien, zoals veel andere bokken wel deden.'

'Wist Ivan wat er met zijn ouders gebeurd was?'

'Ik geloof dat hij dat pas te horen kreeg toen hij op school zat. Er was niet veel voor nodig om gepest te worden, en de kinderen hoorden hun ouders natuurlijk smoezen. Ja, hij werd gepest. Maar niet lang, volgens mij. Zijn opa kwam op een middag naar school en heeft met de klas gesproken. Daarna was er niemand meer die iets zei. Met de opa van Ivan wilde je liever geen ruzie krijgen.'

Een klop op de deur deed Hartman overeind vliegen uit zijn stoel. Duizend gedachten schoten door zijn hoofd. Maria!!!

'Kun je naar de vergaderkamer komen, Hartman?' Erika Lund

was lijkbleek en had holle ogen in het onbarmhartige daglicht.

'Maria?'

'Ik zal het binnen vertellen.' Ze liepen onder een oorverdovende stilte door de gang. Iedereen was aanwezig, hun blik was gericht op de net gearriveerden.

'Ik heb het woonhuis van Ivan Sirén doorzocht en daarna de schuren met de kooien met de nertsen. Ik wilde een overzicht krijgen voordat ik met een gedetailleerd onderzoek zou beginnen. In een koelruimte met kadavers heb ik Maria's halsketting gevonden. De ketting die ze altijd droeg. Ik geloof dat hij ze vermalen heeft tot nertsenvoer, die lichamen! Er zijn DNA-proeven opgestuurd, met de hoogste prioriteit', zei Erika met onvaste stem.

'Wát zeg je?!' Hartman greep de rand van de tafel stevig beet. Hij trok wit weg. 'Wát zei je?!'

'Ik geloof dat hij de lichamen heeft vermalen tot nertsenvoer! Beneden in de kelder, bij de verwarmingsketel, heb ik resten gevonden van verbrande kleren, knopen en botdelen die niet door het vuur zijn verbrand. Ongelukkigerwijs kwam Krister Wern net de schuur binnen toen we een mensengebit in het nertsenvoer ontdekten. Hij is met een shock afgevoerd naar het ziekenhuis. Ik weet niet hoe hij langs de afzetting gekomen is. Hij vond dat het onderzoek te langzaam ging en wilde ter plaatse zijn. Misschien moeten we onze routines op dat gebied eens opnieuw bekijken. De kinderen moesten van de crèche gehaald worden', zei Erika en ze haalde diep adem. De tranen liepen haar in haar ogen en ze sloeg haar hand voor haar gezicht.

'Wie haalt ze nu?'

'Een vriend van het gezin, Manfred Magnusson. Hij was bij Krister Wern op de nertsfarm.'

'Is er iets wat erop wijst dat Maria ook...' Hartman voelde hoe zijn handen weer begonnen te trillen. Hij vouwde ze op zijn schoot in een stil gebed.

'We hebben DNA-materiaal opgestuurd voor analyse. Het kan

een paar uur duren voor we antwoord hebben. Ik heb een haar uit haar borstel opgestuurd ter vergelijking. De fiets is ook gevonden. Maria's fiets. Onder op de composthoop vlak naast het woonhuis.' Erika kneep zichzelf hard in haar onderarm om de tranen in haar keel te bedwingen.

'Zijn er sporen van Gustav?'

'Een mondharmonica. Die lag bij een van de kooien in de schuur. Egil Hägg zei dat Gustav hem altijd bij zich had, zelfs in bed. Het was zijn dierbaarste bezit. Hij had hem van Ivan voor zijn verjaardag gekregen. Ik geloof dat Egil de instorting nabij was toen ik hem liet zien. Hij vroeg of hij hem terug mocht hebben voor het geval Gustav terug zou komen. Hij had het over Gustavs epilepsie en dat hij wilde voorkomen dat Gustav zich te veel zou opwinden als de mondharmonica weg was. Dus ik heb vingerafdrukken genomen en hem de mondharmonica teruggegeven.' Erika zocht steun bij de tafel en ging zitten. 'Ik kan dit niet aan', huilde ze. Hartman legde zijn hand op haar schouder. Er viel niets te zeggen. Het was doodstil in de vergaderruimte. Alleen het eentonige geluid van de ventilator boorde zich door de woordeloze leegte. De eerste die uit zijn verstening kwam, was Arvidsson.

'Storm heeft gebeld. Hij heeft meer mensen naar het feestplein verordonneerd. Er waren vechtpartijen. De bewaking van de kwekerij is voorlopig ingetrokken.'

'Wie heeft dat gesprek aangenomen zonder het mij mee te delen?'

'Himberg.'

Rosmarie had de hele dag in het prieel zitten wachten. De witte jurk die al die jaren op zolder gelegen had, hing losjes om haar magere lichaam. Het kant in het decolleté was vergaan en de stof was vergeeld. Ze had hem aangetrokken voor de herinnering. Vele lagen poeder bedekten de blauwe plekken op haar hals en maakten haar rimpels extra duidelijk zichtbaar. De tafel was gedekt met kristallen glazen. Eentje vertoonde een barst. De tijd gaat niet ongemerkt voorbij.

Toen het begon te schemeren stak ze de kaarsen in de kandelaar aan, vervuld van de herinnering aan hem. Ze streek met haar handen over haar borsten en haar heupen, probeerde zijn handen te voelen door die van haarzelf heen. Als een vrouw een man een takje basilicum geeft en hij accepteert dat, dan zal hij haar eeuwig liefhebben. Ze waren zo jong geweest en zo plechtig in hun beloftes aan elkaar. En er zo zeker van dat ze zelf hun lot konden bepalen. Rosmarie schonk meer wijn uit de stenen kruik in de glazen, speelde een rollenspel. Afwisselend was ze Ivans absolute zekerheid van zijn terugkeer, dan weer haar eigen angst voor de eenzaamheid en het verwachte kind. In de verdovende omhelzing van de roes gaf ze zich over aan haar rollen. Het kon haar niet schelen dat ze knoeide met de wijn en haar jurk bevlekte. Het afscheid. Ivans laatste woorden, en de hare. De leegte.

Nu hoorde ze zijn stappen op het grind, niet langer enthousiast en vrolijk, niet eens zelfverzekerd. Ze zag een glimp van hem door het gebladerte en rende met wijdopen armen naar de trap. Haar haar glansde als een koperkleurig gloria in het schijnsel van de stearinekaarsen. De roomwitte kleur van de jurk deed haar huid glinsteren. Haar wangen bloosden van de pruimenwijn. Hij stond doodstil en keek haar besluiteloos aan. Hij zag haar alsof de tijd hen nooit gescheiden had en hij nam haar in zijn armen, tegen alle voornemens in. Ademde haar geur in die hem in zijn dromen gevolgd had en huilde. Jaren van opgedroogde tranen. Hij liet zijn handen over de dunne stof van de jurk glijden en voelde haar warme huid. Kuste haar voorhoofd en mond. Ze drukte zich dichter tegen hem aan. Voorzichtig knoopte ze zijn overhemd met strelende bewegingen los en liet haar hand over de stof van zijn broek glijden, van de dijen tot de rits. Haar kussen beloofden alles. Ivan liet zich een ogenblik gaan voordat hij haar bij haar pols greep met de heftigheid van de twijfel.

'Het kan niet. Er zit geen leven meer in. Alles is aan flarden gescheurd en verbrand door elektrische schokken. Ik kan niet eens normaal pissen.' Met zijn rechterhand viste hij een stomazakje uit zijn broekband met als doel te choqueren en de stemming die hem dreigde te overmannen kapot te maken. 'Kijk maar, kijk verdomme.' Hij probeerde haar van zich af te duwen, maar ze klemde zich vast. 'Ik wil verdomme geen medelijden', zei hij woedend en hij had spijt dat hij gekomen was. Hij haatte zichzelf, omdat hij haar weer de macht over zich had laten krijgen.

'Ik ook niet. Ik hou van je, Ivan. Ik heb altijd van je gehouden.' Haar gezicht was zo dichtbij. 'Blijf bij mij.' Ze tilde een glas van de tafel, zette het aan haar lippen en bracht het andere naar zijn mond. 'Op ons.'

'Op ons', zei hij en hij keek haar in de ogen. Hij zocht naar een spoortje angst of verraad, maar vond dat niet. 'Ik had je kunnen doden', zei hij in een laatste besluiteloze poging om haar bang te maken.

'Ik heb niets te verliezen', zei ze en ze ontmoette zijn blik met een serieuze glimlach. Ze nam een slok van de wijn. 'Jij wel?'

Konrad Hultgren liep te ijsberen in zijn keuken. Het licht in het prieeltje had lang gebrand. Misschien zat Rosmarie daar nog alleen in het donker. Hij had de verandering van de laatste dagen opgemerkt, een nieuwe trots, een nieuwe besluitvaardigheid. Ze zouden Clarence wel aankunnen als hij terugkwam. Konrad stopte een paar nitroglycerinetabletten onder zijn tong, nam de zaklamp en liep de duisternis in. Toen hij halverwege de vijver was, voelde hij een hand op zijn arm.

'Politie! Blijf uit de buurt. Het kan gevaarlijk zijn. Hij is gewapend.' Inspecteur van politie Himberg dreef de oude man terug naar het huis. 'Zijn ze in het prieel?'

'Ik weet het niet. Wat bent u van plan?'

'Als u uit de buurt blijft, kan ik mijn werk doen', zei Himberg uit de hoogte.

'Wie is gewapend?' vroeg Konrad. 'Clarence?'

'Ivan Sirén.'

'Mag ik met hem praten?'

'Bent u niet goed bij uw hoofd? Blijf uit de buurt, verdomme!'

De schaduw van een mannenlichaam gleed naar het prieeltje. De deur werd opengerukt. Op de grond lagen Rosmarie Haag en Ivan Sirén dicht tegen elkaar aan.

'Politie. Leg het wapen weg, Ivan Sirén!'

Ze negeerden hem volkomen. Misschien was het een val. Himberg voelde een huivering in zijn maagstreek. 'Laat de vrouw los en kom overeind, klootzak!' De daaropvolgende stilte sneed in zijn oren. Himberg schopte tegen Ivan aan en het lichaam rolde om in een slappe omhelzing van het niets. Rosmaries ogen waren gesloten. De witte lippen waren gemerkt met de kus van de dood. Himbergs woedende brul sneed door de nacht en was zelfs hoorbaar op de parkeerplaats waar Hartman zojuist was gestopt.

43

De schemering lag al dicht boven het bos en daalde als een grote, grijze, wollen deken neer over het weiland bij het strand. De laatste stralen van de zon verlichtten de onderkant van de wolken, die rood kleurden onder de compacte, donkergrijze wolkenmassa. De zee was stil en luisterend. Soms spoelde een golf tastend over de ronde stenen bij het strand, als een zuigeling op zoek naar zijn moeders borst. Er was een duif over het weiland gevlogen in de richting van het bos. Een mooie bruine duif met witte slagpennen en een wit kopje. Een jonge man was aan het zingen. Hij zong uit volle borst zijn mooiste wijsjes, hij zong voor zijn leven. De tonen werden op het zachte briesje meegevoerd. Zinderden in de grasklokjes en verenigden zich met het stille suizen van de naaldbomen.

De auto stopte op de open plek. Egil Hägg rende over het gras, sneller dan iemand voor mogelijk had gehouden, met vlak daarachter Arvidsson en Ek.

Egil was 's middags vertwijfeld van het politiebureau naar huis gereden. Terug naar de leegte. Naar Gustavs opgemaakte bed. Gustavs klompen stonden bij de glazen deur naar de duiventil. De mondharmonica had hij op de plank boven Gustavs bed gelegd, alsof hij alleen een beetje had opgeruimd, alsof Gustav ieder moment binnen kon komen om zich af te vragen waar zijn mondharmonica gebleven was. Al de bekende Gustav-geluiden waren weg: niemand die rommelde in de keuken, niemand die het toilet doortrok, de stilte werd zelfs niet verbroken door de niet-aflatende strijkers van Beethoven. Egil keek naar het doseerdoosje waarin Gustavs medicijnen per dag waren onderverdeeld. Medicijnen die van levensbelang waren! Een zwak koeren uit de duiventil deed hem zijn evenwicht voor even terugvinden. Het leven ging tenslotte door. De duiven moesten maïs en water hebben. Toen zag hij Arrak binnen komen vliegen, hij ging op het stokje zitten voor het vak met zijn nest. Egil wilde de duif even vastpakken. Troost zoeken, als troost te vinden was. Toen zag hij het briefje dat onder de ring van de duif geschoven zat en de vreugde maakte een koprol in zijn borst.

Van verre konden ze Gustavs gezang uit de bunker horen. De tonen stegen als rooksignalen op naar de hemel: Hier zijn we! Egil strompelde voort, half verblind door tranen.

'Gustav, mijn Gustav!' Arvidsson wilde roepen, maar hij kon het niet. Durfde het niet, stel dat er geen antwoord zou komen. De deur naar de bunker was afgesloten met een hangslot. Arvidsson liep om de bunker heen en rukte de planken van de opening naar zee met zijn blote handen los. Hij staarde het donker in.

'Maria, leef je?'

'Ze ligt maar te slapen', antwoordde Gustav.

'Ademt ze?'

'Ja, zeker. Je moet constant ademhalen, anders ga je dood.'

Arvidsson pakte een grote ronde steen en smeet die tegen het slot, dat openvloog. Hij deed de deur open. De stank kwam hem tegemoet.

'Is de ambulance onderweg?'

'Ja', zei Ek en hij ging op zijn hurken bij de opening zitten. 'Hoe is het, Maria?'

Epiloog

Maria zat in de kerk van Kronviken. De orgelmuziek zwol aan in een machtige fuga, die krijgertje met zichzelf leek te spelen onder de gewelven en langs de pilaren omlaag stroomde. Helemaal vooraan in de kerk had men een houten boot gevuld met zand, waarin kaarsjes brandden. Met trillende handen had ze haar kaarsjes aangestoken ter herinnering aan Ivan Sirén en Rosmarie Haag. Tijdens de begrafenisplechtigheid liet ze haar blik omhoog glijden naar het glas-in-loodraam. Ze keek naar de in lood vervatte blauwe, rode en gele stukken glas. Misschien bekeek Ivan Rosmarie nu zoals hij verkozen had haar te zien, met liefde. Gustav zat helemaal vooraan naast Egil met een boeket grasklokjes in zijn hand. Zijn haar vloog op en neer op de maat van de muziek, zijn schouders wiegden mee. Een mooi gezicht, maar Maria had moeite om überhaupt iets te voelen. De woorden deden haar niets. Ze had niet kunnen reageren, geen verdriet of vreugde gevoeld, niet eens boosheid kunnen voelen. De wond op haar hoofd was bijna genezen. Maar al haar gevoelens waren dood. Het was alsof ze zichzelf van buitenaf kon waarnemen. Ze zag dat wat ze deed correct was, maar zonder leven. Het was of niets haar eigenlijk nog kon schelen. Hartman had het begrepen en haar professionele hulp aangeboden, maar dat had ze afgewezen. Ze kon het niet. Ze wilde alleen maar slapen. Krister was bezorgd.

De man met de viool was klein van stuk. Hij stond op. Hij zag er níét uit, maar zijn muziek was prachtig. Niemand had naderhand kunnen vertellen wie hij was of waar hij vandaan was gekomen. Een muzikant op doorreis? De tonen stegen op en daalden neer onder de gewelven. Raakten haar behoedzaam aan. De strijkstok danste als een toverstaf over de snaren. De gevoeligheid van zijn vingers bracht de tonen tot leven. Ze sijpelden in haar bloed en zonken als stenen in haar bewustzijn. Wiegend gaf de muziek uitdrukking aan het moeilijke. Daarna spatte ze uit elkaar in een vuurwerk van tonen, als sterren en vuren, als het noorderlicht en watervallen. Zulke muziek komt daar waar woorden nooit kunnen komen, tegen zulke muziek bestaat geen verdediging, die stroomt rechtstreeks naar je ziel. Maria liet haar tranen de vrije loop zonder haar gezicht te verbergen en ze pakte Kristers hand.

Anna Jansson bij De Geus

Midwinteroffer

Op een prehistorische offerplaats hangt een dode man in een boom. Met naast hem acht dode dieren van het mannelijk geslacht. Het rituele karakter van de moord laat inspecteur Maria Wern niet los. Ze ontdekt dat er jaren geleden een vergelijkbare moord is gepleegd. Maar de dader daarvan is kort daarna om het leven gekomen bij een auto-ongeluk.